Ernesto García Camarero

La ciencia española entre la polémica y el exilio

dentro de la evolución de la Ciencia europea.

Madrid
2016

megustaescribir

Título original: La ciencia española entre la polémica y el exilio

1a edición: 2016
La primera versión de esta obra es de 2012.

En esta edición se han omitido las notas y el índice onomástico que aparecen
en la edición de 2012.

La imagen de la portada es Cortesía de la Calcografía Nacional de la Real Academia de Bellas
Artes de San Fernando. Madrid.

Primera edición: Mayo 2016

© 2016, Ernesto García Camarero
© 2016, megustaescribir
        Ctra. Nacional II, Km 599,7. 08780 Pallejà (Barcelona) España

ISBN: Tapa Blanda   978-8-4911-2452-8
              Libro Electrónico   978-8-4911-2451-1

Esta edición no hubiera sido posible sin
el apoyo y la ayuda de mi viejo colaborador
y amigo Luis Angel García Melero,
eminente bibliotecólogo.

Contenido

de Madrid. 4.3.2 El Ateneo desde la Vicalvarada a la Septembrina (1854–1868) 4.3.3 El Ateneo en el Sexenio democrático (1868–1874). 4.4. El Ateneo durante la Restauración (1874). 4.4.1 La cuestión universitaria. 4.4.2 La Institución Libre de Enseñanza. 4.4.3 La Escuela de Estudios Superiores. 4.4.4 La Asociación Española para el Progreso de las Ciencias

Prefacio

En este libro se considera el desarrollo de la ciencia a lo largo de un extenso período de su historia, tratando de responder a interesantes preguntas tanto acerca de la trayectoria que España ha descrito en ella, como sobre sus perspectivas contemporáneas. Se abre este estudio con una reflexión acerca de la génesis del desarrollo del pensamiento científico, a la que se hará referencia en otras partes del libro. Primeramente se considera la forma en que la existencia de conexiones causales, constatables por la experiencia, apareció en la conciencia del hombre y como, gradualmente, esas percepciones condujeron al surgimiento de formas de pensamiento racional. Con éste último ha sido posible, históricamente, desarrollar formas nuevas y más sistematizadas del conocimiento que hoy llamamos científico.

El autor no olvida señalar la supervivencia de mitos y prejuicios ancestrales en los esfuerzos contemporáneos por comprender e interpretar la realidad. Algunos de ellos, modernizados de maneras diversas, han tenido considerable relevancia para fijar el camino que ocasionalmente han seguido ramas particulares de las ciencias a lo largo de su historia. Ese importante tema reaparece varias veces a lo largo de esta obra.

Se consideran luego los importantes avances registrados en la ciencia en los siglos XVI y XVII, período en el que España comenzó a incorporar mundos nuevos a la conciencia europea. Al mismo tiempo se destacan los pasos que se dieron en España para crear estructuras más modernas, que permitieran afianzar la transferencia de la ciencia y sus aplicaciones, posibilitar la comprensión de aquellas nuevas realidades, y asegurar el beneficio de sus producciones.

A continuación el autor se ocupa de analizar porqué la ciencia, en sus grandes líneas, no logró en España la originalidad y el brillo que alcanzó su literatura y su arte. Para dar respuesta a estas cuestiones considera la dinámica interna de la ciencia de esas épocas, dentro y fuera de las fronteras españolas, y muestra las conexiones diversas de estos procesos con las circunstancias políticas y sociales por la que atravesó el país en esos siglos. Esta es la metodología histórica que el autor ha de aplicar a lo largo de su obra. Luego, al recorrer períodos más recientes, incorporará variables nuevas y también nuevas herramientas interpretativas.

A continuación se ocupa del impacto de la Ilustración, en la que el problema del acceso a conocimientos relativos a las aplicaciones de la ciencia se plantea sobre bases nuevas y se lo conecta directamente con la realidad económica. Inteligentemente, el autor relaciona aquel período dorado de la cultura con la apertura de la llamada Polémica de la Ciencia Española. Este apasionante debate, que no ha concluido aún, intentaba cuantificar los avances relativos de la ciencia en España y en Francia hacia fines del siglo XVIII. Tuvo también el gran mérito de precipitar una reflexión profunda sobre el pasado científico español, tanto sobre sus problemas como sobre sus métodos y resultados. Sobre este tema el autor, junto con su hermano Enrique, nos ha legado ya un estudio que continúa siendo una referencia ineludible para el estudio de ese importante fenómeno histórico.

En su análisis de la segunda mitad del siglo XIX el autor considera con especial atención la contribución del Ateneo de Madrid a la recepción de conocimientos científicos. Sea esto por su labor propia, o por el rol que ella jugó como institución generadora de otras instituciones. El Ateneo merecía el estudio en profundidad que, desde el punto de vista específico de la ciencia, encontramos en esta obra. Para esta tarea Ernesto aporta un conocimiento poco común de la historia de esa benemérita institución a la que ha servido durante largos años en diferentes capacidades. Uno de los resultados accesorios de su gestión ha sido facilitar un acceso amplio al rico patrimonio documental del Ateneo, introduciendo para ello técnicas digitales avanzadas.

El tema siguiente es un análisis del papel que jugaron diferentes Ateneístas en la promoción del estudio y la práctica de la ciencia moderna desde sus posiciones en diferentes gabinetes de gobierno. Particularmente interesante es su estudio de las relaciones entre la política y la ciencia en el Sexenio democrático.

Recuerda luego el autor el estudio de 1897 de Santiago Ramón y Cajal, sobre los deberes del Estado en relación con la producción científica. En particular, hace referencia a la insistencia de Cajal acerca de la imposibilidad de hacer ciencia a un nivel avanzado sin establecer relaciones internacionales amplias y sin una mínima autonomía financiera que deje de lado la interferencia política. Ambos temas continuarían resonando a lo largo de todo el siglo siguiente y llegan hasta el presente.

Destaca que a un interés creciente por los descubrimientos de la ciencia pura, se agregó en esos años una apreciación más clara de las grandes realizaciones de la técnica y el desarrollo de la industria. Leonardo Torres Quevedo es mostrado en esta obra como una figura característica de ese nuevo giro intelectual.

El número de personas que asiste y avala las conferencias sobre temas científicos e industriales en el Ateneo, que esta obra documenta, es sorprendente. El autor muestra cómo, alrededor de esas actividades, se comenzó a configurar en esos años una imagen más precisa del efecto que las aplicaciones de la ciencia podrían ejercer sobre la prosperidad del estado español. Este es un punto de considerable importancia para explicar la transición de la actividad científica desde el sector de la práctica amateur hacia su aceptación como una actividad profesional remunerable. Esa fue la tarea de las décadas siguientes. Desde un punto de vista aún más general, el autor muestra como el Ateneo fue también una tribuna desde donde se propagó una visión nueva del rol del laboratorio y de la prueba positiva por el experimento.

Un aspecto sobresaliente de esta obra es su análisis de la estructura y funciones de una rama semindependiente del Ateneo creada en 1895: la Escuela de Estudios Superiores, que merecía una evaluación más precisa. Esta institución, característica de los ideales educativos de las últimas décadas del siglo XIX, es paralela al avance del movimiento de la

Regeneración. Ella responde a un nuevo paradigma en el que, por encima de las difíciles y quizás interminables preguntas del porqué no ha habido un desarrollo de la ciencia en España paralelo al de otras áreas de la cultura, se comienza a dialogar sobre soluciones concretas para implementar ese avance. El autor muestra cómo, en forma natural, la actividad pionera de Escuela de Estudios Superiores confluye, tanto por sus temas de trabajo como por la obra de sus actores, hacia una concepción nueva de la ciencia que le atribuye un carácter más abierto e internacional.

A fines de la primera década del siglo XX esas ideas condujeron a la creación de la Junta para Ampliación de Estudios e Investigaciones Científicas, una institución de alto nivel que se planteaba el desarrollo organizado del cultivo de la ciencia, y que resultó ser, quizás, el esfuerzo más fructífero en la historia de la promoción de la ciencia en España. En paralelo con ella, también a un nivel nacional, se comenzó a tejer una trama más densa de comunicación entre los científicos activos a través de la fundación de diversas sociedades específicas. El afianzamiento del contacto de aquellos con la sociedad contemporánea fue la tarea específica de la Asociación Española para el Progreso de las Ciencias. Esta institución fue parte de un movimiento europeo contemporáneo que alcanzó a España muy a principios del siglo XX.

Luego de estudiar las líneas generales la acción de la Junta y de sus organizaciones colaterales, el autor se ocupa de su desmantelamiento, uno de los costos culturales y económicos de la Guerra Civil. Sin desmedro de sus realizaciones, interesa diferenciar con precisión la naturaleza y los objetivos de la institución que intentó poblar el vacío dejado por la Junta. Ese examen, que el autor sintetiza con precisión, invita a considerar claves nuevas que pueden servir, incluso, para una reflexión sobre la historia reciente de la ciencia española.

Interesa particularmente su discusión sobre las consecuencias humanas del fenómeno de la emigración científica. Encontramos aquí algunas de las páginas más sentidas de esta obra. Sobre este tema hemos leído ya aproximaciones del mayor interés y originalidad en otras obras del autor.

Esa emigración fue un acontecimiento de grandes proporciones, que se encuadra con justicia dentro de los más duros desplazamientos humanos que acompañaron las tensiones internacionales del segundo tercio del siglo XX. Sin embargo, el autor no olvida señalar que si tanto perdió España con esa emigración forzada, ella fue también capaz de realizar una obra científica de considerable trascendencia en el exilio. En particular, en la historia reciente del desarrollo científico de varios países de la comunidad Hispano-Americana de cultura, principalmente en México y en la Argentina, esa emigración fue uno de los elementos dinamizantes más singulares.

Es sabido que desde su primera juventud, alentado por su maestro Julio Rey Pastor, García Camarero compartió sus tareas en el campo de la historia de las ciencias con una formación universitaria en matemáticas que lo llevó a interesarse por las posibles aplicaciones de un instrumento de conocimiento entonces nuevo: el ordenador. En esta área hizo labor pionera en la Universidad Complutense, a través del Centro de Cálculo. También en varios países de la América Latina, particularmente en la Argentina, donde es considerado hoy como la figura clave en el lanzamiento de la informática científica.

Apropiadamente, este libro concluye con una discusión acerca de las perspectivas que las redes de comunicación informática ofrecen a la ciencia. Ellas permiten entrever la posibilidad de un desarrollo más libre e independiente de la investigación científica original, posiblemente diferente del que hemos conocido hasta hoy.

Es un libro para leer y reflexionar.

Eduardo L. Ortíz
Imperial College,
Londres

Capítulo 1

Mito y Razón

1.1. Génesis del conocimiento y su evolución y acumulación.

En la fascinante evolución del mundo, ha aparecido una propiedad extraordinaria que consiste en la capacidad humana de conocer el propio mundo y el desarrollo, conciencia, acumulación y difusión de ese conocimiento. Cierto es, que ese conocimiento nunca es completo ni compartido por todos, que se nos presenta como aspectos parciales de ciertas realidades, y que en etapas sucesivas se va incrementando y difundiendo paulatinamente. El conocimiento da tranquilidad al espíritu al permitir hacer previsiones y proyectos. El conocimiento da poder al que lo tiene: poder sobre la naturaleza y poder sobre los que carecen de él. Aunque el conocimiento potencialmente es accesible a todos, las condiciones históricas y sociales han impedido su distribución homogénea y sólo algunos reducidos grupos sociales han participado de ella; sin embargo, en el transcurso del tiempo esa distribución cada vez va siendo más amplia.

El origen de las ideas, es decir, del saber cómo son y han sido las cosas y los fenómenos, y su devenir, proviene de la observación del entorno

1

inmediato, del resultado de la actividad cotidiana humana, apoyándose en percepciones y practicas parciales, en intuiciones, en deseos, en temores, y del intercambio de las ideas dentro de los grupos sociales. A partir de un nuevo conocimiento se pueden realizar las observaciones con más precisión, obtener de la reflexión resultados más adecuados con la realidad, y en definitiva obtener mejores aplicaciones. Así se ha ido formando el pensamiento común, a lo largo de los siglos, recorriendo etapas cíclicas de observación del mundo, de reflexión sobre lo observado y de aplicación de los resultados de la reflexión.

La forma de transmitir y conservar este pensamiento común, fue inicialmente por intercambio y tradición oral. Los que sabían enseñaban a los que no sabían. Cuando la cantidad de conocimiento fue aumentando, este se grabó en narraciones orales que algunos memorizaban y transmitían. Esta especialización otorgó a los depositarios del conocimiento colectivo del grupo cierta preeminencia: así aparecieron los magos y los adivinos. Pero como las explicaciones de los fenómenos no siempre eran coherentes o fácilmente admisibles, se justificaban con la existencia de ciertos espíritus o dioses que la propiciaban. Una voluntad suprema justificaba los fenómenos de difícil explicación. Se decía que estas explicaciones eran obtenidas bien por adivinación, o bien por revelación divina a iluminados y profetas, dotados de poderes especiales capaces de obtener resultados que sólo ellos podían conseguir. Así surgieron, primero, los mitos y las mitologías y más tarde las grandes religiones con sus teogonías y teologías.

Con la aparición de la escritura se dio un gran salto en la forma de conservar el conocimiento. La extraordinaria capacidad de poder fijar las ideas fuera del cerebro humano mediante símbolos sobre un soporte material, posibilitó la acumulación de conocimiento, su transmisión a distancia y su conservación en el tiempo, sin necesidad de utilizar el recurso oral. Esto produjo un cambio esencial en la forma de apropiarse del conocimiento. El que conociera y usara la escritura era dueño del conocimiento en ella depositado.

La lectura y la escritura requerían el aprendizaje de unas técnicas de cierta dificultad y por tanto accesibles sólo a un reducido número de personas, y como consecuencia la escritura adquiría un aspecto hermético y esotérico. Los escribas y sumos sacerdotes fueron los primeros depositarios de estas técnicas y, por tanto, los únicos capaces de interpretar los conocimiento grabados en la escrituras. En los orígenes, gracias a la escritura, se recogía todo el corpus de conocimiento de una época en libros sagrados únicos. Las ortodoxias aparecen para asegurar que no se deforme arbitrariamente el conocimiento recogido en las escrituras pero, como consecuencia, también se comienza a valorar más lo escrito que lo vivido.

Pero la verdadera fuente del conocimiento no estaba en las escrituras sino en la Naturaleza. Y es la actividad de los hombres la única capaz de leer el libro de Naturaleza. Por una parte la práctica diaria de la agricultura y de la ganadería necesitaba prever, planear, proyectar y para eso necesita conocer, y para conocer se necesita pensar, interrogarse sobre los fenómenos y sus causas. Ese conocimiento se inicia con una fase empírica mediante la acción, la observación directa y la consulta a la Naturaleza, ayudadas por herramientas e instrumentos.

Por ordenación y síntesis de los datos obtenidos y acumulados empíricamente se van formando explicaciones y conexiones de causa-efecto, cuyo grado de verdad debe constatarse en nuevas consultas a la Naturaleza a través del experimento y de la experiencia. Esta tarea no la hacen ni magos, ni iluminados, ni gente con poderes especiales, sólo personas con su trabajo y con una formación accesible a cualquiera que esté motivado y utilice su propia inteligencia. En este caso los saberes, prácticos, teóricos y aplicados, pertenecen a cada individuo que los usa en su trabajo cotidiano o para su deleite y los comparte en las tareas que requieren colaboración.

Así, paulatinamente, va surgiendo el *conocimiento científico*, como una de las formas más eficaces de conocer en cuanto que permite encontrar explicaciones racionales de los fenómenos que se nos presentan en la Naturaleza, y predecir con cierta exactitud acontecimientos futuros, naturales o proyectados. Junto al conocimiento científico aparecen también la lógica y la demostración como pilares esenciales de la ciencia.

La historia general de la ciencia ha estudiado cómo se ha iniciado y desarrollado el pensamiento y el conocimiento científicos. Ha estudiado también cómo la curiosidad y la búsqueda de la verdad, han sido acicates para recorrer los nuevos dominios de la información presentada por la Naturaleza; cómo se han realizado las representaciones que nos permitan conocer mejor esa Naturaleza y viajar con seguridad por la misma; y cómo se ha construido la nueva imagen del Mundo del Conocimiento en el que ha vivido la Sociedad en cada momento.

La historia general de la ciencia hace un recorrido por el tiempo, observando los esfuerzos realizados para formar e incrementar el conocimiento del mundo que nos rodea, y de nosotros mismos, y la manera de utilizarlo para nuestro desarrollo y beneficio. Estudia también a las personas, los grupos de personas y las instituciones de diversa naturaleza que han obtenido nuevos resultados científicos, que los han exteriorizado de sus mentes y acumulado en el tiempo para alojarse mediante símbolos en soportes físicos de distinto tipo.

Pero también estudia cómo dentro de este nuevo mundo de ideas y conocimientos científicos se conservan y ramifican todavía los restos de antiguos mitos y de falsos dioses, que nos dificultan a veces distinguir entre la tierra firme de la ciencia y las simas profundas y los torbellinos de ortodoxias mágicas o interesadas. Y también observa cómo la Ciencia esta imbricada en la Sociedad, cómo la ciencia puede ser apropiada por unos grupos sociales en detrimento de otros, y cómo, a veces, se utiliza el conocimiento científico, no para el beneficio social sino para la destrucción.

El pensamiento científico ha ido desarrollándose lentamente junto a diversas ortodoxias. La evolución de la ciencia primitiva, desde este esquemático planteamiento, se va desarrollando a lo largo de la historia para ir tomando formas diversas en su interrelación con el establecimiento de las sociedades humanas.

Para completar el área de interés de la historia de la ciencia, es importante considerar el origen del conocimiento (cómo y dónde se crea), cuál es su propietario y cuál es su uso. Cuestiones complejas de difícil respuesta, a la que se han dedicados numerosos filósofos e historiadores.

1.2. Las civilizaciones primitivas.

Se suele fijar la aparición de la agricultura en Mesopotamia (*cuna de la civilización*), en la zona comprendida entre los ríos Tigris y Éufrates, y donde también la mitología situó al Paraíso Terrenal. Esto fue unos 10.000 años antes del nacimiento de Cristo. Con la agricultura surgió la propiedad de la tierra y la necesidad de defender las cosechas y los graneros, y como consecuencia la guerra. También en esta zona, varios milenios después, nació la escritura. Estos acontecimientos se han utilizado para señalar las principales características de la Revolución Neolítica. En este periodo aparece la domesticación de los animales y especialmente del caballo, también la fundición de varios metales –especialmente el hierro (1300 a. C) – así como las ciudades, el comercio y la moneda. La actividad social, cada vez más compleja, requiere de más conocimiento. Se van reuniendo conocimientos empíricos sobre aritmética y astronomía, y desarrollando los instrumentos y las herramientas esenciales para el comercio y la agricultura. La medicina estaba en un estado muy primitivo, creían que las enfermedades provienen del castigo de los dioses o provocadas por hechizos y maldiciones; las curas consistían en apaciguar al dios que las hubiese provocado. Estos remotos conocimientos sobre los negocios, las religiones y la Naturaleza, fueron grabados sobre tablillas de barro usando la escritura cuneiforme y los custodiaron escribas y sacerdotes.

Otra civilización similar, que se desarrolló (también a lo largo de un río) durante más de 3.000 años, fue la cultura del antiguo Egipto. En este caso el río era el Nilo que propiciaba la agricultura como base de la abundancia y con ella también la propiedad, las ciudades y una organización jerárquica apoyada en numerosos dioses. A lo largo de tres milenios su amplitud geográfica y sus relaciones (hegemónicas, comerciales y bélicas) con los pueblos de Mesopotamia y del Mediterráneo oriental cambiaron según los periodos. Su organización dependía de una élite sociopolítica y económica dirigida por el Faraón, que tenía un carácter semidivino, y estaba basado en un sistema de creencias religiosas. Finalmente la influencia de la Grecia Clásica y la conquista de su territorio por Roma termina con la civilización Egipcia, después de haber influenciado ésta, de forma notable, en aquellas dos culturas.

En el antiguo Egipto se hace un cierto acopio de conocimiento de carácter empírico sobre la naturaleza, que es la base de un importante desarrollo técnico. La agricultura, la astronomía, y la arquitectura alcanzan un amplio desarrollo junto con la geometría y la aritmética. Este conocimiento se conservaba en inscripciones jeroglíficas o sobre papiros con escritura hierática; su custodia, interpretación e incremento estaban confiados a los escribas. Los escribas, educados en escuelas que dependían de un templo, eran funcionarios instruidos en el cálculo y en la escritura, los idiomas, la geografía y la historia. No sólo custodiaban el conocimiento sino que lo aplicaban en la medición de las tierras y del nivel de Nilo, en el control de la producción y almacenamiento de las cosechas, en la realización de censos de población y de ganado, etc. Los escribas pertenecían a una casta especial, donde los cargos se transmitían de padres a hijos, con la responsabilidad de lograr un buen funcionamiento del Estado.

Pero al carácter empírico de los conocimientos de estas civilizaciones le faltaba las explicaciones racionales de las relaciones de causa efecto que los ligaba, y con ello fundamentar y precisar las previsiones de los acontecimientos naturales. La carencia de explicaciones naturales era sustituida por la actuación de divinidades a las que se debía sumisión para alcanzar los efectos deseados. Formándose así un conglomerado de conocimiento empírico con explicaciones mágicas o teológicas gestionado por un cuerpo de sacerdotes cuya estructura varió según el lugar y el tiempo en que le tocó actuar.

1.3. La Ciencia Griega.

En la Grecia clásica, que convivió varios siglos con las civilizaciones anteriores, se produjo el gran salto intelectual de utilizar la razón para explicar los hechos naturales y la democracia para organizar la convivencia entre los hombres.

En Grecia —aunque estaba inmersa también en un mundo lleno de dioses y de héroes, de vestales y pitonisas— nació unos 600 años antes de Cristo, el tipo de conocimiento que hoy identificamos como científico, es decir, el que incluye la fase teórica de la ciencia. La Filosofía natural y la ciencia fueron desarrollándose paulatinamente en diversas ciudades griegas como Mileto, Chios, Samos, Megara, Atenas, Alejandría, Siracusa, ... Algunos de sus protagonistas fueron: Thales de Mileto (600 a.C.) que viajó por Egipto y se relacionó con sus sacerdotes; Pitágoras (582–507 a. C.) quien viajó por Mesopotamia y Egipto, antes de regresar a Samos, su patria, donde fundó su primera escuela; Hipócrates (400 a. C.) famoso por su medicina; Sócrates (470–399 a. C.) quien vinculó la razón con la moral; Platón (428–347 a. C.) fundador de la Academia (*nadie entre aquí si no es geómetra*) para difundir la nueva forma de pensar; su discípulo Aristóteles (384–322 a. C.), protegido de Alejandro, fue el fundador del Liceo (300 a. C.) y autor de la *Lógica* y de la *Física*; Euclides de Megara (450–380 a. C.) autor de los *Elementos de Geometría*, primer libro científico moderno en el que incluye una lógica y un método de demostración que ha durado hasta nuestros días; Arquímedes de Siracusa (287–212 a. C.) quien estudió en Alejandría y fue un eminente matemático, físico e ingeniero; Ptolomeo (100–170 d. C.) astrónomo y geógrafo, etc.,

Pero las ideas de estos filósofos no siempre se desarrollaron sin sufrir persecución por tenerlas y por difundirlas. Así Pitágoras, tuvo que huir de Samos a Crotona (en Sicilia) para evitar la persecución del tirano Polícatres; Sócrates fue perseguido en Atenas hasta su muerte por considerar que sus ideas corrompían a la juventud, pero sobre todo porque era heterodoxo con relación al pensamiento teocrático oficial.

La aparición de este nuevo pensamiento racional, cuyas explicaciones de origen natural no necesitaban la intervención de dioses, se fue abriendo camino a lo largo de los siglos en su convivencia antagónica con teologías y mitos antiguos, modernos y de reciente construcción, hasta llegar a nuestros días.

Todo este pensamiento científico creado por los filósofos y científicos griegos fue difundido inicialmente en las escuelas y academias que se alzaban en diversas ciudades griegas, después se hizo de forma escrita mediante libros y documentos recogidos en bibliotecas de diversas ciudades como, entre otras, las de Pérgamo, Alejandría y Roma. Estas bibliotecas fueron los primeros repositorios abiertos del conocimiento racional acumulado que venían a sustituir el conocimiento dogmático contenido en los libros sagrados únicos.

No fue muy grande la incidencia de la ciencia griega en los territorios del vasto imperio romano (que incluían los de Grecia) en los que sus dioses no fueron desplazados por la nueva filosofía natural, y las legiones y la esclavitud representaban su soporte fundamental. Habría que esperar todavía varios siglos para que la ciencia tuviese una influencia generalizada en la Sociedad.

1.4. El pensamiento en la Edad Media.

En efecto, con la caída del Imperio romano, sus territorios se dividieron en múltiples partes y es sólo el Cristianismo el que aporta un elemento de unión entre ellos y sustituye la multiplicidad de dioses romanos por Jehová, el dios único judío, cuya intervención en la explicación de los fenómenos de la Naturaleza los hace más verosímiles, aunque sólo sea por economía de medios, que las aportadas por el cúmulo de las docenas de dioses anteriores.

Con la desaparición de la estructura imperial, ya en la Edad Media, aumentó la autonomía de muchos territorios, la esclavitud fue sustituyéndose parcialmente por agricultores y artesanos libres que fueron incrementando los conocimientos prácticos y originado nuevas herramientas y artefactos de diverso tipo (norias, molinos hidráulicos y de viento...) con los que ayudarse en sus trabajos cotidianos. Estos conocimientos empíricos así producidos, se transmitían de maestros a aprendices y se iban acumulando en esta transmisión para formar corpus, que apoyado en documentos más o menos efímeros, corrían por cauces paralelos al recorrido por el corpus conservado en las bibliotecas llamadas cultas. Ejemplo de este tipo de conocimiento lo tenemos en los constructores de las monumentales catedrales (maestros canteros) y en los cartógrafos que diseñaron los mapas portulanos del Mediterráneo con una precisión que todavía asombra.

Merece la pena que recordemos en dos líneas la importancia de la cartografía portulánica aparecida a finales del siglo XIII, ya que es un ejemplo claro de la diferencia entre el conocimiento empírico artesano y el pensamiento culto de los monasterios y universidades. Baste para ello comparar los mapamundis aparecidos en la *Etimologías* de San Isidoro, que consistían en un círculo divido en tres partes representando los continentes dedicados a Can (África), Set (Asia) y Jafet (Europa), o los mapamundi que aparecen en los *Comentarios del Apocalisis* del Beato de Liébana, bellamente diseñados, pero con información proveniente de las Escrituras y no de la realidad. Baste comparar, decimos, estos mapas monásticos con los portulanos construidos en los puertos (Mallorca, Génova, Venecia) por artesanos con datos aportados por los propios marineros utilizando un novísimo instrumento: la brújula. Estos últimos mapas, son de tal precisión que prácticamente coinciden con mapas modernos de la misma zona. No utilizaron el conocimiento culto, sino consultaron la Naturaleza con un instrumento adecuado y utilizaron la razón para su interpretación y representación. Gracias a esta cartografía la navegación fue más segura, y se abrió el camino para los grandes descubrimientos geográficos y científicos consecuentes.

El conocimiento culto heredado de la antigüedad fue gestionado por la Iglesia católica. Su organización jerárquica, que en alguna medida recordaba a la de los escribas o sacerdotes de Mesopotamia y Egipto, facilitaba también la organización social en esta nueva etapa de la Historia.

El conocimiento natural clásico se conservaba, junto al teológico, en las bibliotecas de los monasterios medievales, en los que, aparte de sus funciones teológicas y religiosas, hicieron otras de gran importancia en sus talleres de amanuenses y en sus bibliotecas. En los primeros se realizaban copias manuscritas de los libros clásicos y medievales para la conservación del conocimiento custodiado en sus bibliotecas. De esta forma mantuvieron el control y la propiedad de las ideas impidiendo, por una parte, hacer copias y modificaciones no autorizadas por la jerarquía con la excusa de proteger su ortodoxia y, por otra, haciendo difícil el acceso a las bibliotecas. De esta manera el llamado saber culto, alejado del acumulado por los artesanos, estaba depositado en una red de monasterios y universidades medievales gestionados, como ya hemos dicho, por la Iglesia.

Pero esa hermética custodia se rompe al aparecer la imprenta, (invento artesano), como herramienta que derriba las paredes de las bibliotecas monacales y, por primera vez, el conocimiento contenido en el nuevo soporte físico que representa el libro impreso, es un medio que permite una potencial difusión universal.

Con la edición en 1456 de la Biblia de Gutenberg se obtuvo el primer libro impreso de la historia, del que se vendieron varias copias en París, como si fueran manuscritos, aunque pronto apareció la sospecha de que estaban hechos por otro procedimiento. Los monasterios vieron peligrar, no sólo el monopolio en la confección de libros, sino también la propiedad del conocimiento conservado por ellos. Los talleres de impresión, usando una tecnología relativamente sencilla, empezaron a distribuirse ampliamente por toda Europa y pronto también por América. Primero por Alemania,

9

(Maguncia, Leipzig…), y después por Países Bajos, Italia (Venecia, Roma…), España (Segovia 1472, Valencia 1474, Barcelona 1475, Sevilla 1477...) etc. La primera imprenta del Nuevo Continente empezó a funcionar en México en 1539. Esta expansión se hizo con una velocidad relativa parecida a la de la difusión de los nodos de Internet cinco siglos después.

Vemos, pues, cómo el desarrollo de la náutica y de la imprenta (realizado fuera de instituciones establecidas) tuvieron por efecto abrir dos mundos para su descubrimiento −el primero geográfico y el segundo filosófico y científico, y ambos imbricados entre sí− y trajeron el nacimiento de la ciencia moderna.

1.5. La revolución científica.

Con estos avances se fue constatando la superioridad del conocimiento científico sobre el escolástico para obtener resultados prácticos. Para su cultivo aparecieron, ya en el siglo XVI, un nuevo tipo de instituciones −ni monásticas, ni universitarias− abiertas a interpretar los nuevos datos obtenidos de la naturaleza en beneficio de sus impulsores, como fueron en España la *Casa de Contratación* de Sevilla y la *Academia Real de Matemáticas* de Madrid, en las que se utilizó el castellano, frente al latín (lenguaje culto y restringido), para facilitar la más amplia difusión de la ciencia. En la primera institución (creada por los Reyes Católicos en 1503), se sistematizó el conocimiento náutico, geográfico y cosmográfico que venia del nuevo continente para regular y asegurar la explotación comercial de América y, como consecuencia, se alcanzó un conocimiento global de la tierra y se pudo realizar la primera circunnavegación entre 1519 y 1522. En la segunda institución (creada por Felipe II en 1584 y dirigida por Juan de Herrera), se intentó desarrollar la ciencia y la tecnología necesarias para gestionar el doble imperio español de Oriente y Occidente, aunque, evidentemente, sin conseguirlo por ser prematura o por su inadecuada estructura.

Aunque podría considerarse que con el sistema heliocéntrico de Copérnico (1473–1543) se inicia la Revolución Científica moderna, ésta realmente se consolida y se desarrolla durante todo el siglo XVII por personalidades como las de Galileo (1564–1642), Descartes (1596–1650), Fermat

(1601–1665), Pascal (1623–1662), Newton (1642–1727), Leibniz (1646–1716)… que produjeron nuevo conocimiento teórico superando al antiguo de las autoridades clásicas, demostrándose con ello la capacidad de la inteligencia humana cuando se dedica a pensar. Esta revolución científica la llevó a cabo un movimiento formado por grupos poco numerosos de *filósofos libre pensadores* que hizo crecer el conocimiento sobre la Sociedad y la Naturaleza y lo difundió a través de la imprenta. Esta actividad iniciada en los salones, pasa paulatinamente a las Academias – nuevas instituciones también separadas de Universidades y Monasterios–, destinadas a la producción científica y tecnológica. Las Academias crecen bajo la protección de los monarcas para beneficio y prosperidad de sus coronas. Así aparece en la Toscana la *Academia del Cimento*, (1657, en Florencia), promovida por discípulos de Galileo. En Inglaterra la *Royal Society* (1662, después de la revolución de Cromwell), que comenzó a publicar las famosas *Philosophical Transactions*, y en la que Newton fue figura prominente; la Royal Society también prestó atención al desarrollo tecnológico, como lo prueba la elección como socio, del tecnólogo James Watt en 1785. En la Francia de Colbert y Luis XIV se fundó en 1666 la *Académie des Sciences*. En Alemania, en 1700, fue fundada por Leibniz la *Preußische Akademie der Wissenschaften* (conocida como Academia de Berlín), bajo los auspicios de Federico I de Prusia. Y en Rusia se creó la *Academia de Ciencias y Artes de San Petersburgo*, (también por influjo de Leibniz)… Vemos, pues, como se extiende por Europa una red de centros dedicados al descubrimiento científico, comunicados entre sí por las actas de sus reuniones y otras publicaciones impresas.

Pero no fueron sólo, ni principalmente, las Academias las que producían conocimiento científico y tecnológico en esta época, sino también este provenía de la actividad llevada a cabo, por gremios y artesanos, en talleres y factorías. Esta actividad fue decisiva para que se produjese la Revolución Industrial, de la que la máquina de vapor de Watt (patentada en 1769) es su símbolo. La máquina de vapor se fabricaba en la factoría de Boulton-Watt, que contaba con laboratorios propios para el desarrollo de nuevos inventos.

La primera máquina de vapor se instaló en 1776, año que coincide con el de la independencia de los Estados Unidos de América, y con el de la primera edición de *La Riqueza de las Naciones* de Adam Smith, y por tanto podría tomarse simbólicamente como fecha del inicio de la Revolución Industrial y del Liberalismo Económico.

1.6. La Revolución tecnológica

Aunque la posesión de una patente produjo un monopolio que retrasaría en más de 25 años el desarrollo del ferrocarril, la factoría Boulton-Watt es un temprano ejemplo de cómo producir conocimiento fuera de las viejas instituciones, no digamos ya de los monasterios y universidades medievales, sino incluso de las más recientes Academias.

Todas estas actividades artesanales y técnicas van formando una red, de complejidad cada vez mayor, en la que se aglutinan asociaciones, sociedades y otros tipos de instituciones para el fomento de conocimientos y de su aplicación a la agricultura, la industria y el comercio. Conocimientos que comienzan a considerarse, aunque todavía de manera difusa, como una riqueza comparable a las que provenían de la tierra (la más antigua y todavía la más segura) y del capital (que comenzaba a mostrarse con fuerza). Pero el conocimiento como riqueza no tiene todavía un claro marco jurídico que permita su apropiación, y sólo con el uso de las patentes se inicia este camino legal para que pudiera ser considerado mercancía.

Este movimiento, que se enmarca dentro de la Ilustración, fue un humanismo que ponía la razón y la ciencia al servicio del hombre y de sus derechos, y que crece y se difunde en la época pre-revolucionaria francesa. Un fiel exponente de este espíritu lo encontramos en *Encyclopédie Méthodique* de Diderot y de D'Alembert, que se hizo en lengua vulgar (el francés) con la expresa finalidad de poner todos los saberes al alcance de cualquiera, con la convicción de que la libre difusión del conocimiento redundaría muy favorablemente en beneficio de toda la sociedad.

El incremento de la industrialización tuvo una gran influencia política y social a lo largo de todo el siglo XIX. La necesidad de encontrar nuevos mercados, cada vez más lejanos, para situar las abundantes mercancías producidas, trajo un considerable aumento de la competencia internacional que obligaba a industriales y comerciantes a agilizar su toma de decisiones

12

sin estar sometidos a las trabas impuestas por las monarquías absolutas todavía vigentes.

En Inglaterra se habían conseguido nuevas libertades con la Gran Rebelión puritana de Cromwell (1649), que condujo al cadalso al rey Carlos I. En Francia, más de un siglo después la monarquía absoluta se mantenía. La nueva filosofía moral y natural de la Ilustración daba argumentos para cambiar la estructura del antiguo régimen. Pero, al no atender la monarquía esas razones, quiso mantenerse utilizando métodos violentos que, por reacción, terminaron con la muerte de Luis XVI en la guillotina en 1792. Esta profunda renovación social y republicana, conocida como Revolución Francesa, ya había tenido su anticipación unos años antes, en 1776, con la declaración de independencia de los Estados Unidos.

En la Francia revolucionaria, ni las universidades clásicas, ni las academias, bastaban ya para impulsar la creación del conocimiento dinámico y productivo necesario para construir la nueva sociedad. Durante la Convención se crearon varias instituciones de enseñanza e investigación para atender las necesidades del ciudadano en educación, obras públicas, y otros servicios. En esta época tienen su origen las prestigiosas *Escuela Politécnica* (1794) y la *Escuela Normal Superior* (1794), y otras menores, en las que se formaron los cuerpos de ingenieros y de otros profesionales dedicados a construir las infraestructuras sociales y económicas de la Francia republicana. Aunque unos años después Napoleón terminó con la República, no por eso dejo de poner especial atención en apropiarse de los avances tecnológicos para reforzar su poder, sometiendo la universidad al Estado y militarizando la *Escuela Politécnica* para, con sus egresados, formar cuerpos de funcionarios que gestionaran el Estado absoluto del Imperio.

En Europa continental se adoptaron, adaptándolas, las reformas napoleónicas y proliferan también sociedades y museos científicos y otras instituciones promovidos por las industrias nacientes. Por otra parte, los científicos se relacionaban entre si asistiendo a los Congresos, nacionales e internacionales, o por medio de las Revistas científicas, que crecen en número, y de otras publicaciones, etc. y con todos estos elementos se forman amplias redes de producción y de difusión del nuevo conocimiento.

En Inglaterra, durante la larga época victoriana, se sigue su propio camino para la producción sistemática de conocimiento al servicio de la nueva sociedad industrial.

1.7. La estatalización de la Ciencia.

Los centros, museos, laboratorios,...que aparecieron durante el siglo XIX, se fueron concentrando a principios del XX, para formar nuevas instituciones de investigación de carácter nacional. En Estados Unidos aparece en 1861 el *Massachusetts Institute of Technology* (MIT), consolidado en 1904, y patrocinado por empresas como General Motors, General Electric, Kodak, Douglas,.... En el Reino Unido se crea, en 1907, el *Imperial College of Sciences and Technology*. En el Imperio Alemán se crea en 1911 la *Kaiser-Wilhelm-Gesellschaft zur Förderung der Wissenschaften*, poniendo bajo la hegemonía del Káiser la investigación centralizada de todas las ciencias. Lo mismo ocurre en otros países como España que crea (1907, 1910) la *Junta para Ampliación de Estudios*, algo más tarde en Italia, durante el fascismo de Mussolini, se crea el *Consiglio Nazionale delle Ricerche* (1922), y en Francia, después del comienzo de la Segunda Guerra Mundial, se crea el *Centre Nationale pour la Recherche Scientifique* (1939). La actividad científica y tecnológica desarrollada a lo largo de todo el siglo XIX y comienzos del XX modificó profundamente la agricultura, la industria y el comercio e hizo surgir la idea o mito del progreso. Pero este mito se apoyaba en el entramado económico y político de diversos nacionalismos, haciéndolos entrar en competencia hasta llegar al doble enfrentamiento bélico de las dos grandes guerras de 1914 y de 1939.

14

Capítulo 2

El tejer y destejer en la ciencia española.

2.1 Los siglos XVI y XVII. 2.2. Esplendor científico en el XVIII. 2.3. Nueva decadencia científica en el primer el primer tercio del siglo XIX. 2.4. La transición isabelina (1833–1868) y la actividad científica. 2.5. La Revolución del 68 y la restauración borbónica. 2.6. Los grandes cambios de la ciencia mundial en el siglo XIX. 2.7. Nuevo renacer de la ciencia española: el 98 científico. 2.8. El esplendor de la Junta y posterior destrucción de lo construido.

2.1. Los siglos XVI y XVII.

Hemos de destacar la constante frustración que ha producido en el peculiar devenir de la ciencia española sus sucesivas discontinuidades históricas, ya que siempre ha ocurrido que a los contados momentos de creación científica habidos en España, que han durado relativamente poco, les ha seguido su brusca desaparición y posterior silenciamiento de su recuerdo.

Esto ocurrió, por ejemplo, con la *Casa de Contratación* de Sevilla (1505), que además de sus actividades jurídicas y comerciales, fue un centro de investigación científica donde se desarrolló la cosmografía y la astronomía náutica, y se realizó la enorme tarea de cartografiar todo un nuevo continente. La actividad científica fue dirigida por los pilotos Mayores en colaboración con cosmógrafos y cartógrafos. Cosmógrafo de esta *Casa* fue Juan de la Cosa a quien se debe el primer mapa donde aparece América (Caribe y sus islas) realizado el año 1500; en esta *Casa*

15

se organizó la expedición de Magallanes que salió en 1519 y regreso a Sevilla en 1522 en la nao Victoria, al mando de Sebastián Elcano después de haber dado la primera vuelta a la Tierra; en esta *Casa* colaboraron cartógrafos portugueses como Diego Ribero, quien firma el mapamundi en el que se representan los datos que se iban registrando sobre los nuevos descubrimientos geográficos recogidos para el *padrón real*.

Pero poco a poco fue debilitándose en Sevilla la actividad científica, al tiempo que iba creciendo en Lisboa.

Hubo que esperar hasta finales del siglo XVI, para que se renovase la actividad científica española, con la creación de la *Academia Real de Matemáticas*. Esta *Academia* fue organizada por Juan de Herrera en 1582, a petición de Felipe II, para superar el atraso, que ya se percibía, en el conocimiento de las técnicas necesarias para el mantenimiento del imperio, como eran la náutica, la cartografía, la construcción civil y militar (canales, puertos y fortificaciones), la artillería, etc. Esta *Academia* fue dirigida por el portugués Juan Batista Labaña, por no existir en España un matemático en quien confiar esos estudios. Se enseñaba en ella junto con la teoría, la práctica. Hubo posteriormente otros directores y fueron numerosos los profesores y asistentes. Esta Academia terminaría absorbida por la Compañía de Jesús, hacia 1626, en su *Colegio Imperial de Madrid*. Este colegio no pudo convertirse en universidad por la fuerte resistencia que opusieron a ello las universidades de Salamanca y Alcalá.

* * *

El origen de la ciencia moderna (que suele representarse con la figura de Galileo Galilei, y por tanto situarse a comienzos del siglo XVII) no fue el estudio de los clásicos, ni las discusiones escolásticas en las universidades, sino la búsqueda de solución a los problemas propios de la vida cotidiana, que en este momento histórico pueden sintetizarse en la astronomía náutica y en la mecánica, e implica toda una actividad social y económica de gran importancia. Por ello, era necesario y urgente conocer lo acertado de las afirmaciones científicas y saber de su aplicación en la práctica... En resumen, estar seguros de la certeza de los enunciados científicos se lograba con la demostración lógica, y su concordancia con los fenómenos de la naturaleza se verificaba gracias a la experimentación. La lógica es importante, pero de la posibilidad de existencia de varias lógicas aplicadas a varios mundos, hacia esencial que la lógica utilizada se ajustase a la realidad especifica de lo que se percibía de nuestro mundo natural en ese momento. Por lo tanto, la nueva ciencia requería de observación, lógica, cálculo y experimento; es decir de una nueva metodología que se mostró enseguida fructífera y eficiente. Como base de esta metodología, que englobaba a su vez a la lógica y al cálculo, estaba la matemática.

Vemos, pues, como el desarrollo y modernización de la matemática en siglo XVII precedió y facilitó el desarrollo de las otras ciencias. Ya Francis Bacon (1561–1626), a comienzos de ese siglo, vinculaba los aspectos teóricos y prácticos de las matemáticas, mediante la siguiente definición: *la matemática es una parte considerable de la Filosofía Natural, tanto especulativa como práctica, que se divide en pura y mixta. Las matemáticas puras se dividen en Geometría y Aritmética; las matemáticas mixtas se dividen en Perspectiva, Música, Astronomía, Cosmografía, Arquitectura, Ciencias de las máquinas y algunas otras*, aspectos que se subrayan en la *Enciclopedia* de Diderot y D'Alembert aparecida el siglo siguiente.

En efecto, en el siglo XVII las ciencias matemáticas fueron las que más se desarrollan en Europa. Fue el siglo del nacimiento de la matemática moderna: comienza con Nepper (1550–1617), Descartes (1596–1650), Fermat (1601–1665), Pascal(1623–1662), los Bernouilli y termina con Newton (1642–1727) y Leibniz (1646–1716).

Mientras tanto en España, que había logrado para el mundo el conocimiento de todos los mares y tierras del Planeta, facilitando con ello los transportes marítimos, y abierto la puerta al comercio mundial (lográndose, como consecuencia, un notable incremento de las manufacturas y del comercio), se vivía uno de sus cíclicos periodos de decadencia científica debido, en este caso, a la descomposición de una dinastía (la austriaca de Felipe III, Felipe IV y Carlos II), minada por validos y políticos egoístas (como el duque de Lerma o el conde-duque de Olivares, y sus respectivos clanes) y a la influencia de la Inquisición, más preocupados por sus dogmas, su propios intereses y poder personal que por la felicidad del pueblo. Era un momento en el que la riqueza producida en España era muy menguada y el oro que venía de América no bastaba para el lujo personal. Y mucho menos cuando gran parte de ese oro se empleaba para comprar en Europa lo que, por ignorancia o estulticia, no se producía en España. De este modo se facilitó el crecimiento industrial de los países vecinos a costa del abandono de nuestros propios medios de producción.

Debido a la decadencia general española en el siglo XVII, y porque su cultura, fundamentalmente escolástica, estaba en manos de la iglesia católica (que controlaba las universidades), este siglo fue poco propicio para que se cultivase la ciencia en España. Sólo la Compañía de Jesús, que actuaba fuera de la jerarquía eclesiástica, intentó cierta modernización científica al procurar compatibilizar la fe con la razón. Pretendía así contrarrestar la fuerza que estaba tomando la Reforma precisamente porque al permitir la libre interpretación de los textos bíblicos y negar la infalibilidad del papa, abría caminos al libre pensamiento y como consecuencia fomentaba la investigación científica, sin sujetarse a ortodoxias, siguiendo sólo al libro de la Naturaleza.

Así pues, la nueva ciencia tuvo grandes dificultades para aclimatarse en España, dentro del contexto del pensamiento quietista español, que se encontraba en confrontación con el convulso panorama histórico europeo en el que aparecieron nuevas concepciones ideológicas, económicas, científicas y de comportamiento.

La ciencia se caracteriza en España, en este periodo, por su total decaimiento en las universidades y solo mantenida parcialmente por los *Estudios* o *Colegios* de la Compañía de Jesús que —aunque creada en el siglo anterior por Ignacio de Loyola para combatir el naciente protestantismo siguiendo los resultados del Concilio de Trento— fue la única tendencia dentro de la Iglesia católica, en prestar atención a la moderna ciencia. La organización de los jesuitas era eficaz y ecuménica. Se extendió rápidamente por Europa y se proyectó a todo el mundo, y muy particularmente en el extremo oriente. La Compañía de Jesús capto el espíritu científico de la época, pero en su concepción la ciencia debía de estar supeditada a la fe, debía ayudar a consolidar la fe. La Ciencia podía explicar algunos aspectos de la *creación*, pero no dar cuenta de los múltiples misterios que estaban asociados a la vida misma. Los jesuitas italianos, austriacos, franceses, escoceses... hicieron aportaciones importantes a la ciencia, aunque no fueron primeras figuras en cuanto a innovación científica se refiere. Por eso, en la España del siglo XVII, son jesuitas españoles y extranjeros los que cubren gran parte de la actividad científica desarrollada en el país, especialmente en matemáticas. Aunque dedicados principalmente a la enseñanza, a veces también la cultivaron y escribieron algunos tratados de matemática pura y mixta en los que se incluían sus aplicaciones como la física, astronomía, la construcción militar y la artillería.

También debemos recordar la participación en este siglo de los ingenieros militares en tareas técnicas y científicas. Así Fernández Medrano (1646–1705), que desarrolló su actividad en la *Academia de Bruselas*, fue uno de los que se dedicaron a la matemática, la geografía, la fortificación, la artillería. También en Italia actuaron ingenieros como Pedro Antonio Folch Cardona de Aragón (Lucena, 1612–.) con su *Geometría Militar*; o José Chafrion (Valencia 1653–1698), al que se le atribuye la monumental obra *Escuela de Palas, ó curso matemático*; o Francisco Larrando de Mauleon (Barcelona, 1644–1736)

Pero no fue sólo la matemática y la ingeniería la que se cultivó en España durante el siglo XVII sino también lo hicieron otras disciplinas, sobre todo en el último tercio del siglo.

Durante el reinado de Felipe III (1598–1626), la escasa actividad científica española es sólo prolongación de lo realizado durante el Renacimiento. Conserva todavía el prestigio y la influencia sobre los demás países europeos, especialmente en náutica, medicina e historia natural, pero es refractaria a incorporar en España los avances que se están produciendo en otros países.

Durante el reinado de Felipe IV (1627–1677), ya es imposible desconocer en España los nuevos avances que se van produciendo más allá de nuestras fronteras y los científicos españoles se enfrentan con la ciencia moderna adoptando dos actitudes diferentes: unos aceptan las novedades innegables pero sin abandonar el sistema tradicional (ejemplo de esto puede ser la aceptación de la circulación de la sangre), otros, los más numerosos, ante la omnipresencia del Santo Oficio *prefieren negar lo innegable* antes que abandonar la postura tradicional.

Durante el reinado de Carlos II (1678–1700) se inicia la asimilación paulatina de la ciencia moderna por grupos reducidos denominados *novatores* (despectivamente en la época). Estos novatores, al no poder actuar en las universidades, se reunían en tertulias y salones para discutir y estudiar las nuevas ideas.

Hay focos novatores en Zaragoza, Madrid (con mecenas como el Marqués de Mondejar, el Duque de Montellano, el Marqués de Villena...), Valencia (con un grupo patrocinado por el Marqués de Villatorcas, y la tertulia de Corachan, Tosca, Baltasar de Íñigo) y Sevilla (donde se promueve la *Regia Sociedad de Medicina y otras Ciencias* fundada en 1700). Otro mecenas importante fue Juan José de Austria (hijo bastardo de Felipe IV).

Los principales novatores en química, medicina y biología son: José Casalete (1630–1701), catedrático zaragozano; el medico Juan Bautista Juanini (1636–1691); Crisóstomo Martínez (1638–1694), grabador y anatomista, que realizó investigaciones en microscopía en París; el más importante, Juan de Cabriada (1665–1714), que en 1687 publicó su libro titulado *Carta filosófica, medico-Chymica* que se considera como el documento fundacional de la renovación científica en España; y Dionisio Cardona. También son considerados novatores en matemáticas, astronomía y física, los ya citados, José Zaragoza (1627–1679) que trabajó en Madrid, Juan Caramuel (1606–1682) (madrileño, aunque pasó la mayor parte de su vida en Bohemia, y en Italia) y Hugo de Omerique (1634–), cuyo libro *Análisis Geométrica* (1691) fue citado por Newton y Chasles.

La actividad de los novatores continuará y se proyectará en los primeros lustros del siglo XVIII

2.2. Esplendor científico en el siglo XVIII.

En España el siglo comienza con una profunda crisis política provocada por un cambio de dinastía. El siglo XVIII es el siglo de Felipe V, Fernando VI, Carlos III y Carlos IV. Comenzó con la lucha entre austriacos y franceses por la sucesión del trono vacío, materializada en guerras internas y externas que duraron varios lustros (1700–1717). Esta crisis terminó con la implantación de la dinastía borbónica, aunque a cambio de un cierto sometimiento de España a Europa (Tratado de Utrecht) y de trastocar el equilibrio político que se estaba logrando en España. Pero también fue el siglo en el que, dado el avance científico y técnico europeo, empezó a notarse la necesidad de que España comenzara a valerse de él para atender por si misma a su producción y a su defensa. Cosa que se intentaría pero que no se logró implantar, como pudo comprobarse al cerrarse este ciclo de esplendor en los comienzos del aciago, conflictivo y esperanzador siglo XIX.

Los Alberoni, Ensenada, Aranda, Floridablanca, Jovellanos, intentaron una renovación desde arriba que influyó considerablemente en la atención prestada a la ciencia como medio para lograr el desarrollo tecnológico. Observaron que la producción y la defensa requerían de forma apremiante el desarrollo de las ciencias y de las técnicas. Y no lo lograron de manera definitiva porque, entre otras razones, creyeron que bastaba con la formación de pequeñas élites (ingenieros militares y marinos) apoyadas directamente por la monarquía. Esta deficiencia elitista se intentó superar al final del siglo mediante la creación de las *Sociedades Económicas de Amigos del país* (en las que participaban las burguesías locales y se buscaba una educación general de artesanos y agricultores), iniciadas en Vascongadas y que proliferaron en otras provincias españolas.

Durante el reinado de Fernando VI se inició otro de los cíclicos periodos de atención y cultivo de la ciencia, sobre todo en sus aspectos aplicados. Comenzó a recuperarse gran parte del tiempo perdido en el siglo XVII, en el que ya se había iniciado con gran éxito la revolución científica en Europa. En ese reinado se crearon numerosas instituciones científicas y florecieron un número importante de científicos y de técnicos. Ciclo que continuó a lo largo del reinado de Carlos III para cerrarse de mala manera a finales del de Carlos IV.

Durante todo el siglo se desarrollaron un cierto número de nuevas instituciones científicas, cuya actividad varió según las circunstancias. Se empezó por aquellas que eran esenciales para formar una marina efectiva que asegurase la comunicación con América, con el fin de favorecer el conocimiento y la importación de las riquezas que allí se producían. Fueron necesidades prácticas, como la construcción de navíos más modernos para una navegación más rápida y segura, la fortificación de plazas militares y la industria artillera para asegurar la defensa. Estas necesidades movieron a la creación de instituciones científicas adecuadas, y en ellas se propiciaron las actividades de nuestros ingenieros, marinos, astrónomos, naturalistas y matemáticos del siglo XVIII. Esta actividad científico-técnica obligó a importar los conocimientos que se estaban creando fuera de nuestras fronteras. En lo relativo a la matemática se ocuparon fundamentalmente de la ciencia instrumental, en temas necesarios para el cálculo astronómico (astronomía náutica), pero también en lo relativo a las aplicaciones de la matemática conceptual que en ese momento representaba el cálculo diferencial e integral. Eran las técnicas requeridas en los observatorios astronómicos para la confección de tablas precisas o en los astilleros para una construcción naval moderna que se obtenía aplicando los nuevos conocimientos de la hidrodinámica. También para la propia navegación se necesitaba la utilización de la matemática y de la física.

No se puede olvidar, tampoco, la importancia de los estudios modernos de medicina para la marina y el ejército, ya que estos debían ser prácticos (alejados tanto de lunarios y astrologías, como de los cursados en las universidades) para atender con eficacia las lesiones y enfermedades producidas por la actividad propia de aquellos cuerpos armados. Vemos así como se crean los *Reales Colegios de Cirugía,* en 1748 el de Cádiz, dependiente de la marina, y en 1760 el de Barcelona, dependiente del ejército. Más tarde confluyendo con la creación de otras instituciones científicas en Madrid, se crea en 1780, fuera de la jurisdicción universitaria y del protomedicato, el *Real Colegio de Cirugía de San Carlos*, por orden de Carlos III.

* * *

En cuanto a la enseñanza de las matemáticas a principios de este siglo, la impartían los jesuitas en sus Colegios, y especialmente en el conocido como *Estudios Reales del Colegio Imperial de Madrid* o como *Reales Estudios de San Isidro*. Se enseñaban principalmente las matemáticas aplicadas o mixtas, incluyendo también arquitectura y artillería. También es importante citar a Tomás Cerdá (1715–1791), profesor del *Colegio de Nobles de Santiago de Cordellas* de Barcelona.

La influencia de los jesuitas fue decayendo según avanzaba el siglo (hasta la fecha de su expulsión en 1769), dando paso a mediados del mismo principalmente a las escuelas de marina.

El estudio de las matemáticas se desarrolló principalmente en las *Academias de Guardias Marinas*, comenzando por la de Cádiz abierta en 1717, y continuando por las abiertas más tarde, en 1776, en los Departamentos Marítimos de Ferrol y de Cartagena. Anterior a la *Academia* de Cádiz, y que convivió después con ella, fue el *Colegio de Pilotos de San Telmo de Sevilla*. Fueron maestros de matemáticas del *Colegio de San Telmo de la Universidad de Mareantes*: Juan Sánchez Reciente, Pedro Manuel Cedillo (que después, en 1728, fue director de la *Academia de Guardias-marinas de Cádiz*), Antonio Gabriel Fernández y Francisco de Barreda.

Sin embargo, fue la *Academia de Guardias Marinas de Cádiz* la institución que dio más importancia a la promoción de los estudios de matemática. Fueron los marinos quienes más utilizaron estos conocimientos y sus principales cultivadores. Entre ellos debemos citar muy especialmente a Jorge Juan y Santacilia (1713–1773), que en su juventud participó en la expedición de La Condomine al Ecuador para realizar medidas del meridiano con el fin de determinar la figura de la Tierra. A su regreso a España se le confió el diseño y construcción de navíos modernos (para lo que utilizó su profundo conocimiento del cálculo infinitesimal), la renovación de los astilleros (Cádiz, Ferrol, Cartagena) y también la construcción y dirección (1753) del Observatorio astronómico de Cádiz. Otro destacado marino y matemático fue José Mendoza Ríos (1762–1816), autor de las tablas náuticas más usadas en Europa en la primera mitad del siglo XIX, que fueron editadas por primera vez por el Almirantazgo Británico en 1805. Además debemos citar a los sucesivos directores de la *Academia de Guardias Marinas de Cádiz* que también fueron directores del observatorio astronómico, profesores de matemáticas, y autores de diversos tratados. Entre ellos mencionaremos a los siguientes: Louis Godin, francés (1704–1760), quien había acompañado a Jorge Juan y a Antonio Ulloa (1716–1795) en la expedición de La Condomine a Ecuador; Vicente Tofiño, (1732–1795); y Cipriano Vimercati, (1736–1800) que había sido antes director en el Ferrol. También debemos recordar a Gabriel Ciscar (1759–1829), que fue director de estudios de la *Academia de Guardias Marinas de Cartagena*, y autor de una introducción matemática a la segunda edición (1793) del *Examen Marítimo* de Jorge Juan, que es un verdadero tratado de la matemática de la época.

* * *

La importancia que tuvo para la ingeniería militar y civil la *Academia de Matemáticas de Bruselas*, que hemos mencionado más arriba, continúo en el siglo XVIII, en las *Academias de Matemáticas de Barcelona* y de *Artillería de Segovia*. La Academia de Barcelona, con el nombre de *Real Academia Militar de Matemáticas,* sustituyó a la de Bruselas de Fernández Medrano (1646–1705). Fue inicialmente fundada por Carlos II en 1700, pero la guerra de sucesión retrasó su funcionamiento hasta 1720, cuando la impulsó el General de Ingenieros Verboom (1667–1744) (antiguo alumno de Fernández Medrano). A partir de aquí su primer director fue Mateo Calabro, destituido en 1738, al parecer por considerar la Academia como exclusivamente científica y dedicar demasiada atención a las matemáticas en detrimento de otras enseñanzas más prácticas, como el dibujo o la fortificación. Los cuarenta años siguientes la *Real Academia Militar de Matemáticas* fue dirigida por Pedro de Lucuce (1692–1779), salvo los cuatro años que estuvo en Madrid para hacerse cargo del intento fallido de abrir una *Academia Matemática* que recordara a la fundada por Felipe II a finales del siglo XVI. Otros directores fueron Juan Caballero y Arigorri (1713–1791), Miguel Sánchez Taramas (1733–1789), Félix Arriete y Domingo Balastá y Pared (1742–1819), que fue su último director, pues la *Academia de Barcelona* se cerró para dar paso a la *Academia Militar de Zamora* y a la *Academia de Ingenieros de Alcalá de Henares*, que se fundaron en 1803. La Academia de Barcelona tuvo su importancia en la formación de ingenieros militares que también atendieron las necesidades de la ingeniería civil y fue otro foco, tal vez menor que el anterior, en donde se estudiaban las matemáticas.

El *Real Colegio de Artillería de Segovia*, abierto en 1764, surgió como una segregación de la *Escuela Matemática Militar*, cuando la reorganización del Real Cuerpo de Artillería de 1762, separó las enseñanzas de artillería de los de los ingenieros y otros oficiales del ejército. Se encargó de la dirección del Real Colegio el italiano Conde de Gazola (Félix de Gazola, 1699–1780) y fue su primer jefe de estudios y profesor primado el jesuita valenciano Antonio de Eximeno (1729–1808). En esta institución también se enseñaba el cálculo infinitesimal. Entre los otros profesores, tres provenían de *Academia de Guardias Marinas de Cádiz* (Lorenzo Lasso, Matías de la Muela y Vicente de los Ríos) con diversas graduaciones como artilleros. Cuando Eximeno debió abandonar su puesto debido a la expulsión de los jesuitas, le sustituyó en 1767 Lorenzo de Lasso, capitán

24

de artillería formado en Cádiz, y más adelante ocupó ese cargo Pedro Gianini.

* * *

Aunque en el centro del siglo XVIII los estudios matemáticos habían pasado de los Colegios de la compañía de Jesús a las Academias Militares, en el último tercio de ese siglo, fueron apareciendo otras instituciones civiles que atenderían los estudios de matemáticas sin estar supeditados a los requerimientos de los ejércitos y de la marina. Estos centros fueron la *Real Academia de San Fernando* y el *Real Seminario de Nobles,* ambos de Madrid. También, gracias a la reforma universitaria de 1771, se inició paulatinamente en las universidades el estudio de las matemáticas.

En la *Academia de San Fernando* se comenzaron a cursar los estudios de arquitectura civil, y para ello se había abierto una cátedra de matemáticas que regentó Benito Bails (1730–1793), a quien sustituyó Antonio Varas. En esta cátedra estudió José Mariano Vallejo (1779–1846).

El *Real Seminario de Nobles de Madrid,* fue fundado en tiempo se Felipe V (1727) y gestionado inicialmente bajo los auspicios del *Colegio Imperial,* pero alcanzó su esplendor en 1771, tras la expulsión de los jesuitas, como una institución real puesta bajo la dirección de Jorge Juan, que mantuvo hasta su muerte en 1773. Este segundo periodo fue gestionado por ingenieros militares hasta 1794, año en que se aprobó un reglamento para su funcionamiento. En este periodo los profesores de matemáticas fueron José Antonio Ygaregui (entró en 1778), Martín Rosell (entró en 1781), Luis Surville, y Tadeo Lope. Después de 1794 las plazas vacantes se proveían por oposición. Se convocó una en 1802, para cubrir la vacante que dejó Tadeo Lope por su fallecimiento. Esta oposición la ganó José Mariano Vallejo, prolifero autor durante el primer tercio del siglo XIX. En 1805, se convocaron otras oposiciones para cubrir la vacante producida por la jubilación de Martín Rosell, que ganó Agustín de Sojo. Estos nuevos profesores de matemáticas habían estudiado en la Academia de San Fernando (con Benito Bails o con Antonio Varas). También colaboraron con el *Seminario* en este último periodo: José Chaix (1766–1811) como miembro del tribunal de oposiciones de 1805, y porque se leyeron en la cátedra de matemáticas sus trabajos sobre desarrollos en serie; Antillón, catedrático de geografía pero versado en matemáticas y astronomía; y también, aunque indirectamente, colaboró desde Inglaterra José Mendoza Ríos (1763–1816) en la provisión de libros e instrumentos matemáticos. La biblioteca matemática del seminario era rica en fondos del siglo XVIII. Junto con tratados de matemática clásica, y una buena colección de libros de matemáticas españoles, la biblioteca tenia las principales obras publicadas sobre cálculo infinitesimal. Citemos los autores de algunos de estos libros: Isaac Barrow (1630-1677), Jacques Ozanam (1640-1717), Isaac Newton (1643-1727), Michel Rolle (1652-1719), Jacobo Bernoulli (1654-1705), Marquis de l'Hôpital (1661-1704), Christian Wolff (1679-1745), Nicholas Saunderson (1682-1739), Gabriel Cramer (1704-1752), Leonhard Euler (1707-1783), Alexis Claude Clairault (1713-1765), Jean le Rond d'Alembert (1717-1783), Louis Antoine de Bougainville, (1727–1811), Étienne Bézout (1730–1783).

* * *

En España durante este periodo también se cultivaron las Ciencias Naturales especialmente para profundizar en un conocimiento preciso de las riquezas que se producían en América; en general la historia natural y en particular la botánica y la mineralogía, que eran ciencias que ayudaban a conocer y explotar mejor las riquezas americanas. Estos estudios se desarrollaron recogiendo datos locales completados por expediciones científicas que se organizaron con esa finalidad práctica. Los datos recogidos se acumularon, sistematizaron y estudiaron en jardines botánicos, en museos, en seminarios y otras instituciones, como veremos más adelante. Estas instituciones que nunca fueron bien vistas por las universidades, ya que solo ellas se consideraban las teóricas poseedoras por ley (humana y divina) de la verdad y del conocimiento, y temían a las nuevas instituciones como peligrosos intrusos que amenazaban la fe y su monopolio académico.

Principalmente fue durante los reinados de Fernando VI y de Carlos III, cuando se incrementaron el número de instituciones científicas en las que se estudiaban la botánica, la zoología, la mineralogía, y otras ciencias más puras como la física, la química y la misma matemática. Entre otras, se crean las siguientes instituciones: en Madrid el *Gabinete de Historia Natural*, el *Jardín Botánico*, los *Laboratorios de Química*, la *Real Escuela de Mineralogía*, el *Real Gabinete de Maquinas*; en Cádiz el *Observatorio Astronómico* en Vascongadas el *Real Seminario de Vergara*; en Nueva España el *Real Seminario de Minería de Méjico*, etc.

El *Jardín Botánico* fue creado en 1755 por Fernando VI, en la Huerta de Migas Calientes, en las proximidades de Madrid. Contaba con más de 2000 plantas, recogidas unas en España por José Gómez Quer y Martínez (1695–1764) y otras por intercambio con diversos jardines botánicos europeos. En este jardín se formó Celestino Mutis (1732–1808), quien en 1760 viajó a la actual Colombia, donde realizó varias expediciones científicas para recoger plantas con las que se hicieron herbarios y colecciones de dibujos de gran interés. De 1772 a 1801, fue primer catedrático y director del *Botánico* Casimiro Gómez Ortega (1741–1818). En 1781, Carlos III ordenó el traslado de este *Jardín* a su actual localización en el Paseo del Prado de Madrid (en una zona organizada por los arquitectos Sabatini y Villanueva), donde alcanzó su máximo esplendor, pues era considerado en Europa como la puerta de entrada de todas las plantas exóticas que venían del Nuevo Mundo. Aquí trabajaron Antonio José Cavanilles (1745-1804), y Mariano Lagasca (1776–1839). Otro naturalista coetáneo fue Félix de Azara (1746–1821) quien se dedicó al estudio de la Naturaleza en Paraguay y quien, por sus trabajos, fue citado varias veces por Darwin. Otros científicos vinculados con el Botánico, fueron, Claudio Boutelou (1774–1842) y Estaban Boutelou (1776–1813), Hipólito Ruíz López (1754–1816), José Antonio Pavón Jiménez (1754–1840), y Pablo de La Llave (1773–1833); otros botánicos y naturalistas de la época fueron José Mariano Mociño Suárez Lozano (1757–1820) y Simón de Rojas Clemente, (1777–1827).

El *Real Gabinete de Maquinas* fue una importante institución en la que se recogió una colección de modelos y planos de máquinas hechos en París por Agustín de Betancourt (1758–1824) y José María Lanz (1764–1839) del cual existe un catálogo realizado por Juan López de Peñalver. La finalidad de esta institución era la difusión (de una manera contraria al espíritu de las patentes) del conocimiento de las nuevas máquinas, que se estaban diseñando en Europa, y facilitar así su fabricación y su empleo, como se subraya en la *Advertencia* del catálogo: *son muchas las personas a quienes interesa el tener noticia de esta preciosa colección, y muchas son las que ignoran, que existen, en la misma patria, los medios de perfeccionar la hidráulica, la construcción de caminos, y varias operaciones de las artes.*

El *Real Seminario de Minería de Méjico* fue creado por Fausto Elhuyar (1755–1833) en 1792, tras su emigración al país azteca, en un momento crucial para la historia de la ciencia y de la tecnología en México. En este *Seminario* no sólo se impartían estudios de la metalurgia y ciencias anejas como química, mineralogía, geología, topografía, pirotecnia y laboreo, sino también disciplinas matemáticas como el cálculo diferencial e integral, la geometría analítica y el álgebra, o físicas como la dinámica, la hidrodinámica, la electricidad, la química teórica, la óptica y la astronomía. Un colaborador de Fausto Elhuyar, Andrés Manuel del Río (1764–1849), descubrió en México otro elemento químico: el vanadio. Elhuyar regreso a España en 1822, durante el periodo constitucional, después de la declaración de independencia de México.

La importancia que alcanzó la ciencia en España a finales del siglo XVIII, se manifiesta en la Corte con la creación de un verdadero campus de investigaciones científicas en el que se alojaron algunas de las instituciones que hemos citado más arriba. La institución destinada a presidir este campus debería haber sido la *Academia de Ciencias*, como símbolo del nivel alcanzado por la ciencia española. Esta *Academia* fue proyectada durante la Ilustración y en ella se pensaba desarrollar los cuatro puntos fundamentales siguientes:

> *1º Contratación de Científicos extranjeros, que vinieran a profesar en España; 2º Otorgación generosa de pensiones a científicos españoles para que completen la formación en centros y laboratorios foráneos; 3º Creación de Centros de Experimentación en España, en los que se impartiese e investigase la ciencia moderna; 4º Erección en Madrid de un edificio para la Academia de Ciencias con rango y categoría de auténtica universidad.*

Para alojar la *Academia,* el arquitecto Juan de Villanueva (1739–1811) construyó en Madrid el edificio que actualmente está dedicado a Museo del Prado. Junto a él estaba situado el *Jardín Botánico* y un poco más allá, en el Palacio del Buen Retiro, estaba el *Gabinete de Maquinas*. En una colina cercana de los jardines del Buen Retiro se alzaba el *Observatorio Astronómico de Madrid*, (cuyo primer director fue Salvador Jiménez Coronado) también construido por Villanueva. No muy lejos de allí, en la calle de Atocha, el *Real Colegio de Cirugía de San Carlos*, que más tarde sería absorbido por la Facultad de Medicina. En la calle de Alcalá se alzaba un edificio que alojaba a la *Academia de San Fernando*, en la que impartía una cátedra de matemáticas Benito Bails (1730–1797), y también se alojaba el *Gabinete de Historia Natural*, museo que se abrió al público en 1776. En la Calle del Turco se instaló el *Laboratorio de Química* trasladado de Segovia en el que actuaban los químicos franceses Luis Proust (1754–1826) proveniente de Segovia, y François Chavaneau (1754–1842), que venía de Vergara, así como los españoles Domingo García Fernández (1759–1829), y Juan Manuel Munárriz.

Todas las instituciones científicas que se fueron creando en España desde el siglo XVI, tanto la *Academia Real de Matemáticas* de Felipe II, como el *Colegio Imperial*, como las creadas en el siglo XVIII, eran instituciones extra universitarias de nuevo cuño, pero con rango y categoría de estudios superiores y centros de investigación en el sentido actual. Estas instituciones funcionaron con la contratación de científicos españoles que, pensionados en el extranjero, habían completado su formación en centros y laboratorios de otros países, que a su regreso se integraban en los Centros que funcionaban en España. También se incorporaron algunos científicos extranjeros que venían a España para impartir la ciencia moderna e investigar en esos temas. Este fue un planteamiento que, en gran medida, coincide con el seguido en el siglo XX por la *Junta para la Ampliación de Estudios*, como veremos más adelante.

También, como después ocurrió en tiempos de la *Junta*, todo ese tejido de actividad científica moderna, realizada por españoles en instituciones españolas, fue destruido en 1808, aunque de forma no tan explícita como ocurrió con la Junta en 1939. Estos fueron unos de los momentos negativos del tejer y destejer de la ciencia española, que condujo además a la destrucción de las instituciones y a la persecución y exilio de los científicos que habían trabajado en beneficio de España.

2.3. Nueva decadencia científica en el primer tercio del siglo XIX.

El gran esplendor científico que se estaba alcanzando en España en el último tercio del siglo XVIII, que acabamos de exponer en el parágrafo anterior, fue apagado en el primer tercio del siglo siguiente. Causa sorpresa la dificultad de encontrar razones para que esto se produjera, porque no puede explicarse esa destrucción solamente por unos acontecimientos políticos, aunque entre ellos estuviese algo tan trágico como una guerra, porque a ella sobrevivieron las personas que podrían haber reconstruido las instituciones y el tejido científicos. No se comprende cómo después de una etapa como la Ilustración y, tras la guerra y expulsado el francés, sobreviniera la instauración de un absolutismo tan reaccionario como el de Fernando VII (1784–1833), (incomprensiblemente denominado *el deseado*), quien había sido apoyado por la Constitución de Cádiz. Aunque no es una explicación completa, pensamos que el espejismo de la Ilustración española sólo afectó a grupos muy reducidos de la población y que la inmensa mayoría seguía viviendo y pensando como en los oscuros años en los que las ideas estaban impregnadas de un interesado y dogmático escolasticismo.

La nueva decadencia científica se produjo por un corte radical realizado a partir de los acontecimientos de 1808, que naturalmente tienen antecedentes en algunos hechos de años anteriores, iniciados durante el reinado de Carlos IV, con las primeras prevenciones motivadas principalmente por los temores políticos le la Revolución Francesa, aunque algo mitigados durante el ministerio de Godoy.

Después la situación se complicó por el enfrentamiento entre ingleses y franceses que lucharon por la hegemonía mundial usando el territorio español como uno de sus principales campos de batalla. No sabemos si la utilización del territorio español se debe sólo a razones circunstanciales o también tuvo el objetivo de debilitar el florecimiento que se estaba produciendo en España para, de esa forma, facilitar el acceso al preciado botín que ofrecían las colonias españolas en América. Este enfrentamiento en territorio español comienza en realidad en el mar, en la *Batalla de Trafalgar* (cabo en las proximidades de Cádiz) con el resultado de la derrota y destrucción en 1805 de las coaligadas escuadras francesas y española. El efecto de esta *Batalla* fue muy importante para determinar cuál sería la fuerza hegemónica entre la Inglaterra de Pitt y la Francia de Napoleón. En esta batalla triunfó la flota inglesa, mandada por Nelson, sobre la flota franco-española que estaba a las órdenes del almirante francés Villeneuve. Aunque Nelson murió en la batalla, no perdió ningún navío, y sin embargo la flota franco-española sufrió grandes daños.

La destrucción de la flota española, que con tanta atención y cuidado se había desarrollado durante el siglo XVIII bajo los impulsos de los primeros científicos modernos, fue seguramente uno de los principales objetivos de esa batalla, ya que dejaba franca la ruta hacia América. Puede considerarse esta batalla como la primera entre franceses e ingleses en territorio español, que más adelante (1808) se continuaría por tierra en la llamada guerra de la Independencia, con evidentes pérdidas para los intereses españoles.

La descomposición de la monarquía española comienza algo antes. Hay un amplio malestar por la hermética política llevada por Carlos IV y, el favorito de la reina, Manuel Godoy (1767–1851), con una fuerte influencia de Napoleón desde que este fue nombrado en 1799 Primer Cónsul. Pero los hechos que marcaron esa descomposición fueron los acontecimientos de El Escorial (1807), en los que quedó patente el enfrentamiento del príncipe Fernando contra su padre y contra Godoy, y de Aranjuez (1808) con la forzada abdicación de Carlos IV a favor de Fernando VII. Esta serie de acontecimientos terminaron en Bayona con el destronamiento arresto y destierro de los borbones y su sustitución en la corte de Madrid por uno de los hermanos de Napoleón, José Bonaparte (1768–1844), donde se mantuvo hasta algo antes de la caída de aquel en Waterloo.

Ya no sólo se producía la descomposición de la monarquía borbónica, sino que la situación de España era crítica durante los desastres de la mal llamada *Guerra de la Independencia* (1808–1814). El gobierno de José Bonaparte, que nunca controló todo el territorio, ni estuvo siempre en Madrid, debió enfrentarse a las Juntas provinciales y la Junta Suprema. Estas Juntas iniciaron un intento de reconstrucción de las instituciones españolas a través las Cortes de Cádiz. De ellas salió la Constitución de 1812 que, equivocadamente dadas sus consecuencias, reconocía como rey a Fernando VII, quien asumió el trono una vez terminada la guerra en 1814.

La guerra de franceses e ingleses en territorio español supuso grandes pérdidas institucionales, económicas y culturales. Las esperanzas constitucionales puestas en *el deseado* Fernando VII, se vieron frustradas, primero, porque el rey a su regreso de Francia no aceptó la constitución y pagó *con la más negra ingratitud a sus defensores y persiguiendo sin piedad a los reformadores de las Cortes de Cádiz. Levantó cadalsos en los que perecieron hombres ilustres de aquel tiempo, clausuró universidades y abrió una era de espanto, dejando morir la patria esquilmada y encendida la guerra civil, además de la pérdida de la mayor parte de nuestras colonias,* y después, tras el trienio liberal traído por Riego (1820–1823), impuso un feroz absolutismo gracias a la ayuda francesa (Luis XVIII) materializada en un ejército de ocupación (los cien mil hijos de San Luis) al mando del duque de Angulema. Durante el reinado de Fernando VII se restableció la Inquisición y regresaron los jesuitas que habían sido expulsados por su abuelo. Terminó con todas las esperanzas de renovación que tenían los ilustrados, y llevó una política interna enrarecida y corrompida. Y en la política exterior se perdieron para España todas las colonias americanas, salvo Cuba y Puerto Rico. Finalizó su reinado imponiendo a su hija como heredera enfrentándose a los derechos de su hermano Carlos. Esto condujo al posterior desgarramiento interno producido por el carlismo y a recurrentes guerras civiles hasta muy avanzado el siglo.

¿Cómo afectaron estos turbulentos hechos sobre el renacimiento científico que se estaba produciendo en España en las últimas décadas del siglo XVIII?

Durante la guerra de la Independencia, desde el comienzo mismo de la entrada de las tropas francesas en España, se realizó un expolio en el patrimonio cultural del país que duró durante toda su presencia. Pero para dar sólo algunos rasgos de su incidencia en las instituciones científicas, mencionaremos entre otros, la utilización como cuartel y caballerizas de las tropas napoleónicas en Madrid el edificio de Villanueva destinado a Academia de Ciencias con los consiguientes desperfectos, la destrucción las colecciones conservadas en el Real Gabinete de Maquinas, el deterioro del valioso telescopio Herschel del Observatorio Astronómico de Madrid, el cierre del Real Seminario de Nobles, etc.

Aunque en el efímero reinado de José I se pretendió una reordenación de la sociedad española, que para algunos traía la esperanza de superar el pensamiento tradicional con algunos ecos de lo que fue la Revolución Francesa, en la realidad esto no fue así. Con relación a la ciencia, es cierto que José I contó con la colaboración de un cierto número de los científicos españoles que habían desarrollado su actividad en los últimos lustros, muchos de ellos formados en Francia en la época revolucionaria. También se intentaron mantener o crear algunas instituciones científicas. Pero en situación de guerra y con la difícil implantación de una nueva dinastía, esas instituciones no llegaron a funcionar y los científicos colaboraron principalmente en la organización de la nueva administración, más en la administración del Estado que en tareas propiamente científicas. Además, cuando tuvieron oportunidad, algunos huyeron para colaborar con el nuevo Estado español constituyente.

Pero una vez finalizada la guerra, y terminado el reinado de José I, cuando debería haber llegado el tiempo de la reconstrucción, la mala situación continuó y alcanzó su culminación durante el nefasto periodo absolutista de Fernando VII. Periodo en el que desaparecen numerosas instituciones científicas, y gran parte de los hombres de ciencia (que tanto trabajo y tiempo habían costado formar y reunir) se vieron perseguidos y obligados a dispersarse por diversos países europeos.

Ya en 1814 tuvieron que exiliarse o fueron apartados de sus cargos o encarcelados, por *afrancesados*, entre otros, Claudio Boutelou (1774–1842) (director del Jardín Botánico), José Mariano Mociño (1757–1820), Casiano de Prado (1797–1866), Félix de Azara (1742–1821), Martín Fernández Navarrete (1765–1844), Isidoro Antillón (1778–1814). Durante el bienio liberal hubo una cierta apertura que permitió momentáneamente el regreso de algunos exiliados, pero al terminar este periodo, en 1823, se produjo un exilio masivo de científicos huyendo de la represión que se estaba realizando en la península por el rey felón Fernando VII. Aconsejado por ministros como Calomarde, quería desterrar del suelo de España, no sólo a los científicos sino al pensamiento moderno considerado como el enemigo mayor de las esencias españolas. Y que en efecto lo consiguieron.

Lo consiguieron, porque tras la muerte de Fernando VII, las cosas no cambiaron esencialmente, pues siguió un periodo que lejos de adoptar la Constitución de 1812, como debería haber ocurrido tras la muerte de dictador, se estableció un *Estatuto Real* (1834) (durante la regencia de María Cristina) para abrir ligeramente una seudo democracia, sin que las cosas cambiaran demasiado.

2.4. La transición isabelina (1833–1868) y la actividad científica.

Tal y como acabamos de mencionar, la muerte en 1833 del rey déspota no significó el retorno a la Constitución de 1812, como cabría esperar, sino que una nueva norma con el nombre de *Estatuto Real,* aprobado el 10 de abril de 1834, daba apariencia democrática a la nueva situación y permitía abrir las Cortes Españolas.

Durante los treinta y cinco años que pasaron entre la muerte de Fernando VII en 1833 y la revolución de septiembre de 1868, se produjeron algunas mejoras en la sociedad española y por tanto en sus instituciones científicas, aunque no llegasen a superar totalmente los malos hábitos del periodo absolutista. Este conflictivo periodo lo llena el reinado de Isabel II (1830–1904), que primero reinó bajo la tutela de su madre María Cristina hasta 1840 y después bajo la regencia del general Espartero, hasta que este fue derribado en 1843. Declarada entonces mayor de edad a sus 13 años, actuó por unos meses con el gobierno moderado de Luis González Bravo, al que siguió el de Narváez (el *Espadón de Loja*) momento en el que se elabora una nueva constitución (1845), que restringe algunas de las libertades que tímidamente se habían incluido en la anterior. Durante su reinado se produjo la primera guerra carlista y ocurrieron graves conflictos militares y políticos. Tras los movimientos revolucionarios de 1848, neutralizados en el segundo gobierno de Narváez al que sigue el de Juan Bravo Murillo (1803–1873). En otoño de 1853 ocupó la presidencia del Consejo de Ministros el Conde de San Luis (Luis José Sartorius, 1820–1871), quien disolvió las Cortes e inició la persecución de los progresistas y de los jefes militares moderados. Estos acontecimientos represivos provocaron el pronunciamiento militar de Leopoldo O' Donnell (la *Vicalvarada*) y la revolución de julio de 1854, con la que se inicia el bienio progresista (1854–56) presidido por Espartero. Después Narváez volvió a la presidencia (1856–68) ejerciendo una política ultraconservadora que provocó la revolución *Septembrina* que destronó a Isabel II.

Pese a las turbulencias de este reinado, no se dejó de prestar cierta atención hacia el cultivo de la ciencia en España, al menos como una componente menor de la cultura del siglo en el que todavía dominaba el pensamiento escolástico y ortodoxo, defendido y mantenido por la Iglesia, como muy conveniente para la estructura social agraria que venía desde lejos.

Por eso, puede considerarse este periodo como una etapa de transición en la reconstrucción del tejido científico español en la que fueron creándose paulatinamente nuevas instituciones científicas y culturales en forma de Sociedades, Academias, Ateneos, Revistas, etc... En principio, estas instituciones eran más formales que reales y en ellas se imitaba el boato de otras instituciones europeas, y se dedicaba más a temas de información general y de representación social, que al verdadero cultivo de la ciencia moderna. También jugó un papel renovador la creación de algunos cuerpos del Estado, como los de catedráticos de Instituto y de Universidad, o los Cuerpos y Escuelas de Ingenieros, así como otras instituciones oficiales como, por ejemplo, el *Instituto Geológico y Minero,* que requerían de conocimientos científicos y técnicos para su funcionamiento.

De entre estas instituciones destacaremos, para nuestro tema, el *Ateneo Científico Literario y Artístico* de Madrid, por la viveza con que jugó su papel en el desarrollo y renovación cultural y científica durante este periodo de cierta apertura liberal. El *Ateneo* tuvo una primera fundación en el periodo constitucional (1820–1823), y un obligado cierre en el periodo absolutista. Hubo que esperar para su funcionamiento regular hasta su segunda fundación de 1835 que esta vez, con diversas vicisitudes, ha durado hasta nuestros días.

También la renovación de la enseñanza pública, realizada a mediados de siglo, fue mejorando la situación de abandono de los estudios científicos que existía en España, tanto en los niveles medios como universitarios. A mediados del siglo se elaboraron reformas educativas por parte del Estado, que fueron incidiendo en la incorporación de conocimientos científicos en escuelas y universidades. En particular son importantes, entre otras de menor rango, las disposiciones recogidas en el Plan de estudio Pidal de 1845 y en la Ley Moyano de 1857.

En el Plan Pidal, se establece que los estudios superiores de ciencias se hagan dentro de la Facultad de Filosofía. Y gracias a la Ley Moyano se lleva a cabo una reforma educativa en la que se valorizan y sistematizan los estudios de segunda enseñanza, y la universidad pasa del control directo de la Iglesia al control del Estado. Aunque los gobiernos, especialmente conservadores, mantienen los privilegios de aquella. La Ley Moyano creó diez distritos universitarios (Santiago, Oviedo, Zaragoza, Barcelona, Salamanca, Valladolid, Madrid, Valencia, Sevilla y Granada) con hasta cinco facultades: Filosofía y Letras, Ciencias (por primera vez como facultad mayor), Derecho, Medicina y Farmacia. No todas las universidades tienen todas las facultades. En la única en que esto ocurre y que además otorga doctorados es la universidad de Madrid. Esta reforma universitaria, aunque daba un paso adelante, no significó la modernización de la atención a la ciencia que cabía esperar. El control de las enseñanzas se ejercía mediante los planes de estudios dictados desde el Ministerio, y mediante los libros de texto con los que se debía enseñar las distintas disciplinas. Una expresión de este control se dio con unas disposiciones de 1875 del ministro Orovio que motivaron una crisis universitaria de gran transcendencia, como veremos más adelante.

También con la Ley Moyano se crearon los *Institutos de Segunda Enseñanza*. Estos tuvieron gran importancia para la popularización de los estudios científicos, al establecerse un *Instituto* en cada capital de provincia y en los principales pueblos, y por la creación del cuerpo de catedráticos para atender de forma regular y estable las enseñanzas de disciplinas científicas. Algunos de sus profesores fueron también renovadores de la ciencia. Los estudios dedicados a las matemáticas, la física, la química y las ciencias naturales, estaban apoyados por gabinetes o laboratorios de física y química bien dotados y con museos de historia natural que aseguraban un acercamiento experimental a los estudios científicos.

La representación de la ciencia en los órganos sociales se realizó a través de las Academias de Ciencias creadas sucesivamente después de la desaparición de la dictadura fernandina. Pero estas academias no eran las herederas de aquella frustrada de comienzo de siglo, de la que hablamos más arriba, pensada como un centro de investigaciones científicas con laboratorios, observatorios, museos de ciencias, etc. Eran, más bien, instituciones que convenían para dar apariencia de modernidad a una sociedad que no terminaba de salir de la pobreza intelectual en la que había caído durante la década ominosa. La primera se fundó en 1834 por la reina gobernadora María Cristina como *Academia Matritense de Ciencias Naturales*, pero su vida precaria terminó cuando fue fundada por su hija Isabel II la actual *Real Academia de Ciencias Exactas Físicas y Naturales con las mismas prerrogativas que tienen las demás academias Reales*. Esta Academia se creó por Real Decreto de 1847 a propuesta del ministro de Comercio, Instrucción y Obras Públicas, Roca de Togores. Su primer presidente fue un militar, el general Zarco del Valle. La actividad inicial se reducía a sesiones solemnes en las que se pronunciaban discursos, por una parte más retóricos que científicos sobre la importancia de la ciencia para un país, sobre las condiciones que existen para el cultivo de las ciencias, y por otra sobre temas principalmente descriptivos de alguna rama de la ciencia. Entre los discursos retóricos, tuvo gran importancia el pronunciado por José Echegaray en 1866, titulado *Historia de las matemáticas puras en nuestra España*, en el que lanzó una fuerte diatriba contra la situación de atraso de la matemática en España, y por extensión del resto de las ciencias. Fue una proclama para pedir la necesaria regeneración de la ciencia, dentro de una regeneración más amplia de la vida española. Este discurso, lleno de retórica, representa muy bien el anhelo de regeneracionismo y de progreso de aquella época en que *rechinan las fábricas, silba la locomotora, hierve el vapor*, como el mismo Echegaray decía. Este texto fue muy controvertido, y despertó la conciencia del atraso científico nacional y la necesidad de un regeneracionismo capaz de modernizar la sociedad española. Tuvo gran difusión, por el prestigio del autor, y sobre todo por las expectativas que la nueva institución despertaba. Aunque no todos interpretaron sus palabras como toma de conciencia y estímulo para el necesario regeneracionismo, sino como expresión de un derrotismo que impedía, precisamente, alcanzar ambas cosas. El antagonismo de estas dos posturas alentó la reapertura de la polémica de la ciencia española que se había iniciado a finales del siglo XVIII, con el famoso artículo sobre España de Mr. Masson de Morvilliers que apareció en la *Encyclopédie Méthodique*.

Vemos, pues, que superada ya la mitad del siglo XIX, el desarrollo de la ciencia en España no lograba normalizarse. Pese al alto grado de actividad que había alcanzado al comenzar el siglo, esta fue detenida bruscamente por los acontecimientos que ya hemos indicado, e impedida su recuperación porque la política seguida después de la muerte de Fernando VII, no se aparta sustancialmente de la seguida durante su reinado. Es como si Fernando VII hubiera dejado las cosas *atadas y bien atadas*, y costase mucho esfuerzo deshacerse de esas ligaduras para lograr liberar todas las iniciativas latentes y necesarias para el pleno desarrollo económico, social, cultural y científico de la sociedad española, dentro de una Europa en la que imperaba el librecambio y la industrialización.

En España la ciencia, como el siglo, estaba llena de interrupciones, de creación reiterada de instituciones y de balbuceos que conducían a la toma de conciencia del atraso científico propio en comparación con el desarrollo de otros países, y preocupación por la reactivación de la ciencia, aunque más como emulación y mimetismo con los países avanzados que como forma de resolver los problemas prácticos planteados en el país. Problemas que deberían ser abordados por personas formadas en un pensamiento objetivo, y no dogmático, atendiendo a las necesidades sociales, en vez de serlo por grupos tradicionales más atentos a conservar sus propios intereses y privilegios.

2.5. La Revolución del 68 y la restauración borbónica.

En abril de 1868 muere Narváez y sube al poder González Bravo, quien acentuó la actitud dictatorial de su predecesor hasta el punto de alcanzar tal malestar que, junto al desprestigio de Isabel II y la inestabilidad económica, precipitaron los acontecimientos que condujeron a la revolución de septiembre. Fue el almirante Topete quien inició la sublevación en Cádiz, a la que se le unieron Prim, Serrano y otros, encabezando un movimiento antidinástico más que antimonárquico.

La Revolución de 1868, se inició con el alzamiento de la base naval de Cádiz, se extendió a Barcelona y a toda la zona mediterránea, y terminó con la derrota del general Pavía en la Batalla de Alcolea (Granada), lograda por el General Serrano. Estos acontecimientos obligaron a huir a Isabel II a París donde residió hasta su muerte ocurrida en 1904. El general Serrano presidió un gobierno provisional que formó unas Cortes constituyentes para elaborar la nueva constitución, promulgada en 1869, en la que se mantenía la monarquía como forma de Estado, pero destronaba a la dinastía borbónica Se la considera como la primera constitución democrática de España, ya que establece por primera vez el sufragio universal y otorga un amplio repertorio de libertades y garantías ciudadanas, en particular, las libertades de expresión, de reunión, de asociación, de enseñanza, de prensa y religiosa. Estas libertades constitucionales abrieron un sinfín de iniciativas y repercutieron muy favorablemente hacia un nuevo acercamiento al cultivo de la ciencia.

Políticamente este periodo abarca el llamado *sexenio liberal*, en el que al efímero reinado de Amadeo I de Saboya, cuyo nombramiento había provocado en Europa guerras por la sucesión y en España la segunda guerra carlista, sigue la *Primera República Española*. Aceptada la abdicación de Amadeo I por las Cortes, se reunieron las dos cámaras en sesión conjunta formando la Asamblea Nacional para decidir la nueva forma de gobierno. En la votación salió triunfante la República por 258 votos contra 32. Los menos de dos años de duración de la I República Española, terminó por un golpe de estado dado por el general Pavía, al entrar con sus tropas en el Congreso, el 3 de enero de 1874, durante la votación para nombrar un nuevo presidente de la República, y disolver la asamblea. ¿Revancha por la derrota de Alcolea?

En 1874 termina el espíritu liberal y democrático de la revolución de Septiembre, que se había plasmado en la *Primera República Española*, después del obstinado y fracasado empeño de buscar un rey, por las cortes extranjeras, que estuviera limpio de las corrupciones y tragedias que habían traído a España los últimos borbones. Tras el gobierno del general Serrano (quien intenta continuar con una república unitaria frente a la federal abatida), se inició la Restauración borbónica por la labor política de Cánovas del Castillo (1828–1897) y el pronunciamiento militar de Martínez Campos en Sagunto. El gobierno-regencia de Cánovas logra que Isabel II (residente en París) abdique a favor de su hijo Alfonso XII (1857–1885), quien regresó a España desembarcando en Barcelona y viajando a Madrid por Valencia, siguiendo senda parecida a la que ya había recorrido su abuelo Fernando VII a su regreso de Francia. Vemos así, que cambia radicalmente de nuevo el panorama político para producirse un regreso a formas conservadoras, aunque sin lograr que desaparezcan las personas ni las ideas liberales, de progreso y de regeneración anteriores a esta restauración borbónica.

Este retroceso político se produjo porque los grupos renovadores que trajeron la República, no lograron que esas ideas penetrasen en la sociedad caciquil tan extendida en España, ni evitaron que se produjese una política anti republicana y anti democrática impulsada por los grupos conservadores que trajeron la Restauración monárquica. Este retroceso en las formas de convivencia se recoge en la nueva constitución de 1876, en la que se abandonan esenciales principios democráticos incluidos en la anterior de 1869. Encontramos un ejemplo de este retroceso, referido a la vida universitaria y científica, en la persecución ejercida por Orovio mediante su famosa *Circular* que provocó la llamada *cuestión universitaria*.

De todas formas, pese a los esfuerzos de control, las nuevas ideas y la atención a la cultura, continuaron difundiéndose gracias a diversas instituciones (entre las que los *Institutos de Segunda Enseñanza* jugaron un importante papel) que, paulatinamente, lograron una mayor influencia en las diversas actividades culturales y productivas de la nación, y ayudaron a tomar conciencia de los apremiantes problemas del país. Para resolverlos, los grupos liberales pretendían construir una sociedad libre y democrática que superara los tiempos oscuros del absolutismo llenos de privilegios y arbitrariedades, todavía muy presentes. Estos grupos proponen el libre cambio y el libre pensamiento en contraposición a la arbitrariedad económica y al pensamiento dogmático y religioso; buscando una regeneración en la sociedad que en aquella situación no era fácil de conseguir. También intentaron promover un necesario regeneracionismo científico.

Algunos de los afectados por la *cuestión universitaria*, como Azcárate, Francisco Giner de los Ríos, Nicolás Salmerón, junto a otros catedráticos, se agruparon para fundar la *Institución Libre de Enseñanza* en 1876, que tuvo gran importancia en la renovación educativa y científica en España.

De esta forma se fueron modificando el ambiente y las condiciones para realizar trabajo científico y ampliar, así, su proyección sobre la sociedad. Como ya era imposible en 1881 mantener los controles impuestos por Orovio, el Ministro de Fomento, Albareda, tuvo que derogar la circular que había traído tan malas consecuencias.

Para seguir nuestro hilo sobre la reflexión de la permanente necesidad de reconstrucción de la ciencia española, vemos que se siguió un camino en el que por una parte el *Ateneo Científico Literario y Artístico* de Madrid y por otra la *Institución Libre de Enseñanza* de Giner de los Ríos (1840– 1915), lograron aglutinar a los principales científicos que, dispersos, venían trabajando en este último cuarto de siglo, como veremos en un próximo capítulo. Pero antes demos un sucinto panorama de los grandes cambios que se estaban produciendo en Europa relativos al desarrollo de los conocimientos científicos y a la apertura de vastos dominios y de nuevas disciplinas, que en España se desconocían y que abrían más y más la brecha de nuestro insostenible atraso científico.

2.6. Los grandes cambios de la ciencia mundial en el siglo XIX.

España seguía mirando al pasado, cuando en el mundo se estaba produciendo una transformación social, científica y tecnológica sin precedentes. Con esta transformación se iba acabando la tranquilidad con que, hasta cierto punto, había empezado el siglo. Para ver el retraso científico español con relación a los nuevos adelantos europeos, esbocemos un somero esquema de estos cambios.

A principios del siglo XIX la ciencia suponía que el universo y la naturaleza eran inmutables desde la creación, y que su conocimiento era posible y se estaba llevando a efecto. Los éxitos de la mecánica de Newton, completados por el sistema del mundo de Laplace regulado con las leyes matemáticas de su mecánica celeste, tranquilizaban los espíritus y daban una explicación de los fenómenos del Cosmos. En la Tierra, la física se ajustaba a los sistemas de ecuaciones enunciados en la mecánica racional de Lagrange y en el sistema del mundo de Laplace. La química de Lavoisier explicaba los fenómenos de la materia, y la zoología sistemática y la botánica de Linneo daban cuenta sincrónica de la vida creada sobre nuestro planeta. El sistema del mundo estaba acabado, era sólido, su descripción descansaba sobre seguros principios matemáticos. Sólo faltaba rellenar lagunas y completar conocimientos. Se había sustituido la estabilidad teológica de la Edad Media por la estabilidad *científica* creada en la Ilustración. En los trabajos de relleno se descubrían nuevas estrellas, nuevas especies zoológicas y vegetales, nuevos elementos químicos, se determinaba con precisión la figura de la tierra y se recorrían hasta los últimos lugares del planeta con viajes geográficos menores.

Sin embargo el siglo que comenzaba, iluminado por el potente foco de la Ilustración, con la estabilidad burguesa conseguida, primero gracias a la Revolución francesa, y consolidada después por Napoleón que reglamentó la vida en Europa, había de terminar echando por tierra toda la estabilidad teórica que tanto tranquilizaba a los ideólogos de la época a quienes hubiese gustado que la ciencia y la sociedad estuviesen acabadas, como lo estaba el mundo después del séptimo día de la creación. Pero la realidad no se deja someter tan fácilmente a las leyes y deseos del hombre. La realidad es como los fractales, en los que cada una de sus partes es tan compleja como el todo, y cada parte de las partes sigue siendo tan compleja como el todo y el todo es, simplemente, una parte más. El siglo XIX quedó aprisionado por el vértigo que le producían tanto el macrocosmos como el microcosmos. Además el mundo era algo que no estaba acabado, estaba en plena formación, tanto el Universo, como la naturaleza de la tierra, como el hombre, como la sociedad. Esto se iba descubriendo gracias a la actividad científica que, de forma sistemática y numerosa, comenzaba a realizarse en el siglo XIX.

Para contrastar lo que es tema principal de estas páginas, la dificultad de conectar el pensamiento científico español con la ciencia europea, es insoslayable evocar, siquiera someramente, algunos de los grandes cambios sufridos en los fundamentos de las ciencias durante el siglo XIX.

Si la química había sido la que daba cuenta hasta entonces de la composición de la materia inerte; la química orgánica y la bioquímica es a la que el siglo se dedica con gran atención; recordemos sólo algunos hitos: química de los hidratos de carbono, albúminas y grasas; síntesis del alcohol y del ácido fórmico; estructura del benceno; investigaciones sobre aminoácidos, proteínas y vitaminas. Estos estudios hacen que la química salga de la materia para entrar en la vida, y que haya sido fundamental para el desarrollo de la biología molecular y de la microbiología; así como para ayudar a establecer los principios generales de la física como son las leyes de la termodinámica y el principio de conservación de la energía, en los que destacan Joule (1818–1889), Helmholtz (1821–1894) y Clausius (1822–1888).

En la física se producen aún mayores cambios. Baste mencionar la obra de Maxwell (1831–1879) y su descubrimiento de los campos electromagnéticos. El estudio profundo de la estructura de la materia, de los fenómenos radiactivos, del descubrimiento de las partículas elementales que nos llevan a la física atómica, de las teorías de ondas y corpúsculos. Sólo citaremos algunos nombres vinculados con estos trabajos: Roentgen (1845–1923), Thomson (1856–1940), Marie Curie (1867–1934), Rutherford (1871–1937)…

La mecánica clásica también quedó arrinconada por impulso de la mecánica cuántica de Plank (1858–1947), y por la relativista de Einstein (1879–1955). Además Einstein equiparó masa y energía (la luz pesa) en su famosa y sencilla formula de $E = c\,m^2$. Estas teorías trastocaron las tradicionales ideas de espacio y tiempo, que durante siglos habían sido otros de los pilares en los que se fundamentaba la ciencia. Espacio y tiempo para los que Mincowsky (1864–1909) desarrolla una geometría especial, y en los que el viajero de Langevin (1872–1946) haría volar la imaginación por el Cosmos.

Pues por si eran pocos los radicales cambios en las concepciones de la química y de la física, la matemática, que parecía una ciencia inapelable, sufre también, como cualquier otra, transformaciones esenciales.

Aunque sin abandonar la geometría indiscutible y evidente de Euclides, que había sido fundamento hasta entonces de todas las ciencias, aparecen geometrías no euclídeas en las que por un punto exterior a una recta se pueden trazar más de una paralela, como ocurre con las geometría de Lobachevsky (1793–1856), u otras geometrías en las que no se conservan las magnitudes por traslación como son las geometrías proyectivas de Chasles (1793–1880) o de Staudt (1798–1867) en las que los puntos del infinito tienen características análogas a las de los demás puntos, las geometrías *n-dimensionales*, o las geometrías diferenciales de Riemann (1826–1866) en las que el espacio es curvo.

No sólo la geometría, el número verdadero fundamento de todas las cosas, también fue revisado; no sólo con ampliaciones y generalizaciones, como ya se hicieron desde antiguo al agregar los números fraccionarios, los irracionales y los complejos; sino también construyendo nuevos entes matemáticos y nuevas operaciones entre ellos similares a las que se realizaban con los números. Aparecen así las estructuras algebraicas y un sinnúmero de álgebras que surgen para resolver problemas específicos. Los nombres Galois (1811-1832) y Abel (1802-1829) se vinculan con el comienzo de esta actividad matemática que engloba lo que luego se llamaría álgebra moderna. Pero sobre todo se revisarían los fundamentos mismos de la matemática y de la lógica. A esta revisión se dedican los esfuerzos de Boole (1815-1864), Frege (1848-1925), Cantor (1845-1918), Hilbert (1862–1943), Russell (1872-1970) por citar sólo unos pocos.

Pero no era sólo el mundo físico y formal el que se estaba revisando, también la vida en la Naturaleza, es decir las plantas, los animales y el mismo hombre, se empezaban a estudiar de otra forma.

43

Por una parte la biología molecular, la microbiología, la genética, abrían nuevos caminos para el conocimiento de la vida y para sus aplicaciones inmediatas en medicina.

En este sentido son esenciales los trabajos de Pasteur (1822-1895) sobre la negación de la generación espontánea y el estudio de microbios y bacterias. Pasteur también descubre la vacuna contra la rabia, Koch (1843-1910) los bacilos de la tuberculosis y el origen del cólera, Gaffky (1850-1918) aísla y cultiva los bacilos del tifus, Ferrán (1851-1929) descubre la vacuna contra el cólera, y podrían citarse otros muchos descubrimientos similares.

En genética no se pueden omitir los trabajos de Mendel (1822-1884) sobre las leyes de la herencia, ni los de otros científicos que descubren los cromosomas, y que estos son los portadores de los caracteres hereditarios.

Otro de los caminos de investigación que resultó muy fértil para las nuevas concepciones son los que se abrieron con el estudio de las especies. En este sentido Darwin (1809-1882) es el nombre señero, primero con las observaciones realizadas en sus viajes, especialmente por América, y después con estudios reflexivos y razonados que publicó en sus dos obras fundamentales: una *Origen de las Especies*, otra *El origen del hombre*, en las que enuncia los principios de la evolución, que inciden en el desarrollo de los estudios paleontológicos y antropológicos y de otras muchas áreas, así como en sociología.

Vemos, pues, como a lo largo del siglo se trastocan casi todas las ideas científicas anteriores y se revolucionan las concepciones cosmológicas, biológicas y físicas de la naturaleza, pero no sólo eso, el incremento del conocimiento del mundo y el perfeccionamiento de las técnicas, de los procedimientos e instrumentos, redunda en el desarrollo tecnológico y en las nuevas formas de organizar el trabajos y con ello se produce un incremento en la producción de alimentos y en la sanidad que conduce a una explosión demográfica que va a modificar las estructuras sociales. Es decir a fines del siglo XIX ya estaba concebido y había comenzado a gestarse lo que a finales del siglo XX se percibía con nitidez.

2.7. Nuevo renacer de la ciencia española: el 98 científico.

Cuando estos cambios científicos se estaban produciendo en Europa, en España se continuaba dudando de la importancia de la ciencia y aun se temía su perniciosa influencia en la sociedad. También la organización del estudio y de la investigación científica era muy deficiente.

Ya anunciamos que del discurso de Echegaray salieron dos actitudes con relación a la ciencia en España, las dos marcadas con fuerte acento regeneracionista. De la primera, de tipo histórico y vindicativo, fue su principal impulsor Marcelino Menéndez y Pelayo (1856-1912). De la segunda, que optó por ponerse a trabajar para tratar de sacar a la ciencia española de su atraso, se ocuparon un grupo de científicos regeneracionistas al que Rey Pastor (1888–1962) denominaba *el otro 98*.

Veamos lo que decía Rey Pastor en 1953, recordando al 98:

> *De los literatos en quienes se ha querido personalizar el espíritu de la nueva España, bajo el discutido remoquete de "generación del 98", cabe decir con Baroja, que ni era generación, ni era del 98. Y todavía debe agregarse: por mucho que los literatos hablen y escriban del propio gremio, su influjo en la vida del país es menor de lo que ellos mismos se figuran. Mucho antes de que esa cuaterna de egregios escritores descubriese los males de España, sin anticiparse a los párvulos de entonces (pues todos los descubrimos a la par, al compás de los golpes "yankees"), otros españoles eximios habían puesto el dedo en la llaga, sin posturas literarias, sin virulencia ni alharacas, pero con certera puntería. Se llamaban Santiago Ramón y Cajal, Eduardo Hinojosa, Leonardo Torres Quevedo, Marcelino Menéndez y Pelayo. No se venga con la monserga de la heterogeneidad política, que es cosa adjetiva; en lo sustantivo, estaban todos de acuerdo. Otra habría sido la suerte de España si algo hubieran pesado en sus destinos.*

En efecto, durante los dinámicos años del último tercio del siglo XIX, en España comenzaron a aparecer, junto a diversas instituciones científicas, las figuras necesarias para realizar los cambios en la ciencia del nuevo siglo que llegaba.

Los nombres citados por Rey Pastor, junto con otros varios, eran conocidos internacionalmente o trabajaban con ahínco en la regeneración científica española.

Así por ejemplo, destacó en Europa Carlos Ibáñez Ibero (1825–1891), ingeniero militar y gran geodesta que inventó y construyó la *regla española* para medir bases geodésicas con la que mejoró notablemente la precisión de las medidas geodésicas realizadas anteriormente en Europa. Era miembro de la Academia de Ciencias de Madrid (1861), y de la de París (1885), en la que fue galardonado con el premio Poncelet (1889). Fue también presidente de la Comisión Internacional para definir el metro decimal, y de la Comisión Internacional de Pesas y Medidas que se creó en París en 1875. Así, como director del Instituto Geográfico y Catastral, y bajo su dirección se comenzó a hacer el Mapa Topográfico de España de escala 1:50.000.

En invenciones técnicas son conocidos los nombres de Monturiol (1819–1885) y de Isaac Peral (1851–1895) por sus inventos de diversos tipos de submarino. El primero, Narciso Monturiol, (nacido en Figueras, Gerona) fue el inventor de la navegación submarina. En 1859 fue botado en Barcelona la primera versión de su *Ictíneo* o *barco pez*. En los años 1860 y 1861 hizo otras pruebas en Barcelona y Alicante de su submarino, con resultados satisfactorios, lo hizo aprobar al gobierno una Real Orden en la que se le concedía los operarios y el material necesario para construir un *Ictíneo* de 1200 toneladas de desplazamiento en algún arsenal nacional, orden que no llego a cumplirse. Se recurrió a la suscripción privada pero tampoco se reunieron los fondos necesarios para terminar el proyecto. Murió olvidado de todos. Isaac Peral, marino e ingeniero, nacido en Cartagena, alcanzó gran fama con la construcción de un submarino de grandes prestaciones. Pero pese a que todas las pruebas dieron resultados positivos, la administración informó en contra de continuar con la construcción del submarino. El prototipo se encuentra expuesto, como un monumento, en un muelle del puerto de Cartagena. Su autor murió desconocido en Berlín.

Pero más importancia internacional, por sus invenciones técnicas, tuvo el trabajo de Leonardo Torres Quevedo (1852–1936). Era ingeniero de Caminos; inició en 1885 su proyecto de transbordador, con una luz de 2 Km, que presentó en Suiza sin éxito; tuvo que esperar a 1916 para construir, sobre las cataratas del Niágara, su transbordador que todavía está en servicio. También construyó (1902 –1908) un dirigible semirrígido utilizado por los ejércitos de Francia e Inglaterra durante la primera guerra mundial. Sus trabajos más importantes fueron, sin duda, los relativos a la construcción de máquinas algebraicas y es considerado internacionalmente como uno de los pioneros de la automática y de las actuales computadoras, ya que fue el primero que construyó máquinas de cálculo con circuitos electromecánicos. Inventó también el *telekino* (mando distancia) que fue probado (1903) en el Frontón Beti Jai de Madrid, sobre un triciclo que desde las gradas se hacía evolucionar sobre la cancha de juego. Y fue quien primero construyó un ajedrecista automático, pasando así de las máquinas de cálculo a las máquinas lógicas.

Entre los matemáticos de este periodo cabe destacar varios nombres como Echegaray (1832–1916), de quien ya hemos hablado con motivo de su discurso en la Academia, y quien introdujo en España varias de las teorías modernas de la matemática y la física; Reyes Prósper (1865–1922) profesor del Instituto de segunda enseñanza de Toledo, colaboró en varias revistas científicas internacionales con temas de lógica matemática, y mantuvo correspondencia con los más importantes lógicos de su tiempo; Eduardo Torroja Caballé (1847–1918) catedrático de la universidad de Madrid, introdujo las entonces recientes ideas de geometría proyectiva de Staudt, y formó escuela, entre cuyos discípulos destacó Rey Pastor; Zoél García Galdeano (1846–1924) catedrático de la Universidad de Zaragoza, introdujo muchas de las ideas matemáticas recientes, a través de su cátedra y sus libros de texto, de su asistencia a Congresos Internacionales y sobre todo mediante la revista que fundó con el nombre de *El Progreso Matemático* (1891–1900).

En biología son muy importantes los nombres de: Luis Simarro (1851–1921) liberal radical del 68, positivista, trabajó en París de 1880 a 1885, en neurología y en técnicas de micrografía, estudio también las ideas de Darwin de las que es uno de los introductores en España; fue además uno de los impulsores de la *Asociación Española para el progreso de la ciencias*; es muy importante su libro sobre el proceso de Ferrer y Guardia, Jaime Ferrán (1852–1921) estudió en Marsella, durante la infección colérica, el bacilo que la producía y desarrolló una vacuna que aplicó en la epidemia de Valencia de 1887; recibió por ello, en 1907, un premio de la Academia de Ciencias de París. Ramón Turró (1854–1926) biólogo y filósofo, realizó importantes estudios sobre inmunidad biológica, relacionada con la fisiología de Claude Bernard (1813–1878); creó en torno suyo desde el *Laboratorio Municipal de Barcelona* un grupo de investigadores en fisiología experimental –entre los que se encontraba el eminente fisiólogo Augusto Pi Suñer (1879–1965); evolucionista de la línea de Spencer (1820–1903), también estuvo influido por las ideas de Helmholtz (1821–1894) y Pavlov (1849–1936). Y el más importante entre todos ellos fue Santiago Ramón y Cajal (1854–1934), catedrático de anatomía en la Universidad de Valencia (1883), y de histología en Madrid desde 1892; aprendió las técnicas de micrografía con Simarro (1851–1921); se dedicó fundamentalmente al estudio de la estructura del sistema nervioso y descubrió la neurona; por todos estos trabajos le concedieron el premio Nobel de Medicina en 1906; dirigió desde 1901 el *Laboratorio de Investigaciones Biológicas*, y formó un nutrido grupo de discípulos entre los que se encuentran Tello (1880–1958), Achúcarro (1880–1918), Fernando Castro (1896–1967), del Río Hortega (1882–1945), Lorente de No (1902–1990); también tuvo gran importancia en la regeneración de la ciencia en España presidiendo la *Junta para la Ampliación de Estudios*, como veremos más adelante.

La renovación Científica fue también muy importante en el cultivo de la Historia Natural. Además de realizarse los trabajos necesarios para conocer el mapa geológico español, y la flora y fauna de la península, las ideas darwinistas entraron muy pronto en España aprovechando la libertad de cátedra y de prensa conseguida en la Revolución de septiembre de 1868. *El origen de las especies por medio de la selección natural* se publicó por vez primera en Inglaterra en 1859, y el *Origen del hombre* en 1871. Ediciones de estos libros aparecieron en España, respectivamente, en 1871 y 1885, este último traducido por José del Perojo (1850–1908) director de la *Revista Contemporánea*.

Las ideas darwinistas se consideraban peligrosas por los reaccionarios, ya que en ellas se negaba la creación del mundo expresada en la Biblia, y por su parte los liberales las proponían como ejemplo de libre pensamiento. Ya hemos mencionado a Simarro como a uno de los introductores de las ideas de Darwin en España, y varios profesores de universidad las difundían con ardor en sus cátedras. Entre estos se encontraba Augusto González Linares (1845–1904) catedrático de Historia Natural de la Universidad de Santiago de Compostela, quien inició los hechos que dieron lugar a la ya mencionada cuestión universitaria, de la que resultó la creación de la *Institución Libre de Enseñanza*.

Entre los naturalistas de fin de siglo destacaremos Ignacio Bolívar (1850–1944) quien siendo todavía estudiante (en 1871) fue socio fundador de la *Sociedad Española de Historia Natural*. En 1875 comenzó su colaboración en el *Museo de Ciencias Naturales*, y en 1877 obtuvo la cátedra de entomología de la Universidad de Madrid. En 1898 ingresó en la *Real Academia de Ciencias Exactas, Físicas y Naturales* con un discurso titulado *Los museos de Historia Natural*. En 1901 fue director del *Museo de Ciencias Naturales de Madrid* –que trasladó a los actuales locales del alto del hipódromo– desde donde hizo una gran labor de investigación cuyos resultados fueron recogidos en la serie *Estudios Entomológicos,* editada por la *Junta para la Ampliación de Estudios*. Fue vocal, vicepresidente y presidente de la *Junta* a la muerte de Cajal, así como de la *Institución Libre de Enseñanza*. Hizo estudios de genética siguiendo la línea de Mendel, y formó un grupo de discípulos entre los que se encontraban José Fernández Nonínez (1892–1947), Enrique Rioja (1895–1963) y Antonio Zulueta (1885–1971). Entre 1921 y 1930 fue director del Jardín Botánico de Madrid. Cuando tenía más de 80 años se vio obligado a huir de la España franquista y exiliarse en México, donde fundó la revista *Ciencia* de gran prestigio internacional y en la que colaboraron muchos de los científicos españoles del exilio de 1939.

Con este plantel de científicos se había reiniciado un nuevo tejer científico que, fatalmente, se truncaría de nuevo durante la guerra civil por culpa de lo más negro de la reacción española. Pasados muchos años se debió reiniciar, otra vez, todo el proceso de reconstrucción científica en condiciones tan malas (mejores en algunos aspectos y peores en otros) a las que quedaron después del reinado de Fernando VII.

2.8. El esplendor de la Junta y posterior destrucción de lo construido.

Comenzaba el siglo XX con un grupo de científicos de alta calidad dedicados a diversas disciplinas y existían algunas instituciones que, en conjunto, tenían la capacidad para iniciar la necesaria regeneración científica. Ya hemos indicado cómo, gracias a la influencia del *Ateneo de Madrid*, especialmente a partir de su *Escuela de Estudios Superiores*, y de la *Institución Libre de Enseñanza*, se hace posible la creación de la *Junta para la Ampliación de Estudios e Investigaciones Científicas*.

Esta nueva institución fue especialmente promovida por las figuras de Santiago Ramón y Cajal y de José Castillejo y propiciada por el Ministerio de Instrucción Pública y Bellas Artes recién creado en 1900 para dar más importancia a sus competencias que antes eran asumidas por una dirección general del Ministerio de Fomento. Tampoco podemos olvidar que Moret era presidente del gobierno en el momento en que se crea la Junta.

Cajal ya era famoso por sus investigaciones histológicas que le habían servido para obtener el premio Nobel en 1905, pero además era un pensador preocupado por el desarrollo de la ciencia en España. Castillejo, institucionista amigo de Giner de los Ríos y funcionario del nuevo Ministerio, tenía todas las dotes para ser un perfecto secretario de la *Junta* que se estaba gestando.

Se crea la *Junta* con el objetivo inicial de la formación de investigadores en el extranjero. Tareas como esta ya se habían realizado en el siglo XVIII, como hemos visto más arriba, y aun en el XIX mucho más tímidas. También desde el comienzo del siglo XX se facilitaban los viajes al extranjero a los profesores que salían a ampliar estudios, o se otorgaban becas, con el mismo fin, a alumnos premiados al finalizar sus carreras. Para gestionar estas actividades se creó en 1906 un *Servicio de información técnica y de relaciones con el extranjero*, bajo la dirección de José Castillejo.

Con estos antecedentes se vio conveniente ampliar ese *Servicio* y constituir la *Junta para la Ampliación de Estudios e Investigaciones Científicas*, como organismo autónomo del ministerio, que debía ser auspiciada por relevantes personalidades del mundo de la cultura. Este organismo se creó bajo el ministerio de Amalio Jimeno por Real Decreto de 11 de enero de 1907.

En el capítulo 5 entraremos en detalles, pero ahora damos un sucinto panorama de los logros de la Junta, que además de gestionar las becas para el extranjero, también tenía como objetivo la creación y mantenimiento de una serie de institutos, centros y laboratorios, en los que se pudiera mantener el nivel de conocimiento y los estímulos adquiridos en el extranjero. Fueron numerosos los laboratorios e institutos que aparecieron bajo el impulso de la Junta, y en los que se agruparon los pensionados en el extranjero a su regreso a España. En 1910 se crean dos grandes instituciones, el *Centro de Estudios Históricos* y el *Instituto Nacional de Ciencias Físico-Naturales,* en los que funcionan laboratorios, bibliotecas, museos o jardines botánicos... Recordemos algunos de los agrupados en torno al *Instituto Nacional de Ciencias* (instalado en los altos del Hipódromo): *Museo Nacional de Historia Natural,* dirigido por Ignacio Bolívar, *Laboratorio de investigaciones Biológicas,* creado y dirigido por Santiago Ramón y Cajal, que a partir de 1920 pasa a llamarse *Instituto Cajal, Laboratorio de investigaciones físicas,* dirigido por Blas Cabrera, *Laboratorio de Automática,* dirigido por Leonardo Torres Quevedo, *Laboratorio y Seminario de matemáticas,* dirigido por Julio Rey Pastor, *Laboratorio de Química Biológica,* dirigido por José Rodríguez Carracido, *Laboratorio de Fisiología* dirigido por Juan Negrín, (laboratorio en el que se formaría como investigador el futuro premio Nobel Severo Ochoa), junto con otros varios centros.

En 1910 se creó la *Residencia de Estudiantes*, dirigida por Alberto Jiménez Frau, en donde convivieron eminentes figuras españolas y extranjeras, y el *Instituto Escuela* dedicado a la investigación y experimentación pedagógica, especialmente en los planes de segunda enseñanza.

Baste este sucinto apunte para poner de manifiesto el gran esfuerzo que desde el cambio de siglo se hizo por regenerar la producción científica en España.

Pero, ¿qué pasó después de este despertar que hacía prever un futuro glorioso para la ciencia española? Hemos de volver a considerar la resistencia política que se opuso a esta modernización por parte de las oligarquías agrarias todavía muy presentes, llamadas con el nombre genérico de las derechas, y de la iglesia que servía de aglutinante de la aristocracia terrateniente que tradicionalmente estaba agrupada en torno de ella. Pero, ¿qué peligro podría significar un mayor desarrollo de la ciencia? Tal vez que la ciencia implica razón y si esta se pone en marcha podría popularizarse y hacer preguntas sobre muchas cuestiones oscuras que han conducido a situaciones de injusticia social. Una respuesta racional a esas preguntas hacía temer que desaparecieran las antiguas justificaciones de los privilegios y se intentara abolirlos.

Muchos de los que provocaron la Guerra Civil española acusaban explícitamente al *Ateneo*, a la *Institución Libre de Enseñanza* y a la *Junta para la Ampliación de Estudios*, de ser los culpables de la formación de las *hordas revolucionarias* que había que eliminar, para que España volviera a la grandeza de su imperio.

Por eso, desde comienzo de la guerra, se inició en la zona franquista una especial represión contra todo lo que significase educación, cultura y ciencia libres y modernas. El 24 de julio de 1936 se organiza la *Junta de Defensa Nacional*, primer órgano político de los sublevados, y meses después, el 1 de octubre se crea la *Junta Técnica del Estado* que fue el germen del primer gobierno franquista y en aquella la *Comisión de Cultura y Enseñanza* (boceto de Ministerio). Esta *Comisión*, que presidía José María Pemán y ocupaba la vicepresidencia Enrique Suñer Ordóñez, funcionó hasta la creación, en enero de 1938, del Ministerio de Educación Nacional, del que fue ministro Pedro Sainz Rodríguez. Desde Burgos en diciembre de 1937, en plena guerra, se crea por Decreto el *Instituto de España*, que es una extraña institución organizada para agrupar a los escasos académicos residentes en la zona franquista. En dicho Decreto también se disponía la disolución de la *Junta para Ampliación de Estudios e Investigaciones Científicas* y que el *Instituto* se hiciese cargo de sus funciones.

Dentro del Ministerio de Educación Nacional se creó la *Oficina Técnico Administrativa para la tramitación de los expedientes de depuración* en la zona sublevada, la zona llamada nacional. Para la represión en la Universidad se constituyó una *Comisión Depuradora del Personal Universitario*, que tenía la obligación de abrir expediente a todos los profesores que estuvieran en activo el 18 de julio de 1936. Esta *Comisión* funcionaba en Zaragoza y estaba formada por cinco catedráticos y la presidía el de la Universidad de Zaragoza, Gregorio Rocasolano.

Después de terminada la guerra, continuó y se incrementó la depuración sistemática hecha desde el gobierno. El espíritu de esta represión se refleja con claridad en el discurso del ministro de Educación Nacional, José Ibáñez Martín, pronunciado en la Universidad de Valladolid en la apertura del curso 1940.

Esta represión continuada y sistemática, que duró muchos años después de acabada la guerra, condujo por una parte al mayor exilio científico de la historia de España y, por otra, a la fundación de una nueva institución que recibiría el pomposo nombre de *Consejo Superior de Investigaciones Científicas* (CSIC).

La triste importancia del exilio científico de 1939, al que dedicamos el capítulo 6, significa una de las mayores sangrías de inteligencia de toda nuestra historia en un momento en el que la ciencia era el factor esencial para el desarrollo de las naciones. Aunque cabe el consuelo que este exilio ayudó a estrechar nuestra cultura con la de los países latinoamericanos.

La fundación del CSIC se debió a que, terminada la guerra, el *Instituto de España* no tenía la capacidad de hacerse cargo de todos los restos que quedaban de la *Junta* y era necesaria una institución que los administrara. Sin embargo el *Instituto* siguió entonces y continúa funcionando ahora, aunque sin las cargas de la investigación científica, por disposición de la ley de creación del CSIC, que en su artículo 11 dice: *Subsistirá el Instituto de España como enlace de las Reales Academias.*

El espíritu reaccionario de la nueva institución para la investigación científica, puede verse en el preámbulo de su ley de creación cuando entre otras cosas se dice que la ciencia: *ha de cimentarse, ante todo, en la restauración de la clásica y cristiana unidad de las ciencias, destruida en el siglo XVIII* para *imponer, en suma, al orden de la cultura, las ideas esenciales que han inspirado nuestro Glorioso Movimiento, en las que se conjugan las lecciones más puras de la tradición universal y católica con las exigencias de la modernidad.* y *debe ser el Estado, a quien corresponde la coordinación de cuantas actividades e instituciones están destinadas a la creación de la ciencia.*

El CSIC presidido por Franco por medio de su Ministro Ibáñez Martín, nombró como primer secretario general a José María Albareda, destacado miembro del Opus Dei, al que pertenecía desde 1936. Varios obispos pertenecían a los órganos directivos del CSIC.

Esta institución, así fundada y antítesis de la anterior, es la que ha continuado funcionando hasta nuestros días, aunque, evidentemente, con modificaciones según los periodos.

Capítulo 3

La polémica de la ciencia española

3.1. Ciencia y modernidad. 3.2. Se inicia la polémica de la ciencia española. 3.3. La polémica continúa en el siglo XIX. 3.4. ¿La polémica de la ciencia española es todavía una cuestión abierta?

3.1. Ciencia y modernidad.

Generalmente se ha admitido que uno de los rasgos que definen la modernidad es la importancia que las sociedades otorgan a la ciencia. Desde el Renacimiento la ciencia se vincula con pensamiento racional, con innovación tecnológica, con actualidad y, a veces, como anuncio de lo porvenir. Pero no consideraremos aquí la modernidad de la ciencia en este sentido (ya que ahora sabemos que no siempre avance tecnológico significa racionalidad ni avance social) y lo haremos como lo hace la teoría de la cultura cuando jalona sus diferentes etapas de desarrollo.

Consideramos inicialmente la modernidad como la actitud crítica que aparece en la Europa del siglo XVII, para liberarse del principio de autoridad con el que el Renacimiento había revestido a los autores clásicos de la antigüedad, en el intento de sustituir la autoridad bíblica por la autoridad clásica. Aquella actitud crítica condujo al libre pensamiento, fundamentado en la razón y la experimentación, y no en la autoridad de los textos antiguos. Este movimiento de modernidad nos llevaría a la Ilustración del siglo XVIII y a la Revolución Francesa.

55

Ciñéndonos a la ciencia, el comienzo de la modernidad lo encontramos en los avances, no sólo de conocimiento sino también de método, que aparecen en aquel siglo (con algunos precursores en el siglo anterior) y se aplican en las más diversas disciplinas. Queda esto de manifiesto en el gran salto dado por el método experimental de la mecánica de Galileo (1564-1642). Se refleja explícitamente en el aporte de racionalidad autónoma que representa la duda metódica de Descartes (1596-1650) y en el desarrollo de su geometría que la aparta de los *Elementos* de Euclides imperantes durante todo el Renacimiento. También por la racional cosmogonía de Newton (1643-1727), así como por la verdadera revolución matemática llevada a cabo principalmente por Fermat (1601-1665), Newton y Leibniz (1646-1716) al dar el paso fundamental que supone la creación del cálculo Infinitesimal con el que se superan la aritmética y el álgebra renacentistas, y facilita la explosión de los descubrimientos físicos de los siglos XVIII y XIX. Por otra parte, la disección y vivisección como método de estudio de la anatomía y de la medicina, y descubrimientos como la circulación de la sangre por el medico británico Harvey (1578-1657) dejan atrás las concepciones galenistas. Y, en definitiva, la acumulación de nueva información sobre la Naturaleza, obtenida por observaciones que eran desconocidas por los clásicos y en gran parte provenientes de las tierras recién descubiertas de América, conduciría a fundamentar la nueva Historia Natural.

Todas estas son facetas esenciales que conforman la idea de modernidad en la Ciencia del siglo XVII.

¿Cuál ha sido la actitud española frente a la modernidad científica?

La España Medieval (cristiana, judía y musulmana) fue fructífera en la producción científica de su época, y podemos decir que la escuela de traductores de Toledo fue uno de los focos de promoción del Renacimiento al facilitar el acceso y difusión de los textos clásicos.

Durante el siglo XVI, como ya hemos visto en el capítulo anterior, en España se dio un vigoroso impulso al conocimiento de la Naturaleza, principalmente la Geografía y la Náutica (astronomía, cartografía) que se reflejaron en instituciones tales como la *Casa de Contratación de Sevilla*, primero, y la *Academia Real de Matemáticas*, después. Aunque los resultados obtenidos en estos centros no corresponden todavía a lo que ahora entendemos por ciencia moderna. Así vemos como Rey Pastor (1888-1962), en la conclusión de su *Los matemáticos españoles del siglo XVI* termina diciendo:

> *Para poder explicar la Historia de España en la Edad Moderna, el profesor Onís, en su bellísimo discurso de apertura, después de estudiar el pasado de nuestras universidades, se veía obligado a proponer una hipótesis: "España no ha sido nunca un pueblo moderno; el estado máximo de su civilización es el siglo XVI es, en su corriente más poderosa, la última floración de la cultura medioeval, sobre la cual flotaron débiles corrientes de la cultura moderna, que no llegaron a producir una forma propia, duradera y fecunda de la cultura moderna nacional." Y esta hipótesis, que nuestro orgullo nacional se resistía a admitir, tiene una comprobación plena en el examen histórico que antecede. Repitamos, una vez más, nuestra conclusión, y digámosla crudamente para cauterizar ese injustificado orgullo, que impide nuestro progreso: España no ha tenido nunca una cultura matemática moderna.*

Ya hemos visto que durante el siglo XVII la ciencia española sufrió un notable estancamiento en relación con otros países europeos, en particular con Italia, Francia, Inglaterra y Alemania. Decadencia científica que corre en paralelo con la decadencia política y económica. En efecto, mientras España basa su actividad económica en el oro, el resto de Europa comienza a hacerlo en la técnica, fundamentada en la ciencia.

Decadencia relativa al auge de otros países, aunque como hemos visto en el capítulo anterior los jesuitas, los militares y finalmente los *novatores* no abandonaron esta actividad, aunque sin colaborar en la construcción de la naciente *ciencia moderna*.

Tras los drásticos cambios políticos, con cambio de dinastía incluido, producidos en España desde el comienzo del nuevo siglo XVIII se continuaron los impulsos de renovación científica dados por los grupos novatores, y se incrementaron a lo largo de toda esta centuria, como ya hemos visto, los focos de desarrollo científico y tecnológico. Las perentorias necesidades técnicas que la nueva situación política exigía, no podían realizarse dentro de la universidad escolástica y endogámica, sino que se realizaron en centros fuera de ella como lo eran las escuelas de náutica de Cádiz, El Ferrol y Cartagena, los seminarios de Vergara o de Méjico, el Jardín Botánico de Madrid, etc. También colaboraron a incrementar el conocimiento científico español las notables expediciones que se hicieron en este siglo, entre las que se encuentra la muy importante de Malaspina (1789–1794), que recorrió toda la costa americana del Pacifico hasta Alaska.

Sin embargo, con toda esta actividad científica se no contribuyó directamente de forma creativa a la formación de la ciencia moderna, mientras que en Europa se produjeron grandes avances en la innovación científica con la aportación de nuevas ideas, y hasta de nuevas disciplinas enteras, y se iniciaba la revolución tecnológica que habría de alterar hasta los mismos cimientos sociales de la Historia.

En efecto, durante el siglo XVIII no sólo se consolidan el cálculo infinitesimal por los Bernouilli, Taylor (1685–1731), Euler (1707–1783), Clairault (1713–1765), Lagrange (1736–1813). y la mecánica extendida a la dinámica, la hidrodinámica, o la mecánica celeste por obra de Jacobo y Juan Bernouilli, D'Alembert (1717–1783), Lagrange y Laplace (1749–1827), entre otros, sino también aparecen disciplinas nuevas como la teoría de las probabilidades de Jacobo Bernouilli (1654–1705) en su *Ars Conjectandi* (publicado en 1713), la electricidad y el magnetismo por obra de Gray (–1736) (1727), Du Fay (1698–1739) (1733), Michell (1724–1793) (1750), Franklin (1706–1790) (1752), Coulomb (1736–1806) (1768), Cavendish (1731–1810) (1772) para culminar en Galvani (1737–1798) y Volta (1745–1827) (1789). En Ciencias Naturales la gran innovación puede significarse por el sistema natural y clasificación de las plantas (1773) de Linneo (1707–1778) y la *Historia Natural* (1750) de Bufón (1707–1788). La termodinámica da en este siglo sus primeros pasos con la invención del termómetro (1720) de Fahrenheit (1686–1736) y el termómetro (1742) de Celsius (1701–1744) y los trabajos de Lavoisier (1743–1794) y Laplace como fundadores de esta ciencia. La química del siglo se inicia con el descubrimiento de varios elementos como el oxígeno (1774) por Priestley (1733–1804), el cloro (1774) por Scheele (1742–1786), el hidrógeno (1776) por Cavendish, y se continúa con el establecimiento del análisis químico (1772) por Bergmann (1735–1784) y con los trabajos de Lavoisier que fundan la química moderna (1778).

Pero no sólo la modernidad está produciendo una revolución científica, sino también tecnológica, económica y social. Tecnológica representada por miles de invenciones que originarían una nueva forma de producir, cuya culminación se representa, a veces, por la máquina de vapor de Watt (1776). Económica, ya que se establecerían nuevas formas mercantiles, basadas en ideas modernas como las contenidas en *La riqueza de las naciones* (1776) de Adam Smith (1723–1790). Social, ya que todos estos cambios conducen a la Revolución francesa como expresión del deseo de aniquilar el antiguo régimen representado por la monarquía absoluta.

3.2. Se inicia la polémica de la ciencia española

Estamos, pues, ante un panorama de cambios radicales, en el que se cuestiona hasta la forma misma del estado: la monarquía absoluta. En los años 1780, París era un hervidero de ideas y de confrontaciones políticas donde se estaba gestando la Gran Revolución Francesa. En España reinaba un monarca de dinastía francesa que representaba todavía al gran imperio español. En este contexto, nuestro país ofrecía un blanco especialmente propicio para hacer, desde la Francia revolucionaria, una crítica de las instituciones feudales y de los valores que se pensaban destruir con el nuevo sistema. Con este sentido fue escrito el artículo de Masson de Morvilliers sobre España, que apareció publicado en la parte de Geografía de la *Encyclopédie Méthodique* de Diderot (1782).

Aunque existen antecedentes, especialmente en la época de los novatores como indicaremos más adelante, que podrían considerarse origen de la polémica que vamos a tratar, pensamos que la polémica de la ciencia española tuvo su verdadero origen en los últimos años del reinado de Carlos III y fue provocada por Masson cuando, en el artículo mencionado, escribe su famoso: *¿qué se debe a España? Desde hace dos siglos, desde hace cuatro, desde hace seis, ¿qué ha hecho por Europa?* Estos interrogantes, considerados insultantes para la grandeza de España, hacen reaccionar a varios científicos y escritores españoles con textos con los que se inicia una polémica que trata de uno de los problemas más interesantes para entender la posición de España ante la ciencia.

Entre uno de los primeros antecedentes de esta polémica podríamos citar a Cabriada, ya mencionado en el capítulo anterior, quien en su *Carta Filosófica* dice ya en 1687:

Que es lastimosa y aún vergonzosa cosa que, como si fuéramos indios, hayamos de ser los últimos en recibir las noticias y luces públicas que ya están esparcidas por Europa. Y asimismo, que hombres a quienes tocaba saber esto, se ofendan con la advertencia y se enconen con el desengaño. ¡Oh, y qué cierto es que el intentar apartar el dictamen de una opinión anticuada es de lo más difícil que se pretende en los hombres!.

y más adelante dice

¿Por qué, pues, no se adelantará y se promoverá este género de estudio? ¿Por qué, para poderlo conseguir, no se fundará en la Corte del Rey de España una Academia Real, como la hay en la del Rey de Francia, en la del de Inglaterra y en la del señor Emperador? ¿Por qué, para un fin tan santo, útil y provechoso, como adelantar en el conocimiento de las cosas naturales (sólo se adelanta con los experimentos físico-químicos) no habían de hincar el hombro los señores y nobles, pues esto no les importa a todos menos que las vidas? ¿Y por qué en una Corte como esta, no había de haber ya una oficina química, con los más peritos artífices de Europa? Pues la Majestad Católica del Rey nuestro señor, que Dios guarde, los tiene en sus dilatados reinos, de donde se podrían traer los mejores. ¡Oh inadvertida noticia! Y si advertida, ¡Oh inútil flojedad!

Los otros novatores se manifestaban en el mismo sentido, así como también, más tarde, lo hacia Feijóo en sus *Cartas*, cuando decía, en 1745, respondiendo a una de las preguntas de su interlocutor deseoso de saber la causa del atraso literario de nuestra nación:

La primera es el corto alcance de algunos de nuestros profesores. Hay una especie de ignorantes perdurables, precisados a saber siempre poco, no por otra razón, sino porque piensan que no hay más que saber que aquello poco que saben.

y más adelante

si se ha de creer a estos aristarcos, ni se ha de admitir a Galileo los cuatro satélites de Júpiter, ni a Huygehens y Casini los cinco de Saturno, ni a Vieta la álgebra especiosa, ni a Nepero los logaritmos, ni a Harveo la circulación de la sangre; porque todas estas son novedades en astronomía, aritmética y física, que ignoró toda la antigüedad, y no son de data anterior a la nueva filosofía Por el mismo capítulo se ha de probar la inmensa copia de máquinas e instrumentos útiles a la perfección de las artes, que de un siglo a esta parte se han inventado. Vean estos señores a que extravagancias conduce su ilimitada aversión a las novedades.

Pero con todos estos antecedentes fue, sin embargo, el artículo *España*, de la *Enciclopedia*, ya mencionado, el que desató el primer brote de la polémica que habría de durar por lo menos hasta finales del siglo XIX. Comienza diciendo:

Uno de nuestros grandes escritores dice que España debería ser uno de los poderosos reinos de Europa, pero que la debilidad de su gobierno, la Inquisición, los frailes, el perezoso orgullo de sus habitantes, han hecho pasar a otras manos la riqueza del Nuevo Mundo. Así, este hermoso reino, que causaba antes tanto terror a Europa, ha caído gradualmente en una decadencia de la que le costará levantarse.»

Entre otras cosas, agregaba las siguientes opiniones sobre el comercio español:

Las mercancías del Nuevo Mundo se destinan menos a España que a las naciones comerciantes; éstas han confiado su fortuna a los españoles, y jamás se han arrepentido de ello. Esta fidelidad singular que antes tenían a guardar los depósitos, y de la que Justino hizo elogio, la conservan todavía; pero esta admirable cualidad, unida a su pereza, forma una mezcla de la que resultan efectos que les son perjudiciales. Los demás pueblos ponen bajo su propio control el comercio de su monarquía, y ha sido verdaderamente una suerte para Europa que Méjico, Perú y Chile sean poseídas por una nación perezosa.

Más adelante hace un retrato del español, de su rechazo a la instrucción y la ciencia y a las técnicas necesarias para las infraestructuras, diciendo:

El orgulloso, el noble español se avergüenza de instruirse, de viajar, de tener algo que ver con otros pueblos. ¿Pero las ciencias que él desdeña, las artes que desprecia no son nada para su felicidad? ¿No tiene necesidad de ellas para hacer que los ríos sean navegables y trazar los canales de comunicación con objeto de transportar lo superfluo de una provincia a otra? ¿No tiene necesidad de ellas para corregir leyes antiguas y ridículas, para perfeccionar su navegación, su agricultura, su comercio; para sus primeras necesidades o para sus recreos, para librarse del yugo demasiado riguroso de los curas, para rechazar los errores peligrosos, de los prejuicios más peligrosos todavía; en fin, para formar legiones en el arte de defenderse y de impedir que lo despoje algún ambicioso vecino? ¿Qué les faltaría para ser felices que no fuese el deseo de serlo? ¡Pero querer es un trabajo para una nación perezosa y soberbia!

Y sobre la ciencia, que es tema que aquí más nos interesa, critica duramente la dificultad de acceder desde España a la literatura europea, dice:

El español tiene aptitud para las ciencias, existen muchos libros, y, sin embargo, quizá sea la nación más ignorante de Europa. ¿Qué se puede esperar de un pueblo que necesita permiso de un fraile para leer y pensar? ¡El libro de un protestante es proscrito por ley, sin que importe sobre qué tema trate, por la sola razón de que el autor es protestante! Toda obra extranjera es detenida: se le hace un proceso y se la juzga; si es vulgar y ridícula y sólo puede corromper el espíritu, se le permite entrar en el reino, y se puede comprar esta especie de veneno literario en todas partes; si, por el contrario, es una obra inteligente, valiente, pensada, se la quema como atentatoria contra la religión, las costumbres y el bien del Estado: un libro impreso en España sufre regularmente seis censuras antes de poder ver la luz, y son un miserable franciscano o un bárbaro dominico quienes deben permitir a un hombre de letras tener genio.

Si toma la determinación de hacer imprimir su obra en el extranjero, necesita para ello un permiso muy difícil de obtener, y todavía no está del todo al abrigo de la persecución cuando su libro llega a aparecer.

Para terminar diciendo:

Pero ¿qué se debe a España? Desde hace dos siglos, desde hace cuatro, desde hace seis, ¿qué ha hecho por Europa?. España se asemeja hoy a esas colonias débiles y desdichadas que tienen necesidad permanente de un brazo protector de la metrópoli; es preciso ayudarle con nuestras artes, con nuestros descubrimientos; también se parece a los enfermos desesperados, quienes, sin sentir su enfermedad, rechazan los brazos que les aportan la vida.

Sin embargo, si es precisa una crisis política para salir de este vergonzoso letargo, ¿qué esperan todavía? Se han apagado las artes, las ciencias, el comercio. Tienen necesidad de nuestros artistas en sus manufacturas. Los ilustrados están obligados a instruirse a escondidas en nuestros libros. En España no existen ni matemáticos, ni físicos, ni astrónomos, ni naturalistas.

No es de extrañar, que dadas las graves acusaciones contra España realizadas en este artículo, se produjese un gran revuelo en Europa y apareciesen contestaciones a las palabras de Masson, defendiendo la monarquía española, bien rechazando directamente la tesis de Masson, o bien defendiendo el estado de la ciencia española como hizo Cavanilles, botánico español residente en París, en sus *Observaciones al artículo España*.

Cavanilles comienza su defensa diciendo que:

Un autor juicioso se propone como objetivo en su obra el progreso de las ciencias y el progreso de las luces; una crítica sabia y mesurada anuncia su intención y sus conocimientos; pero no escribe para ultrajar una nación entera, dando a todo lo que la compone los colores más negros y más falsos que puedan sugerir la enemistad y el odio

Alega después ignorancia de M. Masson sobre el tema, al decir:

Pero no, él [Masson] sabía cuan insuficiente era su instrucción. Sin duda se ha dicho: Yo no he visto España, no he leído las obras de los españoles, no entiendo su lengua, ignoro las sabias ordenanzas que el rey actual ha dado y da cada día para alentar la agricultura, el comercio, las ciencias y las artes, para aumentar sobre todo la felicidad de sus súbditos. Apenas ha oído hablar de las sociedades patrióticas cuyo establecimiento en las principales ciudades desarrolla de día en día el espíritu nacional presto ya a tomar auge y a hacerse digno de los elogios que merecen las naciones más distinguidas.

y aunque Cavanilles reconoce la inexistencia de primeras figuras en la cultura científica española, reprocha no fijarse en los hombres de valor que existían:

Es cierto que hoy no poseemos un d'Alembert ni un Euler, ¿Y dónde estos genios que el gobierno llama en vano, y que se niegan a tantas generaciones? Los países dichosos que producen estos grandes hombres ven nacer los discípulos que celebran y perpetúan su gloria. Pero si estos talentos raros no existen actualmente en España ¿no tendríamos algunos hombres que merecieran la indulgencia de M. Masson? ¿Conoce los cursos de matemáticas del padre Tosca, de Bails? ¿Conoce a don Antonio Rosell, profesor del colegio de S. Isidro, y a don Francisco Subiras, profesor del colegio de los nobles, quienes después de haber desempeñado sus cátedras con la más grande distinción, acaban de ser nombrados por el rey para seguir la ribera del Amazonas, y verificar las observaciones hechas hasta aquí? Le citamos aun a don José de Mazarredo, autor de la táctica naval; don Rafael de Lasala, obispo de Solsona; don Rafael Clavijo, oficial de marina, que dirige las construcciones de El Ferrol. ¿Por qué M. Masson debe de ignorar la existencia del único compañero del abatte Chappe regresado de la desdichada expedición de California? Don Vicente Doz fue quien, refiriendo las observaciones del francés, le agrega las suyas. Todavía poseemos los profesores Durán, Solano, Ximenez, Mas, etc.

Si no han llegado hasta M. Masson los nombres de esos hombres distinguidos, los astrónomos de Francia conocen a don Vicente Tofiño y a don José Valera; ellos podrán hablarle de don Antonio Ulloa conocido por sus obras de geografía (de matemáticas y de astronomía), por la observación del eclipse de sol del 24 de junio de 1778, en el cual descubrió un punto luminoso en la luna; y en fin, por su viaje al Perú con M. De la Condamine y con don Jorge Juan. Nombrando a este último, M. Masson experimentará quizá al haber olvidado que España había producido un hombre cuyas obras han sido traducidas a todas las lenguas, y que han sido conocidas ventajosamente por toda Europa. El autor del tratado sobre la resistencia de los fluidos, que presenta resultados tan interesantes, habría bastado a España para rebatir los insultos de M. Masson.

La lista de méritos españoles dada por Cavanilles, la amplia Carlo Denina, funcionario de la corte de Federico II de Prusia, en su *Réponse* al artículo de Masson, como lo anticipa en el siguiente párrafo:

> *No debo silenciar aquí que el abate Sr. Cavanilles ha publicado en París, hace más de un año, observaciones sobre este mismo artículo. No tengo la presunción de pretender hacer mejor que él la defensa de su nación. Pero dado que este sabio español se ha dedicado particularmente a hacer conocer los grandes hombres que hay actualmente en España, me limitaré a hablar de los que ha habido en los siglos anteriores.*

Pero considera a las ciencias en un sentido demasiado amplio, que enumera y ordena así:

> *Para seguir algún orden, hablaré de las ciencias y de las artes en su división ordinaria. Teología, Jurisprudencia, Medicina, Física, Matemáticas, Literatura y Bellas Artes.*

La polémica entablada en Europa repercutió en seguida en este lado de los Pirineos, transformándola de una discusión sobre la Ciencia en un debate político. Floridablanca confió a Forner la tarea de defender la Monarquía y la Ciencia española.

Comienza Forner su texto diciendo que *La gloria científica de una nación no se debe medir por sus adelantamientos en las cosas superfluas o perjudiciales*. Para algo más adelante decir:

> *Si los sabios de todos los siglos hubieran pensado así desde el mismo origen de la sabiduría, los enormes cuerpos de estos magníficos colosos que se llaman ciencias ¿se compondrían hoy por la mayor parte de sombras y apariencias vanas, bultos portentosamente grandes y espléndidos cuando se ven de lejos, pero livianos, faltos de solidez y nieblas oscuras cuando se examina con la mano su consistencia?*

Palabras con las que ya manifiesta su cierto despego a la ciencia de la Ilustración, que critica cuando dice:

Casi toda la Europa está hoy hirviendo en una especie de furor, por querer cada nación levantar y engrandecer su mérito literario sobre las demás que se le disputan. Se escriben Memorias; se amontonan y hacinan Bibliotecas; se desentierran antiguos monumentos; se hacen paralelos que el amor de la patria inclina siempre a favor de la que dio nacimiento al Apologista.

A continuación, Forner se pregunta sobre cuál es el verdadero mérito y cuál es el valor de la modernidad:

Pero en verdad ¿se ha determinado hasta ahora a punto fijo en qué consiste el verdadero mérito literario? ¿Será la literatura de una nación superior a la de otra, porque en aquella abunde más que en ésta el número de los sistemas vanos, de los sofismas y de las opiniones inaveriguables? Ni la inmensidad de las bibliotecas que puede presentar cada nación es un argumento irreplicable de su superioridad literaria. Cuarenta o cincuenta libros que ha perdonado a la antigüedad la barbarie de los siglos medios disputan hoy la gloria a los muchos millones de tomos que pueden oponerla Alemania, Italia, Francia e Inglaterra.

Más adelante entra más directamente en la polémica levantada por Masson, diciendo que:

A nadie hemos provocado, y furiosamente nos acometen cuantos del lado de allá de los Alpes y Pirineos constituyen la sabiduría en la maledicencia. Hombres que apenas han saludado nuestros anales; que jamás han visto uno de nuestros libros, que ignoran el estado de nuestras escuelas, que carecen del conocimiento de nuestro idioma, precisados a hablar de las cosas de España por la coincidencia con los asuntos sobre que escriben, en vez de acudir a tomar en las fuentes la instrucción debida para hablar con acierto y propiedad, echan mano, por más cómoda, de la ficción; y tejen a costa de la triste Península novelas y fábulas tan absurdas como pudieran nuestros antiguos escritores de caballerías.

Aunque reconoce la escasez de científicos en nuestro suelo compensándola con la existencia de legisladores y filósofos, cuando nos dice:

España ha sido docta en todas edades. ¿Y qué, habrá dejado de serlo en alguna porque con los nombres de sus naturales no puede aumentarse el catálogo de los célebres soñadores? No hemos tenido en los efectos un Cartesio, no un Newton: démoslo de barato: pero hemos tenido justísimos legisladores y excelentes filósofos prácticos, que han preferido el inefable gusto de trabajar en beneficio de la humanidad a la ociosa ocupación de edificar mundos imaginarios en la soledad y silencio de un gabinete.

Terminaremos de recoger las palabras de Forner en las que enuncia las cosas en las que *no se piensa en España*, y cuáles son los peligros de la libertad:

Y he aquí uno de los principales fundamentos en que apoyan sus acusaciones los que después del extravagante Voltaire no saben pensar sino lo que él escribió. En España no se piensa: la libertad de pensar es desconocida en aquella Península: el español para leer y pensar necesita la licencia de un fraile... Pero, ¿qué es lo que no se piensa en España, sofistas malignos, ignorantes de los mismos principios de la filosofía que tanto os jactáis profesar? Es verdad: los españoles no pensamos en muchas cosas; pero señaladlas, nombradlas específicamente, y daréis con ellas un ejemplo de nuestra solidez y vuestra ligereza. No se piensa en España: así es: no se piensa en derribar las aras que la humana necesidad, guiada por una infalible revelación, ha levantado al Árbitro del universo: no se piensa en conturbar el sosiego de la paz pública, combatiendo con sofismas indecorosos las creencias en cuya esperanza y verdad sobrellevan los hombres las miserias de esta calamitosa vida: no se piensa en arrancar del corazón humano los naturales sentimientos de la virtud, ni en apagar las secretas acusaciones que despedazan el interior de los delincuentes; no se piensa en elogiar las culpables inclinaciones de que ya por sí se deja llevar voluntariamente la fragilidad de nuestra naturaleza. En nada de esto se piensa en España; ni los que la habitan tienen por ocupación digna de sus reflexiones investigar defensivos al vicio, a la impiedad y a la sedición. ¿Y querrán decir todavía nuestros acusadores que es bárbara la constitución de nuestro Gobierno porque nos asegura de los tropiezos que trae consigo la licenciosa y desenfrenada libertad de pervertir los establecimientos más autorizados, y las ideas que ha aprobado por verdaderas el general consentimiento de todas las gentes? Si en la república civil se prohíben santísimamente las acciones que desbaratan el nudo de la seguridad pública, en cuya base se afirma y mantiene la sociedad, menos desordenada que si los hombres viviesen rey cada uno y soberano de sí mismo, ¿por qué en la república literaria no se prohibirán con igual calificación las doctrinas en que mezclada la avilantez con el sacrilegio, y con el magisterio vano la ambición de pervertirlo todo, se atropellan los principios más sagrados de la religión y de la sociedad?

Por su parte, Cañuelo, editor del semanario *El Censor,* encontró en la palabras de Forner materia propicia para completar sus ataques a las instituciones feudales españolas, que era tema de la mayor parte de sus discursos semanales. De este modo se entabló un debate entre ambos autores, a los que posteriormente se sumaron en la polémica conocidos literatos de la época, como Iriarte, Samaniego, Nifo y otros.

En este debate no se discutía tanto la existencia de cultura científica en España como la utilidad o inutilidad de las ciencias físico-naturales para promover el bienestar del país; mientras los renovadores defendían el cultivo de las ciencias naturales como medio de propiciar el desarrollo económico de España, los tradicionalistas –Forner fue uno de sus más claros exponentes–, satisfechos con la situación social existente, sólo veían en el cultivo de las nuevas ciencias naturales y de la nueva filosofía un germen de incredulidad y de desórdenes sociales, incompatibles ambos con la felicidad del país, abogando por el cultivo de las ciencias políticas, teológicas y militares, a las cuales debía España su grandeza y su imperio.

Esta inicial polémica acabó después de los primeros lustros del XIX, pero no definitivamente, puesto que las contradicciones sociales que la habían engendrado subsistían. Las dificultades que tuvieron Cañuelo y otros representantes de la tendencia renovadora con la Inquisición debieron ayudar a que la polémica cesase momentáneamente. También debió influir la proclamación de la República francesa, en lo que se refiere al endurecimiento de la política interior de Carlos IV con respecto a la libertad de expresión, pero sobre todo fue la represión ejercida durante el reinado absoluto de Fernando VII la que acabó definitivamente con esta fase de la polémica. Sea como fuere, la polémica quedó en suspenso y no se reanudaría hasta mediados del siglo XIX, momento en el que la burguesía comenzaba a adquirir mayor peso político y la ciencia volvía a salir a debate.

3.3. La polémica continúa en el siglo XIX.

Después del periodo de catástrofe que representó para la Historia de España el primer tercio del siglo XIX, comenzaron a aparecer o a estabilizarse instituciones científicas y técnicas que correspondían a las estructuras sociales y políticas que estaban surgiendo tras la desaparición del régimen absoluto de Fernando VII. Instituciones que en definitiva representaban la necesidad de incluir la ciencia y la filosofía científica en la nueva dinámica de la cultura española. La institucionalización se hizo en torno a la creación de las Academias y Facultades de Ciencias, de los Cuerpos y Escuelas de Ingenieros, del Instituto Geológico y Minero, del Instituto Geográfico y Catastral, ... Esta nueva situación hizo que la polémica de la ciencia española tomase nueva vigencia al aumentar el interés por la ciencia, por su historia y por su futuro. Así el discurso de Zarco del Valle, dado en 1851 con motivo de su ingreso en la *Real Academia de Ciencias*, recién creada, puede considerarse como una tenue vindicación de la ciencia patria y, sobre todo, un llamamiento a recomenzar las tareas científicas, dado que *Las condiciones que la España reúne por su posición geográfica y su topografía física a favor de los progresos de las ciencias son y han sido en todos los tiempos numerosas y privilegiadas* como descriptivamente ya anuncia en el título de su discurso.

Llegamos así a la segunda mitad del siglo XIX en la que el *Ateneo de Madrid* tomaría un protagonismo esencial, no sólo en el debate sobre la ciencia española, sino también como centro introductor de las nuevas ideas científicas en España. Vemos así, en lo que se refiere a la polémica, cómo un ateneísta eminente como José Echegaray reinicia la polémica con su discurso de ingreso en la *Academia de Ciencias*, que leyó el 11 de marzo de 1866, titulado *Historia de las matemáticas puras en nuestra España*. Este discurso, aunque enfocado a la matemática, podía generalizarse a otras ciencias y por ello provocó el nuevo renacer de la polémica de la Ciencia Española. Citemos algunos párrafos de este discurso.

Al analizar Echegaray el desarrollo de la matemática universal, siglo por siglo, y sólo encontrar entre los cultivadores nombres de otros países y ningún español notable, le hace decir:

69

Gran siglo, sí, para Europa el siglo XVII; mas ¿qué ha sido para nuestra España? ¿Qué descubrimiento analítico, qué verdad geométrica, qué nueva teoría lleva nombre español? ¿Quiénes los rivales de Viete, de Fermat, de Pascal, de Descartes, de Harriot, de Barrow, de Brouncker, de Wallis, de Newton, de Huygens, de Gregorio de San Vicente, de Leibniz, de los Bernoulli? Yo los busco con ansia en los anales de la ciencia, y no los encuentro; paso impaciente de una a otra historia por si hallo al fin, en alguna, reparación al desdeñoso e irritante olvido en que todas nos dejan; y en todas ellas, bien se echa de ver la nacionalidad del escritor por las cariñosas predilecciones que a sus compatriotas muestra, aparecen los nombres de Francia, Italia, Inglaterra, Alemania, Bélgica, Flandes y Holanda, y en todas se paga tributo de respeto y admiración a los grandes geómetras; pero en ninguna encuentro a nuestra España. Y cierro con enojo historias extranjeras, y a historias nacionales acudo, esperando siempre hallar lo que jamás por desdicha encuentro. [...] Abro la Biblioteca hispana, de don Nicolás Antonio (1617–1684), y en el índice de los dos últimos tomos, que comprenden del año 1500 al 1700 próximamente, tras muchas hojas llenas de títulos de libros teológicos y de místicas disertaciones sobre casos de conciencia, hallo al fin una página, una sólo, y página menguada, que a tener vida, de vergüenza se enrojecería, como de vergüenza y de despecho se enrojece la frente del que, murmurando todavía los nombres de Fermat, de Descartes, de Newton, de Leibniz, busca allí algo grande que admirar, y sólo halla libros de cuentas y geometrías de sastres.

Cuánto me duele, señores, pronunciar frases tan duras, no hay para que encarecerlo, que todos los que me oigan lo comprenderán por la penosa impresión que en ellos causen; mas la verdad nunca debe ocultarse, y si alguna vez arranca al alma un grito de dolor, ¿qué importa? Es el enrojecido hierro que muerde en la sangrienta llaga, es el provechoso dolor del cauterio purificador de vieja podredumbre.

Mancha, y mancha vergonzosa, porque no basta que un pueblo tenga poetas, pintores, teólogos y guerreros; sin filósofos y sin geómetras, sin hombres que se dirijan a la razón, y la eduquen y la fortifiquen y la eleven, la razón al fin se debilita, la imaginación prepondera y se desborda, hasta el sentimiento religioso se estanca y se corrompe: y si por un vigoroso esfuerzo, pueblo que a tal punto llegue no restablece el armónico equilibrio que entre las facultades del alma humana debe siempre existir, morirá, como mueren los pueblos que se corrompen y se degradan, y hasta aquello mismo que fue en otro tiempo su gloria, será en sus postreros instantes su vergüenza y su tormento.

Del siglo XVII sólo cita al matemático español Hugo de Omerique (nacido en San Lucar, y famoso por haber sido citado por Newton). Al analizar el siglo XVIII cita a los matemáticos españoles Jorge Juan, Ulloa, Ciscar (1769–1829), pero no los considera matemáticos puros ya que:

Sólo consigno los nombres de los geómetras que han estudiado la ciencia por la ciencia, la verdad por la verdad, y porque es luz que la razón ansía, como ansía el ciego la esplendente luz del sol; y el que en este concepto afirme que hemos tenido un geómetra, siquiera uno, en todo el siglo XVIII, famoso descubrimiento hará si prueba lo que afirma.

Más adelante Echegaray se lamenta de las tristes conclusiones a las que llega:

Amarga, tristísima verdad, bien lo conozco y lo siento, pero gran verdad también, y fuerza es repetirla para que perdamos ilusiones halagüeñas, que sólo pueden servir para hacer mayor el daño. Angustiosas reflexiones se agolpan a mi mente al recordar este nuestro lastimoso atraso, y atraso crónico, en uno de los ramos del saber que más glorias han dado a la época moderna, y que tanto contribuye a vigorizar las más nobles facultades del alma; al ver cómo pasa uno y otro siglo, el XVI, el XVII, el XVIII, y ni un sólo geómetra español aparece no ya en primera línea, que fuera mucho pedir para tan gran postración, pero ni aún en segunda siquiera; como si viciada esta raza durante siglos enteros, necesitáramos siglos también para arrojar el virus que en nuestra sangre inoculara una generación ciega y fanática.

Nuestro país, que aspiraba afanoso a su regeneración en todas las esferas, no podía ser extraño al gran movimiento científico de Europa, y aunque reconoce que en su actualidad había personas dedicadas a esta ciencia, sigue diciendo:

No puede, en verdad, gloriarse nuestro país de ningún importante descubrimiento, porque cuando tan rezagada queda una nación, harto

71

hace con alcanzar a las que en tres siglos la aventajan; pero el porvenir es suyo, su voluntad será enérgica, el campo del saber es infinito, y genios tendrá cuando libre de fatales trabas, y conquistada la libertad filosófica, que es la libertad del pensamiento, se lance de lleno al estudio de esta gran ciencia que dio a Descartes, a Newton y a Leibniz nombre inmortal. Y ésta es, señores, la historia de las matemáticas en nuestra patria [...] aquí donde no hubo más que látigo, hierro, sangre, rezos, braseros y humo.

Pero Echegaray no comprende las causas de ese atraso y queda perplejo ante el panorama histórico, ya que:

Todos estos pueblos, [Italia desgarrada por españoles, franceses y alemanes; la Francia dividida y ensangrentada por sus guerras civiles y religiosas; Alemania entregada a todos los horrores del encarnizamiento social y religioso, y al azote de guerras nacionales; la Holanda, la Bélgica, Flandes y los Países Bajos gimiendo bajo el peso de nuestra feroz dominación; Inglaterra, que ve subir a su rey a un cadalso y sufre, como el resto de Europa, las convulsiones de las grandes luchas religiosas] Todos estos pueblos (decía) entre guerras y sangre, y terribles sacudimientos, conservan entera y vigorosa su razón, y de entre el caos y las ruinas se alzan genios potentes, nobles inteligencias, profundos filósofos y grandes geómetras; y en nuestra España, invencible y poderosa, dueña del mundo nuevo, y aspirando a dominar el antiguo, tranquila, relativamente al resto de Europa, en el interior, temida fuera, con su unidad política y su unidad religiosa, sólo se conservan puros, y no siempre, la imaginación y el sentimiento; pero la razón, la facultad más noble del ser que piensa, languidece y decae, y con ella todo languidece y muere al fin.

Echegaray no cae en cuenta que es posiblemente el pensamiento único impuesto y consecuencia de la unidad política y religiosa una causa importante de que la razón languidezca y decaiga.

Para terminar diciendo, que ha estudiado con detenimiento la historia de las diferentes teorías para poder decir sin remordimiento y sin temor:

la ciencia matemática nada nos debe: no es nuestra; no hay en ella nombre alguno que labios castellanos puedan pronunciar sin esfuerzo."

Pero remata su discurso con mensaje de esperanza:

> *con razón deploraba nuestro vergonzoso atraso en la época moderna, con razón anatematizaba las funestas causas de tanto mal, y con ansia debemos todos desear que llegue pronto el día de nuestra completa regeneración científica. Porque, no lo dudéis, [...] nuestra España; [...] ha sabido siempre, en los supremos momentos, alzarse desde la mayor postración a las mayores glorias, y ella sabrá ganar el tiempo perdido, conquistando bien pronto honroso puesto entre las naciones de Europa.*

Con el discurso de Echegaray, se abre de nuevo la polémica iniciada el siglo anterior con el artículo de Masson de Morvilliers, porque algunos interpretaron sus palabras más propias de un derrotismo que no estimulaba dedicarse a la ciencia. Ya Felipe Picatoste (1834–1892), profesor de matemáticas del Instituto de San Isidro de Madrid, y liberal que había luchado a favor de la revolución del 68, en una crítica al discurso de Echegaray, decía que *en España, lejos de defender y glorificar a sus hijos se los acriminan y culpan, haciendo nacer un sentimiento que conduce a renegar de un pasado seguramente mucho mejor de lo que se enuncia.* Para corroborar esta afirmación, Picatoste se abocará después a recopilar datos sobre la cultura matemática en España que recoge en una obra editada en 1891, un año antes de su muerte, titulada *Apuntes para una biblioteca científica del siglo XVI*.

La reiniciada polémica alcanza su mayor actividad cuando después de la revolución de 1868 y de la Primera República, llegamos a la restauración monárquica de Alfonso XII. El nuevo hito de la polémica se produce el 21 de mayo de 1876, con motivo del discurso de Núñez de Arce en su ingreso en la Academia de la Lengua titulado *Causas de la precipitada decadencia y total ruina de la literatura nacional bajo los últimos reinados de la casa de Austria*. Días más tarde, Manuel de la Revilla publicó una reseña crítica sobre este discurso en la *Revista Contemporánea*, nueva publicación que dirigía José del Perojo (1853–1908), en la que decía:

> *Forzoso será reconocer que salvo los que siguieron las corrientes escolásticas, ninguno logró fundar escuela ni alcanzar legítima influencia, siendo, por tanto, un mito esa decantada filosofía española, con cuya resurrección sueñan hoy eruditos como Laverde Ruíz y Menéndez Pelayo.*

Por doloroso que sea confesarlo, si en la historia literaria de Europa suponemos mucho, en la historia científica no somos nada.

Esta mención nominal dio pie al entonces joven Marcelino Menéndez Pelayo para contestar en tono polémico por medio de un artículo titulado *Mr. Masson redivivo*, publicado en la *Revista Europea*, haciendo alusión al autor del artículo *España* de la *Encyclopédie Méthodique*, publicada en París un siglo antes, cuyas afirmaciones, ya dolieron en su día, pero que el artículo de Menéndez Pelayo pretende rebatir utilizando una asombrosa erudición que ya poseía a sus veinte años de edad. Con un estilo fogoso y beligerante, busca razones y contra razones que contraponer a las dadas por Revilla, y con un aluvión de nombres, títulos y fechas, quiere reivindicar a la ciencia española, como luego, con más espacio y tiempo, vertería en su *La Ciencia Española* y en la *Historia de los Heterodoxos Españoles*.

Tras este par de artículos aparece toda una polvareda de opiniones en torno a la controversia de si ha habido o no ciencia en España, e intentando explicar sus causas. En esta contienda intervienen, además de los citados Revilla y Menéndez Pelayo, entre otros los siguientes: Azcárate y Perojo en el bando del primero y Laverde y Pidal y Mon en el del segundo.

Después de este debate en revistas literarias, se va perfilando la necesidad de estudiar científicamente la historia de la ciencia, para impedir que sean intuiciones más o menos justificadas las que muevan las distintas declaraciones y escritos. Por otra parte va quedando claro que, si bien nunca han faltado cultivadores de la ciencia, en los últimos siglos la aportación española a la ciencia universal era muy reducida, por lo tanto, más se ganaría echando las bases para que la creación científica sea posible en España, que buceando en el pasado para encontrar algún nombre científico que tranquilice nuestra vanidad nacional. A esta segunda tendencia, que, utilizando expresión de Rey Pastor, podemos llamar *el otro 98*, pertenecen aquellos:

> *españoles eximios [que] habían puesto el dedo en la llaga, sin posturas literarias, sin virulencias, ni alharacas, pero con entera puntería. Se llamaban Santiago Ramón y Cajal, Eduardo Hinojosa, Leonardo Torres Quevedo, Marcelino Menéndez y Pelayo.*

Antes de seguir, retomemos de nuevo la figura de Menéndez Pelayo, verdadero iniciador de la historia de la ciencia española, para indicar cómo él, al rectificar el contenido del discurso de Fernández Vallín leído en 1893 en su ingreso a la *Academia de Ciencias*, se rectifica a si mismo de sus tesis juveniles para reconocer que es muy flaca la contribución española a la ciencia:

Pero es cierto que esa historia, tomada en conjunto, sobre todo después de la Edad Media y de los grandes días del siglo XVI, está muy lejos de lograr la importancia ni el carácter de unidad y grandeza que tiene la historia de nuestro arte, de nuestra literatura, de nuestra teología y filosofía. Por el contrario la historia de nuestras ciencias exactas y experimentales, tal como las conocemos ahora, tiene mucho de dislocada y fragmentaria, los puntos brillantes de que está sembrada aparecen separados por largos intervalos de oscuridad, lo que principalmente se nota es falta de continuidad en los esfuerzos, hay mucho trabajo perdido, mucha invención a medias, mucho conato que resulta estéril, porque nadie se cuida de continuarle, y una especie de falta de memoria nacional que hunde en la oscuridad al científico y a su obra

Con respecto a las causas de esta situación Menéndez Pelayo confiesa que el problema

hasta ahora no ha sido ni medio resuelto, y, sin embargo, urge resolverlo. Pero por más soluciones que discurro no encuentro ninguna que totalmente me satisfaga.

Y más adelante observa que

en este país de idealistas, de místicos, de caballeros andantes, lo que ha florecido siempre con más pujanza no es la ciencia pura (de las exactas y naturales hablo), sino sus aplicaciones prácticas y en cierto modo utilitarias.

En un apéndice que incluye al final del segundo tomo de *La Ciencia Española* que titula *Esplendor y decadencia de la cultura científica española*, da un sombrío panorama de la producción científica española. En él indica:

Levantémonos, pues, sin que nuestra pobreza y decadencia nos apaguen y envilezcan el espíritu, y para ello comencemos por indagar las verdaderas causas de nuestro atraso», «nuestra historia científica dista mucho de ser un páramo estéril e inclemente», pero «basta, sin embargo, lo que sabemos para negar, a posteriori, la incapacidad del genio español para las ciencias de observación y cálculo. Lo que se hizo será poco o mucho, y sobre el valor relativo de cada autor y de cada invención puede disputarse sin término, pero, en suma, algo se hizo, y en algunas materias bastante más que algo. Puede no ser lo suficiente para consolar nuestro orgullo nacional, pero basta y sobra para la demostración de la tesis.

Pero el grado de complejidad técnica del siglo XIX hacía imprescindible aplicar la ciencia teórica para resolver sus problemas prácticos. Esta situación de apremiante estudio teórico es lo que le hizo decir a Echegaray *amad a la ciencia por la ciencia, a la verdad por la verdad, que el resto se os dar por añadidura* y a Menéndez Pelayo *hay que empezar por convencer a los españoles de la sublime utilidad de la ciencia inútil.*

Ya mirando hacia el futuro, y planteada como cuestión fundamental la organización de la investigación científica, encontramos en Carracido las siguientes palabras, llenas de entrega y confianza en las nuevas generaciones:

Cuan absurdo es exigir producción de trabajo a quienes carecen de aprendizaje necesario, y cuán torpe el empeño de cultivar semillas para que pronto fructifiquen cuando el terreno no está previamente fertilizado. No dando tiempo al tiempo para que la formación del nuevo organismo se realice por los pasos que su proceso requiere.

Y más adelante afirma

Es indispensable que a los cimientos de nuestra generación científica se sepulten muchas inteligencias y voluntades antes de formar la raza en la cual se haya encarnado las aptitudes psicofísicas que honren con sus brillantes producciones científicas la generosa abnegación de sus modestos predecesores.

Pero es sobre todo Cajal, en su discurso de ingreso en la *Academia de Ciencias*, donde estudia los *Deberes del Estado en relación con la*

76

producción científica, quien tras analizar nuestro atraso científico y sus causas, enuncia los remedios diciendo claramente:

> *España no saldrá de su abatimiento mental mientras no reemplace las viejas cabezas de sus profesores (Universidades, Institutos, Escuelas Especiales), orientadas hacia el pasado, por otras nuevas orientadas al porvenir. No reside, pues, el daño en los que aprenden, ni en el Estado que, en la medida de lo posible, sufraga los gastos, sino en los que enseñan. De unos salen los otros. Ideal del discípulo es siempre parecerse a su maestro. ¿Cómo superarse si no halla cerca de sí otro termino más alto de comparación? Y pues es fuerza romper la cadena de hierro de nuestro atraso, rómpase por el anillo docente, único sobre el cual puede obrar directa y eficazmente el estado. Europeizando rápidamente al catedrático, europeizaremos al discípulo y a la nación entera. Como dice luminosamente Castillejo "no queda otro recurso que formar gente nueva y unirla a los elementos aprovechables de la antigua. Pero esa gente nueva no lo será de verás, se parecerá irremediablemente a nosotros, adolecerá de nuestras rutinas y defectos, como no respire por mucho tiempo el ambiente de la Universidad extranjera.*

El pensamiento regeneracionista de Cajal, dio un decisivo impulso a la investigación científica en España. Impulso tal, que a los pocos años, se creyó, por un momento, que las causas que habían motivado la *polémica de la ciencia española*, se habían superado definitivamente.

En efecto, el gran genio científico de Cajal y su generosa vocación de maestro obtuvo el apoyo oficial para la creación de una institución dedicada a la investigación científica. Esta institución se llamó *Junta para la Ampliación de Estudios e Investigaciones Científicas,* y, reiteramos, fue promovida en gran medida por el *Ateneo de Madrid* y la *Institución Libre de Enseñanza,* institución en la que participaron, también, un nutrido número de ateneístas. Fue eficazmente gestionada por su secretario José Castillejo a quien se debe en gran parte el éxito de su funcionamiento. Gracias a la *Junta* se inició, en los primeros lustros del siglo XX, la acelerada y profunda regeneración científica española, que ha significado un hito de modernidad para la cultura española y el momento más alto de la actividad científica en España, truncado de nuevo, como otras veces en nuestra historia, en este caso por la Guerra civil.

Pero con esto, ¿se habría acabado *la polémica de la ciencia española*?, o por el contrario, ¿se reabriría de nuevo?.

El ministro de Franco, Ibáñez Martin, piensa que se ha terminado la polémica gracias a la fuerza, no de la razón sino de las armas, cuando dice:

> *Aquella polémica termina hoy y aunque la superbia vitae de sus promotores haya costado muchas lágrimas y mucha sangre, la nueva España que sobrevive a tantas afrentas y angustias, es a la postre símbolo de la victoria plena de don Marcelino sobre los pigmeos que lograron tan sólo arañar la corteza centenaria de la nación.*

3.4. ¿La polémica de la ciencia española es todavía una cuestión abierta?

Cuando la ciencia española se estaba normalizando y empezaba a tomar un carácter similar a la de otros países avanzados, y parecía que la secular polémica que nos ocupa había desaparecido para siempre, la guerra civil española dispersó de nuevo a los científicos de nuestra tierra y con ellos sus ideas y sus saberes. ¿Qué pasó después?

En los próximos capítulos veremos con más detalle que fue lo que pasó, pero por ahora digamos solo que la Junta fue disuelta durante la guerra por el gobierno franquista en marzo de 1938, y el *Consejo Superior de Investigaciones Científicas* se crea, casi dos años después, ya finalizada la guerra, por una ley promulgada el 24 de noviembre de 1939. Su primer secretario general fue José María Albareda conocido miembro del Opus Dei. El *Consejo,* así fundado, continua hasta nuestros días siendo la principal institución de investigación científica del país aunque, dada su larga trayectoria, su importancia y orientación ha ido cambiando para ajustarse a los aires de cada momento.

En la actualidad la investigación científica se desarrolla en un entramado que se sale del marco del CSIC, existiendo en la universidad centros de gran importancia, laboratorios autónomos, observatorios astronómicos de interés internacional, proyectos promovidos y financiados por la Unión Europea y ejecutados en colaboración con centros de otros países. De igual forma la movilidad de los científicos españoles para ampliar su formación y para ejercer sus investigaciones en otros países es mucho más fácil que lo fuera en la época de creación de la *Junta*. Todo esto dificulta delimitar lo que se entiende hoy por ciencia española y, en general, por ciencia nacional. En la actualidad, dentro de la globalidad, lo que está en cuestión es saber a dónde va la ciencia.

De todas formas, dados los grandes logros científicos y tecnológicos actuales en los países avanzados, y las nuevas formas de organización de la investigación científica y de apropiación del conocimiento, podemos seguir preguntándonos si en nuestro país la ciencia ocupa el lugar que debiera y cuál es el desfase actual de nuestra ciencia (la hecha en España por españoles) con relación a esos países avanzados y cuál es nuestra posición en relación a esos nuevos conocimientos o nuestra supeditación económica a los países que los poseen. Las cosas en las últimas décadas se desarrollan con un dinamismo tal que no podemos contestar con precisión a esas interrogantes.

Pero permitidme que termine este capítulo haciendo referencia a una experiencia personal de hace un par de décadas. Encargado por el Ministerio de Educación y Ciencia, como asesor de política científica, para hacer un estudio de la situación de los científicos españoles que se encontraban trabajando en centros de investigación extranjeros, me puse en contacto con unos 300 científicos dispersos en numerosos países (aunque especialmente en Estados Unidos, Alemania, Suiza, y Francia). Con ellos mantuve una correspondencia sobre la forma en que realizaban su trabajo en el extranjero, sobre las posibles políticas de retorno y sobre otros temas relacionados con el avance de la ciencia en España. Aunque en estos tres o cuatro últimos lustros las cosas han cambiado -aunque ciertamente no sabemos en qué dirección-, me referiré a algunos de los párrafos de las cartas recibidas en los que se observan los puntos de vista de quienes desarrollaban sus tareas científicas en el extranjero y que de alguna forma nos recuerdan a aquellos *novatores* del siglo XVII, que propugnaban una renovación profunda en nuestra forma de hacer ciencia.

Comenzaremos con unos párrafos de una carta fechada en Heidelberg el 22 de octubre de 1983, de un biólogo que realizaba su trabajo en un prestigioso centro de bioquímica de Alemania (Deutsches Krebsforschungszentrum, en Heidelberg), en los que se muestra la esperanza de que los nuevos tiempos democráticos mejoren las condiciones de investigación en España, en particular piensa que:

... parece estar clara en nuestras esferas dirigentes la importancia que tiene la investigación para España (para cualquier país). Máxime ahora cuando nadie duda que la salida de la crisis en que se halla sumido el mundo industrializado pasa por un salto hacia adelante. Y este salto empieza a tener nombres como Informática, Biotecnología, etc... Es decir, productos de la investigación de los últimos años.

Tampoco creo que este equipo dirigente no haya dejado de ver que la investigación española presente es poca y, en general, de baja calidad, siendo necesarios un replanteamiento y reorganización profundos y rápidos. También estoy convencido de que este mismo equipo dirigente es capaz de elaborar un plan perfectamente adecuado para abordar estos problemas. De lo que ya no estoy tan seguro es de que sean capaces de aplicarlo, tanto por las enormes resistencias que van a encontrar en las propias instituciones afectadas como por la precaución que el Gobierno está mostrando en su trato con el estamento científico-universitario.

Dice más adelante en cuanto a políticas de retorno:

Todos nosotros sabemos que en España nunca podremos disfrutar de las mismas facilidades de trabajo ni de los mismos salarios (y consideración social) de que disfrutamos en los países que actualmente estamos. Y lo aceptamos porque sabemos que nuestro país no se lo puede permitir. Pero muchos también pensamos que no tiene sentido retornar con la cuasi certeza de que en muy pocos años nos vamos a quemar, sin provecho ni para nosotros ni para el país.

Otro neurobiólogo, que trabajaba en el Department of Neurobiology & behavior de la State University of New York en Stony Brook, en los Estados Unidos, nos expresaba sus dudas sobre una buena recepción en España en los siguientes párrafos, tomados entre otros, de su carta de 13 de septiembre de 1983:

Nuestra incorporación va a despertar muchos recelos entre los científicos que trabajan hoy en España los cuales van a ofrecer gran resistencia a través del control que ejercen sobre los mecanismos actuales de acceso...

La creación de nuevos institutos de investigación sería no sólo atractivo para los que estamos en el extranjero sino que a su vez facilitaría la tarea, salvando la resistencia que habría en la Universidad y el Consejo...

Espero que con el esfuerzo de todos podamos hacer entender al país la importancia de la recuperación de científicos dentro del contexto de una política científica racional que permita a España ahorrar el mucho dinero que se pierde pagando patentes y royalties a los países de los que dependemos científica y tecnológicamente de manera, yo diría, vergonzosa.

Damos a continuación la transcripción de una carta fechada en París el 13 de octubre de 1983 en la que se expresa la satisfacción con la que realiza su trabajo en un centro (Laboratoire de Analyse Numérique) de matemáticas aplicadas (CNRS y Université IV) de París, una española que fue a Francia buscando mejores oportunidades:

Mi opinión sobre las dificultades más importantes que se le presentan a alguien que estando trabajando en alguna universidad o centro de investigación extranjero, quiere volver a España son las siguientes:

- Abandonar un ambiente vivo y motivador por (algunas veces) otro sin muchos estímulos en el retorno.
- Falta de información: publicaciones, libros, conocimiento de lo que está pasando en cada momento (en la materia correspondiente).
- En España no es fácil moverse, salir al extranjero, ir a congresos, invitar gente, tener años "sabáticos"; no para todo el mundo, al menos.
- Falta de organismos de investigación, sin necesidad de enseñar. El número de horas de enseñanza para el profesorado universitario es bastante considerable si se quiere que esas personas investiguen realmente.

En lo que respecta al trabajo me encuentro muy a gusto aquí. Estoy en un grupo con mucha vida y movimiento. Tengo acceso a todo tipo de revista o libro, reciente o antiguo. Tengo la posibilidad de entrar en contacto con una gran cantidad de matemáticos que sin cesar pasan por alguno de los seminarios de las universidades parisinas. Me resulta muy fácil desplazarme, en Francia o al extranjero, para asistir a congresos, trabajar con otros equipos, etc. No hay ningún problema para que pase semanas o meses trabajando en otros centros franceses o extranjeros. Etc., etc.

Puedes imaginar que es esta una situación casi ideal para investigar.

En el siguiente caso se recoge el relato de otro biólogo, que trabajaba en el Laboratory of Molecular Biology de Cambridge (UK), en el que expresa como otras de las causas que impiden en algunos casos el retorno a España de científicos formados en el extranjero son las dificultades administrativas que se interponen para la convalidación de títulos:

Como le he indicado más arriba, yo no me he doctorado en España, sino en Estados Unidos. Bien, pues esto resulta ser una trágica circunstancia. Si ahora quiero regresar, todo es kafkiano y complicado. La razón es muy sencilla: tengo que convalidar el título. Esto suena sencillo pero hay varias versiones de cómo proceder. Según algunos sólo se trata de presentar los papeles, una traducción de la tesis y, a esperar. Lo más normal en estas circunstancias y, estando fuera, es que la cosa caiga en el olvido. Si uno está en el país, con suerte, al cabo de algunos años (y de los contactos apropiados) puede que uno obtenga la convalidación. Sino, como conozco casos, uno acabará hartándose y haciendo otra tesis en España. La alternativa fácil, sugerida por algún ilustre miembro del sistema, es el hacer los cursos por correo, y dentro de dos o tres años, presentar una traducción de la tesis que, mediante los contactos apropiados, quedará aprobada y así uno podrá convalidar el título. Y usted se estará preguntando, ¿por qué le cuento esto? [...] en parte porque pienso que a usted le interesa el problema de la ciencia española y porque le debe interesar el conocimiento del estado de la diáspora científica española.

Y refiriéndose a las distintas clases de científicos españoles trabajando en el extranjero dice mas adelante

Como seguramente sabrá, hay varias clases: están los que se fueron hechos y, con título español y sin convalidación pedida en ningún otro país, son ahora profesores o directores de investigación en Francia, en Alemania o en Estados Unidos. Luego están los que se fueron mandados por sus jefes "a

82

esperar" en interminables post doc; estos, con título español, acaban por integrarse al sistema de alguna manera, o (los menos) pasan a formar parte de la primera clase. Finalmente está la clase a la que pertenezco, hemos hecho los estudios fuera, no estamos afiliados a ninguna institución y, a pesar de la buena voluntad de los individuos, el sistema nos impide volver. Eso sí, por ejemplo en mi caso, mi doctorado americano es perfectamente válido en una universidad como Cambridge, y para uno de los mejores centros del mundo en investigación biológica. Pero para España, eso es otro cantar. Como me dijo una chica en una ventanilla del ministerio de educación el verano pasado: "¡a ver si se cree usted que aquí convalidamos cualquier cosa!

Terminamos con las siguientes interrogantes que plantea un informático teórico que trabajaba en un centro de investigación avanzada de California (SRI International, en la Information and Computing Sciences Division):

¿Dónde puedo a la larga ser más útil a la ciencia española, aquí (el extranjero), manteniendo un contacto habitual con España, o permanentemente en España. Desde mi punto de vista, relacionado con la última pregunta, la manera más fructífera de abordar la cuestión (más fructífera para la situación científica española, se entiende) es superando la dicotomía exilio-retorno, que tiende a oscurecer y confundir la situación. En mi opinión, otra dicotomía que quizá puede ser más enriquecedora es la de vida-muerte, porque va al meollo de la situación dramática de la ciencia española. ¿Qué queremos, científicos vivos o científicos muertos?

Basten estos testimonios para pulsar cual era la opinión sobre la cuestión de la ciencia española de unos científicos que estaban trabajando en el extranjero hace un par de décadas.

Capítulo 4

Influencia del Ateneo de Madrid en el renacer de la ciencia española.

4.1. Introducción.

Haremos, primero, un bosquejo sobre las causas que motivaron las dos fundaciones del *Ateneo de Madrid,* e indicaremos la importancia que ambas fundaciones tuvieron, primero en la creación de un ambiente intelectual propicio para el desarrollo de la ciencia y, después hacia final de siglo, su directa o indirecta participación en la organización de diversas instituciones científicas.

Ya hemos indicado cómo, en los primeros años del siglo XIX, fue decayendo la actividad científica hasta su práctica desaparición durante la invasión francesa. También sabemos que el abandono y cesión de la corona española a los Bonaparte tuvo como reacción, en la parte no controlada por José I, la reorganización del Estado a través de las Juntas provinciales y Suprema. Esta reorganización, recogida en la Constitución de Cádiz (1812), tomó forma de una monarquía parlamentaria en la que se reconocía como soberano a Fernando con la esperanza de que, dada su juventud, no estuviese contaminado de las maniobras y corrupción de sus *augustos padres* y de Godoy. A Fernando, llamado *el deseado*, se le suponía encarcelado y maltratado por Napoleón, cuando en realidad estaba alojado lujosamente en el Palacio de Valençay en el centro de Francia.

Con la retirada de los franceses, se esperaba que Fernando, a su retorno, aceptase la Constitución elaborada para él. Pero no fue así. Su regreso desde Francia a la capital de España, lo realizó dando un largo recorrido por levante, para conocer *in situ* la situación y saber con qué apoyos contaba. Al llegar a Madrid se hizo cargo de la corona (1814), pero rechazó la Constitución –porque limitaba su real libertad–, y persiguió con dureza hasta a los propios miembros del Consejo de Regencia que habían auspiciado y velado por una constitución monárquica en la que se conservaba la plaza a Fernando: constitución que, por los aires liberales que la inspiraron, bien podría haber sido republicana. El nuevo rey restauró las viejas instituciones, entre ellas la Inquisición, e hizo retornar la compañía de Jesús, etc. Este regreso a la monarquía absoluta, tuvo muchos opositores que defendieron la constitución, incluso con las armas, hasta lograr en 1820, que Fernando la aceptara, diciendo la célebre frase de *vayamos todos y yo el primero por la senda constitucional.*

En este momento los estudios en general estaban desorganizados, las instituciones científicas habían prácticamente desaparecido. Quedaban algunos hombres de ciencia ilustrados dispersos que, al presentarse nuevas oportunidades con el inicio de un periodo liberal apoyado por la Constitución, buscaron la forma de crear algunas instituciones donde aglutinar sus esfuerzos.

Una institución que tuvo gran influencia en el desarrollo de la vida cultural y científica española a lo largo del siglo XIX fue el *Ateneo Científico Literario y Artístico de Madrid,* que ejerció una notable influencia en la reconstrucción del tejido intelectual elaborado durante la Ilustración, perdido por el cataclismo provocado por la corrupción y descomposición de la dinastía borbónica que facilitó la invasión napoleónica con sus trágicas consecuencias.

El *Ateneo* jugó un importante papel en el estímulo de las personas y en la creación de instituciones, que a lo largo del resto del siglo XIX trajeron la renovación y el alto desarrollo que la ciencia española alcanzó en el primer tercio del siglo XX.

Además de su actividad propia, el *Ateneo* ejerció una gran influencia en la creación de instituciones científicas como, entre otras, la *Real Academia de Ciencias* (1847), la *Facultad de Ciencias de la Universidad de Madrid*, la *Sociedad Española de Historia Natural* (1871), la *Junta para la Ampliación de Estudios* (1907), o la *Asociación Española para Progreso de las Ciencias* (1908)...

Estas nuevas instituciones fueron, en general, defensoras del libre pensamiento y de la democracia, aspectos ambos necesarios para el estudio y difusión de las ciencias, así como para la formación de un espíritu racional y más todavía para el desarrollo de la investigación científica. Era más importante la creación de un ambiente cultural en el que se valorara la ciencia, se diera reconocimiento social al científico y se pudiera trabajar en libertad, que los propios recursos materiales necesarios para realizar esas tareas. De nada sirven grandes edificios si no están habitados por científicos con ideas y con libertad para desarrollarlas, tampoco detallados reglamentos con los que se regule el comportamiento de los científicos, cuyas principales características deben ser la propia autonomía, la iniciativa y la libertad, ya que de otra forma se iría a una burocracia y estratificación poco acorde con la libertad de pensamiento necesaria en toda tarea creativa.

El *Ateneo*, durante casi todo el siglo XIX y, a finales del mismo, con la beneficiosa influencia de la *Institución Libre de Enseñanza,* realizó la importante tarea de dar la base filosófica y moral para incentivar la creación de una cultura abierta y facilitar los estudios y la investigación científica. Esto es lo que llamaba Cajal los tónicos de la voluntad hacia la Ciencia.

El Ateneo madrileño tuvo dos fundaciones. La primera en 1820, con el nombre de *Ateneo Español*, funcionó durante el periodo constitucional (1820–1823), y su tarea se vio interrumpida por la reacción ejercida durante el largo periodo absolutista hasta la muerte, en 1833, del rey felón

Fernando VII. Desde la segunda fundación de 1835, con el nombre de *Ateneo Científico, Literario y Artístico*, su funcionamiento ha llegado hasta nuestros días. Ambas fundaciones estuvieron muy motivadas por el deseo de reconstrucción y promoción de la ciencia española.

4.2 El Ateneo Español.

4.2.1. Su fundación en 1820.

La fundación del *Ateneo Español*, tuvo lugar el 14 de mayo de 1820, al aprobarse sus primeros Estatutos. El interés del *Ateneo* por la ciencia quedó reflejado en que, ya en la primera junta de gobierno presidida por José Guerrero de Torres, actuara como vicepresidente un científico eminente: el botánico Mariano de Lagasca (1776–1839). Aunque el *Ateneo* había nacido con el espíritu de las numerosas sociedades patrióticas aparecidas en la recién iniciada época constitucional, se distinguía de ellas, porque su afán era restablecer la ilustración pública, como se recogía en sus estatutos:

> *Sin ilustración pública no hay verdadera libertad: de aquélla dependen principalmente la consolidación y progresos del sistema constitucional y la fiel observancia de las nuevas instituciones. Penetrados de estas verdades varios ciudadanos celosos del bien de su Patria, apenas vieron felizmente restablecida la Constitución de la monarquía española, se propusieron formar una sociedad patriótica y literaria, con el fin de comunicarse mutuamente sus ideas, consagrarse al estudio de las ciencias exactas, morales y políticas, y contribuir, en cuanto estuviese a sus alcances, a propagar las luces entre sus conciudadanos.*

Para coordinar las actividades previstas del *Ateneo* se crearon seis secciones. Hay que subrayar, para ver la importancia que se daba a las ciencias, que de las seis secciones, las tres primeras se dedicaron a los saberes científicos: la primera dedicada a las ciencias primitivas (cosmología, cosmografía, zoología, botánica, mineralogía, meteorología, química y física natural), la segunda a las ciencias del hombre (anatomía, fisiología, medicina, ideología, gramática universal, educación, moral universal, legislación, historia y cronología), y la tercera a las ciencias matemáticas y físico-matemáticas (aritmética, álgebra, geometría, mecánica, anatomía, óptica, cálculo de probabilidades y artes fisicomatemáticas o ciencias prácticas). Las otras tres estuvieron dedicadas a Artes Mecánicas, a Bellas Artes y Bellas Letras, y a la *verdadera metafísica y verdadera filosofía o análisis universal*. Funcionaron varias cátedras, sobre temas de utilidad pública; fueron dictadas por socios y no socios, y estaban abiertas al público (asistieron a ellas unos 500 discípulos no socios). Entre las más concurridas estaban las de ciencia: matemáticas, mecánica, física, economía, contabilidad, fisiología...

Pero el hecho más importante para certificar la vocación del *Ateneo* hacia las ciencias, se refleja en el *Reglamento científico* que fue redactado por una comisión compuesta por Manuel Flores Calderón, Jaime Pons y Mornau, José Guerrero de Torres (que ya no era presidente), y Mariano Lagasca. Este reglamento fue aprobado el 18 de septiembre 1820, y posteriormente publicado para asegurar su difusión: en él se recogía la experiencia de la ciencia en España durante el siglo XVIII. Con él se quería dotar al *Ateneo* de un perfil de auténtica Academia de Ciencias y Letras, para introducir en la cultura española las ideas modernas de las que carecían las universidades. Su objeto, era *propagar las luces y generalizar la Instrucción*. Al hacer ciencia no se trataba de construir entelequias, sino contribuir al conocimiento de la Naturaleza y sus leyes y a la prosperidad del Estado, siguiendo los principios de las *Sociedades Económicas amigos del País*, que habían empezado a funcionar a finales del siglo XVIII

En estas tareas colaboraron un grupo de científicos ilustrados, entre los que citamos a los siguientes: matemáticos, Mariano José Vallejo(1779-1846), Martín Foronda y Joaquín Blake(1759-1827); físicos, Juan Mieg (1780-1859), Saturnino Montojo (1796-1856); naturalistas, Mariano Lagasca(1776-1839), Ramón de La Sagra(1798-1871), Calderón de la Barca(1790-1861); economistas, Casimiro Orense, Manuel Flores Calderón (1775–1831), Martín Foronda...

4.2.2. El cierre forzoso del Ateneo en 1823.

Tras el conato de reconstrucción científica iniciada por el *Ateneo Español*, se pasa a un nuevo periodo de disolución de instituciones y de exilio de científicos. Habrá, otra vez, que esperar a mejores tiempos para reiniciar el tejido de la ciencia española que, como a una fatal Penélope, se le obliga a destejerse periódicamente.

En efecto, aunque parecía que la victoria popular sobre la contrarrevolución apostólica del 7 de julio de 1822, iba a consolidar la democracia, (hasta el punto que el *Ateneo* volvió a sus orígenes de sociedad patriótica aprobando un nuevo Reglamento), la invasión en 1823 de los *cien mil hijos de San Luis*, tuvo como resultado la restauración del absolutismo y de la Inquisición, la abolición de la Constitución y el cierre de numerosas instituciones creadas a su abrigo. Entre ellas, se disolvió el *Ateneo*.

Este periodo absolutista y de opresión trajo la ruina política, material e intelectual a todo el país. El plan de estudios (1824) de Calomarde (1773–1842) es un documento en el que se refleja la decadencia moral e intelectual de la enseñanza. En el Plan se basaba toda la enseñanza en el marco restrictivo de la *Suma Teológica* de Santo Tomás, sujetándose siempre al sentido *que enseña nuestra Santa Madre la Iglesia, los Santos Padres y los más piadosos intérpretes*. Los estudios de ciencias se limitaban a unos elementos de matemáticas, física y química dados en la facultad de Filosofía (facultad menor). A los estudiantes se les exigía para entrar en la Universidad certificado de buena conducta política y religiosa, debían ir uniformados con sotana y sombrero de tres picos, eran estrechamente vigilados en su conducta por sus profesores y por el Tribunal de Censura y Corrección, y existía una cárcel en la propia universidad. También se llevaba un estricto control sobre la lectura y circulación de libros, no sólo en la universidad sino en las residencias y en las librerías. Significa una gran sumisión aceptar la fórmula de los juramentos exigidos para recibir los grados menores y mayores, y para la toma de posesión de las cátedras, que era como sigue:

A los juramentos prescritos por estatutos y por las leyes que mandan se jure antes de recibir grados o posesionarse de las cátedras, enseñar y sostener la doctrina del Concilio de Constanza contra el regicidio, y enseñar y defender la Inmaculada Concepción de María Santísima, se añadirán los dos siguientes: Primero: Enseñar y defender la soberanía del rey nuestro señor y los derechos de su corona. Segundo: No haber pertenecido ni haber de pertenecer jamás a las sociedades secretas reprobadas por las leyes.

Esto nos ofrece un panorama de cuál era la situación de la enseñanza en aquel periodo, al que se agregaban numerosas *purificaciones* administrativas.

Ante esta situación represiva y como consecuencia del cierre del *Ateneo* y de los expedientes de depuración que se abrían con frecuencia, muchos ateneístas emigraron a Inglaterra, a Francia, a otros países europeos y a algunas de las repúblicas americanas recién proclamadas.

En Inglaterra algunos españoles exiliados (entre ellos Mariano de Lagasca, Mariano Rodríguez de Ledesma y Alberto Lista) fundaron, en 1829, el *Ateneo Español* en Londres, que tuvo gran importancia local entre los emigrados españoles. En este ateneo también se dieron varios cursos sobre diversas disciplinas científicas, entre las que no faltaron las Matemáticas, dadas por el capitán José Núñez de Arenas, y la Botánica por Mariano de Lagasca. El *Ateneo Español* en Londres es un claro antecedente de la futura fundación en Madrid del *Ateneo Científico, Literario y Artístico*.

4.3. El Ateneo Científico, Literario y Artístico de 1835 a 1874.

4.3.1. La segunda fundación del Ateneo de Madrid.

Después de la muerte, en 1833, del rey déspota le sucede (con dificultades interpuestas por su hermano Carlos al no reconocer la derogación de la ley Sálica) su mujer María Cristina de Borbón, en calidad de Regente por la minoría de edad de la que después sería Isabel II. Pero esta sucesión no significó el retorno a la Constitución de 1812, ni mucho menos. La Regente encargó a Martínez de la Rosa la redacción de una nueva norma que permitiera abrir y funcionar las Cortes Españolas. Esta norma fue el *Estatuto Real* (aprobado el 10 de abril de 1834), que en realidad era una carta otorgada para intentar contentar a los liberales (progresistas y moderados) y que hiciera posible abrirse ligeramente a una seudo democracia.

Esta apertura facilitó el retorno a España de la mayoría de los exiliados y, también para lo que nos interesa en este capítulo, que se realizase la segunda fundación del *Ateneo*. En 1835, se constituye el *Ateneo Científico, Literario y Artístico de Madrid* (en la que juega un papel decisivo la ilustrada *Sociedad Económica Matritense de Amigos del País*), en una multitudinaria asamblea presidida por Olózaga, y en la que se forma su Junta de Gobierno. En sus primeros Estatutos se establece que el *Ateneo* es una Sociedad exclusivamente científica, literaria y artística, y que sus Socios se proponen aumentar sus conocimientos por medio de la discusión y de la lectura, y difundirlos por todos los medios adecuados, en particular por la enseñanza y la imprenta.

Para esta fundación, como ocurriera en la primera, fue un factor determinante la necesidad de reconstruir de nuevo la actividad de la ciencia, de una ciencia orientada por la razón, el progreso y el desarrollo económico. También en esta ocasión, de las cuatro secciones que se crearon 1.ª Ciencias Morales y Políticas, 2.ª Ciencias Naturales, 3.ª Ciencias Físico Matemáticas y 4.ª Literatura y Bellas Artes dos se dedicaron a ciencias

El mencionado *Estatuto Real de 1834* no facilitaba el desarrollo de las libertades necesarias para construir un país moderno en un entorno europeo en el que la revolución industrial y burguesa estaba en su pleno auge. Los progresistas españoles seguían pensando en la Constitución de Cádiz como superación del absolutismo impuesto por Fernando VII, o en alguna otra que superara los estrechos límites de ese *Estatuto*. Un pronunciamiento progresista (1836) obligó a María Cristina a proclamar provisionalmente la Constitución de 1812, a nombrar un nuevo gobierno, y a convocar Cortes Constituyentes para reformar el texto constitucional de Cádiz. Esto llevó a la nueva *Constitución de 1837*, que sólo estuvo en vigor hasta 1845, y cuyo texto se había procurado equidistante entre el *Estatuto* de 1834 y la *Constitución* de 1812, con la esperanza de conformar tanto a los moderados como a los progresistas.

Esta nueva apertura política tuvo repercusión en las actividades del *Ateneo* y en particular en las secciones científicas. Entre 1838 y 1848 fueron presididas sucesivamente, la de Ciencia Naturales por el Conde de Vigo (1838), por Mateo Seoane (1841, 1844, 1847), y por Antonio Remón Zarco del Valle (1848) y la de Matemáticas y Física por José Mariano Vallejo (1838, 1841, 1844), Rafael Cabanillas (1847), y José de Posada Herrera (1848). Para mejorar los estudios de ciencias los Estatutos del Ateneo decían que *habrá un gabinete de física, otro de máquinas, y un laboratorio químico.*

Hasta 1848 habían funcionado en el *Ateneo* las siguientes cátedras en temas científicos: *Matemáticas* (Alfredo Adolfo Camus, Tomás Méndez), *Física* (Lucio Antonio Torres, Venancio Valledor), *Química* (José María Nieva) *Geología* (Manuel López Santaella), *Zoología* (Juan Mieg), *Medicina* (Enrique Laceu, Pedro Mata, Bartolomé Obrador), *Fisiología* (Jaime Salvá, Leoncio Sobrado y Goiri, Ramón Frau, Bartolomé Obrador, Basilio Sebastián Castellanos), *Economía política y social* (Eusebio María del Valle, Ramón de la Sagra, Andrés Borrego), *Geografía* (Francisco Fabre), *Lógica* (Bonifacio Sotos Ochando).

Aunque no se había derogado el Plan Calomarde de estudios, varias disposiciones posteriores lo habían atenuado y habían permitido cierta apertura en las instituciones de enseñanza y de cultura. En esta tarea, además de su actividad interna propia, el *Ateneo* y los ateneístas ejercieron una gran influencia en la creación de instituciones científicas como, entre otras, la *Real Academia de Ciencias* creada en 1847, cuando era ministro de Fomento el ateneístas Mariano Roca Togores (1812–1889), la *Facultad de Ciencias de la Universidad de Madrid* gracias al Plan Pidal (1845) y a la Ley Moyano (1856), ambos ateneístas.

Tras ser derribado Espartero en 1843, por moderados y progresistas no gubernamentales, se siguieron los efímeros gobiernos de Joaquín María López (1798–1855) y Salustiano Olózaga (1805–1873). El 10 de noviembre de 1843 se reconoce la mayoría de edad de Isabel II, que sube al trono a sus trece años. En diciembre del mismo año, fue jefe del gobierno el moderado Luis González Bravo (1811–1871). En mayo del año siguiente Ramón María Narváez (el *Espadón de Loja*) (1800–1868) ocupó la presidencia del gobierno, desde donde se abordó la reforma de la Constitución de 1837 para proclamar la de 1845 en la que se da un paso atrás y cambia la soberanía nacional por una soberanía compartida entre la Corona y las Cortes.

Este largo y dificultoso camino para alcanzar una democracia en las instituciones españolas, también era seguido en la reconstrucción de las instituciones científicas y culturales. Las diversas disposiciones con las que se quisieron atenuar el viejo y reaccionario Plan Calomarde, no eran suficientes para la modernización de la enseñanza. Por eso, el 17 de septiembre de 1845 se aprobó el Plan Pidal, (Pedro José Pidal, ateneísta desde 1839) con la finalidad de reorganizar las enseñanzas, en cuya elaboración colaboró el también ateneísta Antonio Gil y Zárate (1796–1861). En el preámbulo del Plan Pidal se decía que al darse en lo antiguo demasiada atención al latín y a la filosofía escolástica se echaban de menos *las ciencias exactas y naturales, cuyo abandono ha sido tan funesto a la industria española; y después de varios ensayos [...] cayose en el extremo contrario, abandonándose casi del todo el estudio de las humanidades y pretendiendo convertir a los niños puramente en físicos y matemáticos.* El Plan Pidal establece que los estudios de ciencias se hagan dentro de la Facultad de Filosofía (facultad todavía menor, frente a las mayores que según el artículo 13 eran las de Teología, Jurisprudencia, Medicina y Farmacia). Las materias científicas eran las siguientes: series y cálculos sublimes, mecánica racional, física matemática, ampliación de la química, análisis química y práctica de medicina legal, bibliografía historia y literatura médicas, astronomía, anatomía comparada, zoología de vertebrados, zoología de invertebrados, geología, anatomía y fisiología botánica, e Historia de las ciencias naturales (Art. 32.).

En una de las disposiciones provisionales para la reorganización de la enseñanza, de 1836, se dejaba al profesor la entera libertad de elegir los libros de textos de su disciplina corrigiendo el extremado rigor con que eran controlados y censurados los libros en el Plan Calomarde. Esta disposición pareció demasiado liberal al Plan Pidal, cuando dice que la adopción de la disposición de 1836 *ha sido prematura en España, y sus resultados, nada favorables,* y por tanto se establece *que el Consejo de Instrucción Pública forme para cada asignatura una lista corta de obras selectas, entre las cuales pueda elegir el catedrático la que mejor le parezca, y que esta lista sea revisada por la misma corporación cada tres años.*

Además de los estudios de ciencias mencionados, el Plan Pidal regula los estudios especiales, que considera a los siguientes: *la construcción de caminos, canales y puertos, el laboreo de las minas, la agricultura, la veterinaria, la náutica, el comercio, las bellas artes, las artes y oficios, la profesión de escribanos y procuradores de los tribunales* (Art. 40.).

En este periodo el *Ateneo* decae y sus secciones tienen poca actividad. En la sección de ciencias naturales y físico-matemáticas, se debatieron los siguientes temas: el *Estado de las ciencias naturales en España*; la *Influencia del clima en la vegetación*; las *Ventajas e inconvenientes de las clasificaciones en las ciencias naturales*; el *Beneficio que resultaría a España el cultivo del sésamo, alegría y ajonjolí*; las *Prensas hidráulicas*; *Los caminos de hierro*. El curso 1844–45 no hubo debates en las secciones de ciencias morales y políticas y literatura, y la de ciencias naturales y físico-matemáticas discutió un sólo tema, *La mecánica* (experiencias).

Aunque en 1846, el Ateneo está poco activo, las secciones mantuvieron el tono del curso anterior. En la de ciencias naturales y físico matemáticas se continuaron tratando temas de agricultura, de máquinas hidráulicas y el estudio de unas bases para un sistema general de pesas y medidas. En el curso siguiente (1847–48) en la cátedra del *Ateneo*, Fausto de la Vega desarrolló un curso de Cosmografía.

4.3.2. El Ateneo desde la Vicalvarada a la Septembrina (1854–1868)

Con la Constitución de 1845 promulgada por Narváez, se logró una reorganización de la Instrucción Pública, (como hemos visto, dirigida por Pedro José Pidal) en la que el Estado asumió las competencias de la instrucción pública como propias. En su segundo gobierno, Narváez neutralizó los movimientos revolucionarios de 1848, y se iniciaron negociaciones con la Santa Sede, para la posterior firma del Concordato que se culminó en 1851. Año en el que tras la dimisión de Narváez, ocupó la Presidencia Juan Bravo Murillo (1803–1873). En septiembre de 1853 ocupó, por unos meses, la Presidencia del Consejo de Ministros el Conde de San Luis (Luis José Sartorius, 1820–1871), quien, al recibir el voto de censura del Senado, disolvió las Cortes e inició la persecución de los progresistas y de los jefes militares moderados. Esta persecución condujo al pronunciamiento militar de Leopoldo O'Donnell (la *Vicalvarada*) y a la revolución de julio de 1854, con lo que se puso fin a la década moderada y se inició el bienio progresista (1854–56) presidido por Espartero. Después, entre 1856 y 1868, Narváez presidió tres gabinetes, desde los que ejerció una política represiva. Su fallecimiento, en 1868, resquebrajó al Partido Moderado y en septiembre del mismo año se produce la revolución *Septembrina* que hace caer y huir a París a Isabel II.

El *Ateneo* se vio afectado por estos frecuentes cambios políticos e inestabilidad institucional. En 1848, las secciones segunda y tercera del Ateneo se reúnen, en una sola, con el nombre de *Sección de ciencias matemáticas, físicas y naturales*, en la que se tratan, sobre todo, aspectos de metodología, filosofía e historia de la ciencia, en los que pueden incluirse los trabajos de José Posada Herrera (1814–1885) y de Martínez de la Rosa (1787–1862).

En 1850 se abrieron las cátedras del *Ateneo* con un discurso de su presidente Antonio Alcalá Galiano (1789–1865). Pero según Labra, las secciones no se reunieron durante el curso 1850-51. En los años siguientes pueden reseñarse las siguientes actividades científicas: Pedro Mata (1811–1877), homeópata y progresista, hace un *Examen crítico de la doctrina homeopática*; Montemayor, inventor del Eolo, (artefacto con el que no pudo elevarse en Valverde) lo difundió en el *Ateneo* por medio de unas lecciones que dio en una cátedra de *Airestación*; En noviembre de 1853 Martínez de la Rosa, abrió las cátedras con un discurso titulado *«los progresos y adelantos de las ciencias»*

El *Ateneo* fue cerrado durante unos meses en 1853 por orden del Gobierno presidido por el conde de San Luis. En 1854 se cierra por orden gubernamental la cátedra de Cánovas del Castillo, por hacer demasiadas referencias a la situación política. Al cierre de esta cátedra sigue el cierre del propio Ateneo (22 de febrero de 1854) por orden del gobernador civil de Madrid, conde de Quinto, siendo él mismo ateneísta. El 20 de abril de 1854, se permite la apertura del local, aunque las cátedras permanecieron cerradas hasta que se volvieron a inaugurar en noviembre, con un discurso de su presidente Martínez de la Rosa.

Durante los bienios progresista (1854–1856) y de la Unión Liberal (1856–1858), se discutieron temas de ciencias aplicados al desarrollo de la sociedad y a la economía, como el *librecambismo*, o como la gran importancia que debía darse al *comercio internacional*, a los *transportes internacionales*, y a la *construcción de redes de comunicación nacionales* (ferrocarriles, caminos, canales, puentes y puertos), temas en los que la matemática pura o aplicada estaban también subyacentes como fundamentos teóricos de la ingeniería y en definitiva de la industria.

En este periodo siguieron evolucionando los planes de estudio oficiales. Al plan Pidal, que citamos más arriba, siguen varias disposiciones parciales, que culminaron en la *Ley Moyano*, aprobada el 9 de septiembre de 1857.

Es de señalar, para el propósito de este capítulo, que su impulsor Claudio Moyano y Samaniego (1809–1890), fue ateneísta en los años centrales del siglo XIX. En su plan eleva los estudios de ciencias a la categoría de facultad mayor, independizándolos por primera vez de la de Filosofía, al crear la facultad de Ciencias Exactas, Físicas y Naturales, dividida en tres secciones: Ciencias Físico-Matemáticas, Ciencias Químicas y Ciencias Naturales (Art. 35). Además estipula que para el estudio y enseñanza de las Ciencias exactas, físicas y naturales, en su mayor extensión, habrá en Madrid una *Escuela superior de Ciencias Exactas, Física y Química*, un *Museo de Historia natural* y un *Observatorio astronómico*. Estas tres Escuelas reunidas constituyen la facultad de Ciencias (Art. 136). En estas Escuelas se recogen los restos de instituciones que provenían del siglo XVIII. Pero la *Ley Moyano* continua con una tradición, que viene del *Plan Calomarde,* relativa al control de los libros de texto, En su Art. 88, señala que *Todas las asignaturas de la primera y segunda enseñanza, las de las carreras profesionales y superiores y las de las facultades hasta el grado de Licenciado, se estudiarán por libros de texto: estos libros serán señalados en listas que el Gobierno publicará cada tres años.* Este tema del control de los libros de texto (textos muertos frente a textos vivos) será uno de los detonantes que provocará, después de la Restauración, la protesta de varias universidades en tiempos de Orovio como veremos más adelante.

Después del levantamiento de 1854 y hasta la revolución de septiembre en 1868, el *Ateneo* inicia un nuevo periodo de cierta normalidad. Las Secciones resucitadas hacia 1858 se constituyen en 1859; entre ellas en particular la de Ciencias físico-matemáticas bajo la presidencia de Ramón Llorente Lázaro. La actividad científica no es muy fuerte, aunque en las cátedras se estudian temas de medicina, de historia de la ciencia, de economía política, de Astronomía, de Física, de Mineralogía, de Geología.

En medicina se dieron los siguientes cursos: el Dr. Mata (ateneísta, 1847) dio tres cursos que se publicaron en tres volúmenes, (*Tratado de la Razón humana en estado de salud, Tratado de la Razón humana en sus estados intermedios, Tratado de la Razón humana en estado de enfermedad*); Ramón Frau y Armendáriz (ateneísta, 1847), *Fisiología*; el doctor Joaquín Hysern y Molleras (ateneísta, 1847) uno sobre *Fisiología comparada*, y otro sobre *Higiene y Medicina popular*.

En historia de la ciencia: Anastasio Chinchilla (ateneísta, 1847), dio un curso sobre *Historia de la medicina*; Ramón Torres Muñoz de Luna (ateneísta, 1861) otro sobre *Los cuatro elementos de Aristóteles en el siglo XIX*, (Dado en 1857–59)

En economía política: Manuel Colmeiro (ateneísta, librecambista, 1861) trata sobre *Cuestiones administrativas*. Además según Rafael María de Labra, se dieron en el Ateneo los cursos siguientes sobre economía: Gabriel Rodríguez (ateneísta, 1861), *Las vías de comunicación bajo el aspecto económico* (Dado en 1854–55); Laureano Figuerola y Ballester (ateneísta, 1861), *Economía política;* Práxedes Mateo Sagasta, *La Economía política aplicada a las obras públicas* (1855–56); Blanco Fernández (ateneísta, 1861), *Estado de la agricultura española* (1859–60).

Dictaron cursos sobre astronomía: José Echegaray (ateneísta, 1861), (Astronomía popular) y Fabio Becerra, (Astronomía popular, 1860–61); sobre física: Luis Antonio Torres (ateneísta, 1861) y Fernando Fragoso y Lugo (ateneísta, 1861); sobre mineralogía: Manuel María José de Galdo López (ateneísta, 1861); sobre geología: Juan Vilanova y Piera (ateneísta, 1861) considerada desde el punto de vista de sus aplicaciones a la agricultura y a la industria y sobre *Geología aplicada* (dado en 1857–58, repetido en 1859-60, y de nuevo en 1862-63).

Sobre *Aplicaciones de las ciencias naturales* dio un curso Ramón Llorente y Lázaro (ateneísta, 1861) y Antonio Blanco Fernández (ateneísta, 1861) dicto otro sobre *Principios de Arboricultura*. Y sobre los *Secretos de la Geografía física y de la hidrología médica* habló Mariano Rementería y Landete. José Echegaray trató en dos ocasiones sobre temas políticos: en una sobre *Relaciones internacionales* y en otra sobre *Cuestiones sociales*.

Esta actividad de cátedras y secciones que se mantuvo hasta 1865, se vio interrumpida por los temores del Gobierno ante la nueva revolución que se aproximaba. El 10 de abril de 1865 se produjeron los sucesos que culminaron con la sangrienta *Noche de San Daniel*, en la que algunos atribuyen cierta influencia al artículo publicado por el ateneísta Emilio Castelar titulado *El Rasgo*. Estando Madrid en estado de sitio por la sublevación de Prim en Villarejo de Salvanés, el Gobierno cerraba con una orden del 2 de Enero de 1866, no sólo las cátedras y salones de conferencias del Ateneo,

97

sino también por unas semanas las salas de lectura y de tertulias. Algo más tarde (el 23 de Octubre del mismo año), la autoridad gubernativa conminó al Presidente interino del Ateneo, Sr. Figuerola, a que, bajo la responsabilidad de la Junta de gobierno, quedaba *prohibida la lectura de los impresos extranjeros que hubieren dado a luz un sólo artículo en que se atacase ú ofendiese á la religión o a S. M. la reina y la real familia* y el 30 de Diciembre del 66 el gobernador de Madrid trasladaba al Presidente del Ateneo una orden del capitán general que prohibía la reunión general de ateneístas de fin de año, por no considerar *que en aquellas circunstancias se celebrase ninguna junta a la que pudiera darse, directa ni indirectamente, el más insignificante carácter político.* Después de algunas otras medidas de presión contra el Ateneo, en Diciembre de 1867 el mismo gobernador civil autorizó de nuevo a la corporación para que funcionase con arreglo a sus Estatutos aunque *sujetándose a la ley sobre reuniones públicas.* Así quedó el Ateneo durante este periodo, casi sin actividad, y desde luego sin actividad científica, esperando nuevas épocas de mayor libertad.

4.3.3. El Ateneo en el Sexenio democrático (1868–1874)

La Revolución de 19 de septiembre de 1868, también llamada *La Gloriosa* o *La Septembrina*, se inició en la base naval de Cádiz, al mando de Juan Bautista Topete, con un pronunciamiento contra el gobierno de Isabel II, mediante una proclama que firmaron los generales sublevados Juan Prim, Domingo Dulce, Francisco Serrano, Ramón Nouvillas, Rafael Primo de Rivera, Antonio Caballero de Rodas y el mismo jefe de la base Juan Topete. Este movimiento iniciado en Andalucía, que pronto se extendió a Barcelona y a toda la zona mediterránea, duró hasta que fue derrotado el general Pavía, en la Batalla de Alcolea, por el general Serrano. Estos acontecimientos motivaron que Isabel II, cruzando la frontera de San Sebastián, huyera a Francia con destino a París donde estuvo exiliada hasta su muerte.

Este movimiento (1868–1874), conocido también como *Sexenio Revolucionario*, intentó crear en España un sistema de gobierno con la coalición de liberales, moderados y republicanos que hiciera las trasformaciones democráticas y políticas de que carecieron los numerosos gobiernos de la destituida Isabel II. Tras el triunfo de la Revolución y hasta ser aprobada la Constitución de 1869, el general Serrano presidió un gobierno provisional (la *Junta Provisional*

Revolucionaria de Madrid 1868–1871). La nueva Constitución de corte liberal, que rechazó la república como forma de gobierno, fue promulgada por las Cortes en 1869. Destronada la dinastía borbónica, hubo de buscarse en Europa un monarca de nueva dinastía. Serrano fue nombrado *Regente del Reino* hasta que fuese encontrado un rey adecuado para regir el país. En esta búsqueda se propuso a Espartero, se propuso también al príncipe Leopoldo de Hohenzollern, lo que indirectamente provocó la famosa Guerra Franco-Prusiana. Finalmente, el elegido fue un rey italiano, Amadeo de Saboya, que reinó entre 1870 y 1873. A este breve reinado le siguió, por poco tiempo, el de la Primera República Española (proclamada el 11 de febrero de 1873), que tuvo cuatro presidentes: Estanislao Figueras, al que sucedió Francisco Pi y Margall (del 11 de junio al 18 de julio de 1873), después Nicolás Salmerón (hasta el 7 de septiembre de 1873) y por último Emilio Castelar hasta el 3 de enero de 1874. Todos fueron ateneístas salvo el primero.

Es un periodo en el que la *Constitución de 1869* otorga un amplio repertorio de libertades y garantías ciudadanas, considerándose como la primera constitución democrática en España en la que se establece por primera vez el sufragio universal para varones. En ella se dice que la soberanía reside esencialmente en la Nación, de la cual emanan todos los poderes, que la forma de gobierno es la Monarquía, las leyes se hacen en las Cortes y las sanciona y promulga el Rey, quien ejerce el Poder ejecutivo por medio de sus Ministros.

Además, presentaba un cuadro de libertades de pensamiento, culto y enseñanza dentro del cual estaba garantizado gran parte del ideario del Ateneo relativo a la ciencia y a la cultura, y también permitía liberar a otras instituciones culturales, y especialmente a las universidades en las que se iniciaban tímidamente los cambios.

El triunfo de la Revolución de 1868 significó, pues, que muchos de los ateneístas, que habían participado en ella, ocuparan puestos de relevancia en universidades, ministerios, Congreso e incluso de presidencias del Consejo.

Vemos así como Echegaray (ateneísta), Manuel Becerra (ateneísta), Laureano Figuerola (ateneísta) y Práxedes Mateo Sagasta son ministros de Fomento, de Ultramar, de Hacienda y Gobernación, respectivamente, en el Gobierno de

Prim, y algunos de ellos ya habían tomado parte del gobierno provisional de octubre de 1868. Otro ateneísta, Nicolás María Rivero es alcalde de Madrid. Emilio Castelar (ateneísta) fue ministro de Estado en el gobierno Figueras y después presidente de la I República. Otro conocido ateneísta Manuel Pedregal y Cañedo, fue ministro de Hacienda en los gobiernos de Pi Margall y Castelar. Nicolás Salmerón (ateneísta), fue ministro de Gracia y justicia en el Gobierno de Figueras. Otros muchos ateneístas ocuparon puestos en la administración y en la universidad desde los que ejercieron su influencia para la apertura intelectual, cultural y científica.

Pero, en contraposición, esta dedicación pública de numerosos ateneístas durante el sexenio revolucionario (1868-1874), hizo decaer las actividades propias del Ateneo, y en particular en lo que se refiere a la sección de *ciencias matemáticas, físicas y naturales*, aunque en ella se dictaran algunas conferencias dispersas sobre temas científicos generales. Sin embargo la influencia del Ateneo, a través de sus ilustres ateneístas, propició en otras instituciones la libertad de pensamiento y de enseñanza, que eran condiciones esenciales para el desarrollo de la ciencia en España.

4.4.- El Ateneo durante la Restauración (1874)

4.4.1. La cuestión universitaria.

Un golpe de estado dado por el general Pavía, entrando con sus tropas en el Congreso de los Diputados el 3 de enero de 1874, acabó con la Primera República. Tras este acontecimiento el general Serrano instauró una especie de dictadura que determinó el debilitamiento de las fuerzas republicanas y propició indirectamente un movimiento para restaurar la dinastía borbónica, que culminó con el pronunciamiento del general Martínez Campos en Sagunto el 29 de diciembre de 1874. Esta restauración la venia preparando políticamente Cánovas del Castillo a favor de Alfonso de Borbón, hijo de Isabel II. Cánovas estuvo al frente del Ministerio-Regencia formado en Madrid para preparar la llegada y recibimiento de Alfonso XII, que fue en Madrid en enero de 1875.

La Restauración significó un periodo de cierta estabilidad política pero también un retroceso en las libertades civiles que quedaron en una situación parecida a la que había antes de la Revolución Septembrina. En la constitución de 1876, se abandonan esenciales principios democráticos incluidos en la constitución de 1869. Así vemos que además de reconocer a Alfonso XII como Rey legítimo de España (Art. 59), establece que su persona es sagrada e inviolable (Art. 48), y no son las Cortes las que legislan sino las *Cortes con el Rey* (Art.18) y es el Rey quien sanciona y promulga las leyes (Art. 51). No se habla de sufragio universal sino que los Diputados se elegirán por el método que determine la ley (Art. 28). Con cierta ambigüedad parece mantener las libertades cívicas de religión, de enseñanza, y de opinión, aunque siempre se matiza con la posibilidad de establecer leyes cautelares que significan recortes evidentes en las libertades. Así en el artículo 11 se establece el Estado español como confesional católico, y aunque permite otros cultos, *pero* siempre que se sujeten a la moral cristiana y no hagan ceremonias ni manifestaciones públicas. En el artículo 12 se dice que todo español podrá fundar y sostener establecimientos de instrucción o de educación, *pero* con arreglo a las leyes que se dicten, y reservándose el Estado la expedición de títulos profesionales y las condiciones para obtenerlos; además determinará los *deberes de los profesores* y las *reglas a que ha de someterse la enseñanza* en los establecimientos de instrucción pública costeados por el Estado, las provincias o los pueblos. En el artículo 13 se reconoce el derecho de expresión, de reunión, y asociación, *pero* el artículo 14 dice que esas libertades no deben ser en menoscabo de los derechos de la Nación, ni de los atributos esenciales del Poder público.

Esta Constitución no llega a ser una *carta otorgada* pero está llena de *peros* y de recortes de libertades respecto a la constitución de 1869. Estos recortes de las libertades intelectuales, ya habían sido notablemente restringidos por normas oficiales específicas aun antes de promulgar la nueva Constitución. Como fue el Decreto 29 de julio de 1874. Es de interés resaltar especialmente, por sus consecuencias, la Circular del ministro de Fomento Orovio, de 26 de febrero de 1875 dirigida a todos los Rectores de las universidades españolas.

Esta Circular es un significativo ejemplo de la actuación represiva del nuevo gobierno conservador con relación a la ciencia y a la educación. La Circular comienza indicando la conveniencia de que el Gobierno controle el "orden moral" para evitar la pasión y el vértigo revolucionarios:

De poco o nada sirve a los Gobiernos procurar restablecer el orden material, base y fundamento de todo progreso, y garantizar para lo sucesivo la paz pública, fomentando los intereses materiales, si a la vez no se ocupan del orden moral, educando e ilustrando convenientemente al pueblo, dando la paz a las conciencias cuando se encuentran inquietas o perturbadas, y garantizando los fueros de la ciencia comprometidos más que nunca cuando la pasión y el vértigo revolucionario los conduce al error en nombre de una libertad ilimitada y absoluta...

Para ejercer ese control considera necesario evitar que la mayor libertad llegue a tiranizar a la mayoría y por eso el Estado tiene la obligación de controlar lo que se enseña en la educación pública, expresándolo así:

El hecho positivo del modo de ser, del modo de creer, del modo de pensar y de vivir de un pueblo es el fundamento en que debe apoyarse la legislación que se le aplique. Por desconocer estos principios hemos visto y sentido recientemente males sin cuento. En el orden moral y religioso, invocando la libertad más absoluta, se ha venido a tiranizar a la inmensa mayoría del pueblo español, que siendo católica tiene derecho, según los modernos sistemas políticos fundados precisamente en las mayorías, a que la enseñanza oficial que sostiene y paga esté en armonía con sus aspiraciones y creencias; y de aquí ha resultado la lucha y la necesidad de apartarse en ciertas asignaturas de las aulas oficiales para buscar en el retiro de la enseñanza privada lo que el Estado tiene obligación de darle en la pública. Aún recordará V.S. las apreciaciones que mi antecesor dejó consignadas sobre esta materia en el preámbulo al Decreto de 29 de Septiembre último, al manifestar que los resultados de esta inmoderada libertad han sido el desconcierto y la anarquía, y una marcada decadencia en los estudios.

Para ello indica que la restauración monárquica viene para reparar los intereses dañados de la Iglesia:

Una nueva era comienza hoy por fortuna para la nación española. Sin lucha de ninguna especie, sin derramar una gota de sangre ni una lágrima, el país y su valiente y leal ejército han puesto término a los excesos revolucionarios de los últimos tiempos, buscando en la monarquía hereditaria remedio a sus males y llamando al trono al rey legítimo D. Alfonso XII, príncipe católico

como sus antecesores, reparador de las injusticias que ha sufrido la Iglesia,
constitucional y tolerante con todas las opiniones [...]

Indicando, mas adelante, que la Enseñanza Oficial debe obedecer al Dogma católico:

La libertad de enseñanza de que hoy disfruta el país, y que el Gobierno
respeta, abre a la ciencia ancho campo para desenvolverse ampliamente
sin obstáculos ni trabas que embaracen su acción, y a todos los ciudadanos
los medios de educar a sus hijos según sus deseos y hasta sus capricho;
pero cuando la mayoría y casi la totalidad de los españoles es católica y
el Estado es católico, la enseñanza oficial debe obedecer a este principio,
sujetándose a todas sus consecuencias. Partiendo de esta base, el Gobierno
no puede consentir que en las cátedras sostenidas por el Estado se explique
contra un dogma que es la verdad social de nuestra patria. Es, pues, preciso
que vigile V. S. con el mayor cuidado para que en los establecimientos que
dependen de su autoridad no se enseñe nada contrario al dogma católico
ni a la sana moral, procurando que los Profesores se atengan estrictamente
a la explicación de las asignaturas que les están confiadas, sin extraviar el
espíritu dócil de la juventud por sendas que conduzcan a funestos errores
sociales. Use V. S., en este punto del más escrupuloso celo, contando con
que interpreta los propósitos del Gobierno, que son a la vez los del país [...]

Como tampoco se debe tolerar ningún ataque a la monarquía

Junto con el principio religioso ha marchado siempre en España el principio
monárquico [...] *por ningún concepto tolere que en los establecimientos*
dependientes de este Rectorado se explique nada que ataque directa ni
indirectamente a la Monarquía constitucional ni al régimen político, casi
unánimemente proclamado por el país. [...]

Y termina resumiendo y recordando con énfasis, las disposiciones coercitivas de la Circular

A tres puntos capitales se dirigen las observaciones del Ministro que
suscribe, a evitar que en los establecimientos que sostiene el Gobierno se
enseñen otras doctrinas religiosas que no sean las del Estado; a mandar que
no se tolere explicación alguna que redunde en menoscabo de la persona

del Rey o del régimen monárquico constitucional; y, por último, a que se restablezcan en todo su vigor la disciplina y el orden en la enseñanza. Si V. S. consigue que en ese distrito universitario se observen los principios aquí consignados, habrá interpretado fielmente los propósitos del Gobierno de S. M.

Este hecho, que recuerda a los acontecimientos de 1866 protagonizados por Castelar, quedaría reflejado en la llamada *cuestión universitaria* que se inició con el desacato público del contenido de la citada circular por parte de los profesores de la Universidad de Santiago de Compostela: Laureano Calderón (1847–1894) y González Linares (1845–1904), primeros impulsores del darwinismo en España. A ellos siguieron Castelar y Giner de los Ríos, a los que se sumaron Salmerón, Gumersindo de Azcárate, Montero Ríos, Figuerola, Moret y muchos otros. Todos ellos fueron expulsados de la universidad, hecho con el que se iniciaba la llamada *cuestión universitaria*.

A esto siguió la protesta planteada por varios catedráticos de la Universidad Central al firmar una *Exposición Colectiva* encabezada por Gumersindo Azcárate, en la que refiriéndose a la circular de Orovio, entre otras cosas se decía:

Por lo que respecta a la doctrina, se pretende que en la cátedra no podrá exponerse principio alguno que no esté dentro del dogma católico, de la sana moral y de los fundamentos de la monarquía constitucional, ni enseñarse nada que conduzca a lo que la circular llama funestos errores sociales. Pues bien, Excmo. Sr., los exponentes estiman que en conciencia no deben, y, por tanto, no pueden, aceptar estos límites ni sujetarse a ellos.

No hay ciencia, cualquiera que ella sea, que deje de relacionarse, más ó menos remotamente, con alguno de los dogmas del catolicismo, dado que éste encierra dentro de sí todo un sistema de principios con los que aspira a explicarlo todo: Dios, el hombre y el mundo; y por tanto el profesor que tal límite aceptara, se vería obligado a dividir su tiempo y su trabajo entre el estudio del dogma y el de la ciencia que enseña; hacer ante sus alumnos una combinación extraña de argumentos de autoridad con argumentos de razón, con que vendrían a la postre a caer en desprestigio la Religión y la Ciencia; a someter ésta a aquélla, al cabo de dos siglos en que está en posesión de la independencia que para siempre conquistaran para ella el genio de Bacon y de Descartes; y a volver, por último, a aquellos tiempos ya lejanos, y que de cierto no han de volver, en que la Ciencia y la Enseñanza estaban sujetas a la tutela de la Teología y a la censura de la Iglesia.

Estaban todos los exponentes ejerciendo su elevado ministerio al amparo de una legislación, que vino a reconocer en unos la plena independencia en la investigación y enseñanza de la verdad, que fue para otros la ley bajo la cual ingresaron en el Profesorado, y que debieron considerar todos como la legalidad definitiva, puesto que nunca en la Historia se emancipó del Estado una función social para caer de nuevo bajo su tutela.

Esta protesta llevó a la cárcel o al destierro a muchos de los firmantes, después de haber sido expulsados de la Universidad. En la primavera de 1876, salieron de la cárcel o volvieron del destierro, pero siguieron separados de sus cátedras. Esta situación les obligó a buscar cauces distintos para realizar su actividad docente en libertad y sin tutelas. Por una parte los ateneístas se replegaron en las actividades del propio Ateneo, que se fueron incrementando paulatinamente hasta llegar a la formación de la *Escuela de Estudios Superiores* con la intención de fundar una universidad libre e independiente del Estado. Y por otra parte participaron en la creación de la *Institución Libre de Enseñanza*, que comenzó intentando también hacer una universidad libre, aunque se desarrolló fundamentalmente como una eficaz escuela de enseñanza primaria y secundaria, por considerar que estos niveles educativos eran esenciales para una buena formación general, e indispensables para iniciar los estudios superiores.

Pasados unos años la situación había cambiado y ya no era posible mantener los controles impuestos por Orovio, por eso el Ministro de Fomento, Albareda, tuvo que derogar la circular que había traído tan malas consecuencias. Para ello dictó una Real Orden de 3 de marzo de 1881, en la que entre otras cosas se decía:

Claramente se deduce de lo expuesto la intención de recomendar eficazmente a V. S. que favorezca la investigación científica, sin oponer obstáculos, bajo ningún concepto, al libre, entero y tranquilo desarrollo del estudio, ni fijar a la actividad del Profesor, en el ejercicio de sus elevadas funciones, otros límites que los que señala el derecho común a todos los ciudadanos;

creyendo además el Gobierno indispensable anular limitaciones que pesan sobre la enseñanza, originadas de causas que afortunadamente han desaparecido.

«Entenderá V. S., por cuanto antecede, que la circular de 26 de Febrero de 1875 queda desde hoy derogada, como en su día habrá de serlo el Decreto, confiando en que el Parlamento así lo acordará; y es consecuencia inmediata de esta determinación que los Profesores destituidos, suspensos y dimisionarios, con ocasión del mencionado Decreto y circular, vuelvan a ocupar en el Profesorado los puestos que a cada uno de ellos pertenecían, y que legítimamente les corresponden; habiendo de ser además reparados en todos sus derechos, sin excepción alguna, y sin que pueda irrogárseles perjuicio de ningún género.

Mientras tanto, después de la Restauración, el Ateneo hace algunas modificaciones a su reglamento pero sin alterar sus fines y estructura democrática. Así, en las modificaciones de 1876 se sigue manteniendo que el *Ateneo es una Sociedad exclusivamente científica, literaria y artística cuya finalidad es aumentar y difundir sus conocimientos por medio de la discusión, de la lectura, de la imprenta y de la enseñanza en todas o cualesquiera de sus formas y manifestaciones.* Pese a ello, reduce el número de secciones a tres (1.ª Ciencias morales y políticas; 2.ª Ciencias naturales, físicas y matemáticas, y 3.ª Literatura y bellas artes). Más tarde, en las modificaciones hechas al reglamento en 1884, se mantienen básicamente los mismos objetivos, pero se incrementa el número de secciones, elevándose ahora a cinco (1ª Ciencias morales y políticas: 2.ª Ciencias naturales, físicas y matemáticas: 3.ª Literatura: 4.ª Ciencias históricas; y 5.ª de Bellas artes). Algunas modificaciones posteriores de este reglamento agrega a sus fines el favorecer la realización de investigaciones científicas y el cultivo del arte.

Vemos pues, como en el último cuarto del siglo XIX hay una gran actividad en el propio Ateneo sobre temas científicos: se difunden los resultados de los últimos congresos científicos y de las exposiciones universales; interesan los logros alcanzados por la técnica y las novedades de las ciencias físicas, químicas y matemáticas. En 1890 se imparte un amplio curso sobre Historia de la creación natural y en 1894 otro sobre Ciencias Naturales y Físicas. En este periodo son temas preferentes las ciencias naturales, la biología, la antropología, y su relación con el naciente evolucionismo, partiendo de las ideas de Lamarck, Darwin, Spencer, Strauss... incluso, al explicar la filosofía de Santo Tomás, era necesario aludir y refutar las doctrinas de estos racionalistas y evolucionistas. El Ateneo, instituto que desde su fundación se subtitulaba *científico*, fue unos de los foros renovadores de la Ciencia española de finales del siglo XIX y comienzos del XX, e impulsó la ciencia a través de otras organizaciones como *Escuela de Estudios Superiores* (1896), la *Junta para la Ampliación de Estudios* (1907), o la *Asociación Española para el Progreso de las Ciencias* (1908), en las que intervinieron de forma muy activa José Echegaray, Torres Quevedo, Luis Simarro, Santiago Ramón y Cajal, entre otros muchos y con los que colaboraron un nutrido número de ateneístas.

Más adelante dedicaremos un capítulo a la *Junta para la Ampliación de Estudios*, por su gran importancia en la renovación científica española, aquí sólo indicaremos algunas notorias influencias del Ateneo en la creación de esta importante institución. Si analizamos la lista de los miembros de la primera reunión de la *Junta* celebrada el 15 de enero de 1907, a la que asistió el ministro, vemos que la mayoría de sus miembros eran ateneístas destacados. Empezando por el presidente de la Junta, vemos que Cajal había sido vicepresidente de la junta de gobierno del Ateneo de 1898 a 1899, con Echegaray como presidente de la misma; y ya antes (1895–96) había presidido la Sección de Ciencias Exactas, Físicas y Naturales; también había participado de forma muy activa en la *Escuela de Estudios Superiores*, como veremos más adelante. Entre los vocales encontramos ateneístas ilustres como, entre otros, a los siguientes: Gumersindo Azcárate, que había sido presidente del Ateneo de 1891 a 1894, y anteriormente vicepresidente de 1887 a 1891 (con Cánovas y con Núñez de Arce como presidentes); también fue presidente de la Sección de Ciencias Morales y Políticas y participó muy activamente en la *Escuela*. José Echegaray, presidente del Ateneo (1898–1899), y también profesor en la *Escuela*, ejerció una importante influencia mediante los cursos y conferencias dados por él en el Ateneo para la renovación de la matemática española en el siglo XIX. Leonardo Torres Quevedo, fue contador de la Junta de Gobierno del Ateneo (1887–88) que presidía Núñez de Arce; fue presidente de la Sección de Ciencias de 1904 a 1905, durante su presidencia se estudió el proyecto de ferrocarril, de paso por Dakar, con destino a América (*Nuevo camino a América. De Madrid, por Marruecos, a América del Sur*). José Rodríguez Carracido, fue presidente de la Sección de Ciencias de 1900 a 1901 y después de 1908 a 1912; participó en la *Escuela de Estudios Superiores*. Luis Simarro, presidente de la Sección de Ciencias de 1898 a 1900, participó en la *Escuela de Estudios Superiores* y en los Cursos de Extensión Universitaria. Marcelino Menéndez y Pelayo, pese a su reticencia juvenil hacia el Ateneo, fue luego un ateneísta muy activo; fue presidente de la Sección de Literatura durante los años 1886–87, vicepresidente del Ateneo de 1892 a 1903; participó en la *Escuela de Estudios Superiores*. Ramón Menéndez Pidal, secretario de la Sección de Literatura de 1893 a 1895; socio Bibliotecario durante 1899–1900; profesor en la *Escuela*. Joaquín Sorolla, presidente de la Sección de Artes Plásticas de 1905 a 1911. Joaquín Costa, presidente de la Sección de Ciencias Históricas de 1900 a 1902. Etcétera. Es decir, que muchos de los que gestaron la Junta de Ampliación de Estudios eran personas que habían trabajado y alentado las actividades científicas en el Ateneo y que estaban embebidas de las ideas de libertad y progreso de la docta casa.

Terminaremos este capítulo con un parágrafo dedicado a la *Institución Libre de Enseñanza*, y otros dos a la *Escuela de Estudios Superiores*, y a la *Asociación Española para el Progreso de las Ciencias*.

4.4.2. La Institución Libre de Enseñanza

Existen opiniones que dicen que la *Institución Libre de Enseñanza*, se constituyó no sólo por los acontecimientos de la *cuestión universitaria*, sino también porque no prosperó el proyecto de un grupo de ateneístas krausistas para crear en el Ateneo unos estudios que fueran el núcleo de una universidad libre de Madrid. En cualquier caso esos ateneístas colaboraron en la fundación y en el aliento de la *Institución*.

En Madrid, el 31 de mayo de 1876, se aprobaron los Estatutos provisionales de la *Institución Libre de Enseñanza* (ILE), en una Junta General presidida por Laureano Figuerola (ateneísta). Estos estatutos fueron definitivos cuando la *Institución* fue autorizada por el gobierno por Real Orden de 16 de agosto de 1876.

La *Institución* fue creada por un grupo de profesores separados de la cátedra y por otros colaboradores, muchos de ellos ateneístas. El alejamiento de la universidad de los profesores más activos y renovadores significó, indirectamente, un avance pedagógico y científico en la cultura española, ya que al verse obligados a actuar fuera de las instituciones oficiales alcanzaron una libertad de organización e independencia de pensamiento que era imposible alcanzar dentro de la Administración.

El objetivo fue constituir un ámbito donde se pudiera enseñar e investigar sin atender a ningún dogma oficial en ciencia, política o religión, como se recoge en el artículo 15 de sus Estatutos que dice: *La Institución Libre de Enseñanza es completamente ajena a todo espíritu e interés de comunión religiosa, escuela filosófica o partido político; proclamando tan sólo el principio de la libertad e inviolabilidad de la ciencia, y de la consiguiente independencia de su indagación y exposición respecto de cualquiera otra autoridad que la de la propia conciencia del profesor, único responsable de sus doctrinas.*

Este nuevo establecimiento, privado y laico, fue creado como una sociedad por acciones para no depender de subvenciones del Estado. Su propósito específico inicial, era establecer por una parte unos estudios de cultura general (o de segunda enseñanza) y profesionales, y por otra estudios científicos superiores, así como también el dictado de cursos breves y conferencias de carácter científico o de divulgación. Para apoyar estos estudios se preveía dotar a la *Institución* de Biblioteca y de Gabinetes de experimentación así como de un Boletín periódico en el que se publicaran trabajos científicos y se difundieran las actividades de la Institución. De estos propósitos, los relativos al estudio superior de la ciencia y a la investigación son los antecedentes de los alcanzados por la *Escuela de Estudios Superiores* del Ateneo dos décadas después y por la *Junta para la Ampliación de Estudios* a comienzos del siglo XX.

Pero pronto comprendió la *Institución* que para realizar estudios superiores era necesario primero atender la formación en los niveles anteriores con una nueva pedagogía y en un ambiente de libertad. Por eso orientó su actividad hacia la educación primaria y secundaria considerando a estos estudios como fundamentales para renovar los métodos pedagógicos y lograr el cambio cultural que se buscaba. Por eso es interesante observar la importancia que se daba a la vocación y a la conducta de los profesores anteponiéndolas a las dotes de investigador y expositor, como se dice en el artículo 18º de sus Estatutos: *En el nombramiento de los Profesores de la Institución se atenderá en primer término a su vocación, a la severidad y probidad de su conducta, y a sus dotes de investigadores y expositores. Todo Profesor podrá ser removido cuando perdiere alguna de estas esenciales condiciones.* Los resultados de este método se comprobaron más adelante tras la creación de la *Junta para la Ampliación de Estudios e Investigación Científica.*

La importante tarea realizada por la *Institución Libre de Enseñanza* queda reflejada en su órgano de información, el *Boletín de la Institución Libre de Enseñanza* (BILE), en el que se incluyen las referencias a las conferencias dadas por un nutrido grupo de colaboradores, entre los cuales figuran muchos ateneístas. Pronto este *Boletín* se convirtió en una verdadera revista cultural de vanguardia que trataba de numerosos temas novedosos de distintas disciplinas como pedagogía, investigaciones en diversas ciencias, filosofía, literatura etc., y contaba con colaboradores nacionales e internacionales de gran calidad intelectual, como, por citar a algunos, Bertrand Russell, Henri Bergson, Charles Darwin, John Dewey, Santiago Ramón y Cajal, Miguel de Unamuno, María Montessori, León Tolstoi, H. G. Wells, Rabindranat Tagore, Juan Ramón Jiménez, Gabriela Mistral, Benito Pérez Galdós, Emilia Pardo Bazán, Azorín, Eugenio D'Ors, Ramón Pérez de Ayala, Julián Sanz del Río, Antonio Machado Álvarez o los hermanos Antonio y Manuel Machado Ruíz…

Es interesante observar cómo, años después, los sectores españoles más reaccionarios atribuyeron a la *Institución* ser la causante intelectual de la decadencia moral de España y de los *desórdenes sociales* que hizo sublevarse a las fuerzas de la derecha terrateniente, del ejército y de la Iglesia, para instaurar la dictadura franquista.

4.4.3. La Escuela de Estudios Superiores.

Como hemos dicho más arriba, muchos de los ateneístas que ejercían su actividad científica fuera del Ateneo, después de la restauración de 1875 se replegaron de nuevo en esta institución para continuar la renovación cultural desde dentro de ella.

Pero hay que esperar hasta 1895 para que se manifestara de forma muy notoria la dedicación del Ateneo a los estudios y a la investigación científica.

Aunque con toda seguridad se fue fraguando la formación de la *Escuela de Estudios Superiores* en los años anteriores, no se iniciaron sus actividades docentes hasta el curso 1896–1897. Esta *Escuela* creada y alojada en el Ateneo, podría decirse que tenía vocación de universidad libre. En ella se reunieron un grupo de profesores que habían sufrido persecución años antes, o que consideraban que era necesario un espacio donde ejercer la docencia superior con libertad. Muchos de ellos procedían del antiguo grupo krausista del Ateneo o pertenecían a la escuela de Giner de los Ríos o eran afectos a la *Institución Libre de Enseñanza*. La vida de la *Escuela* continuó hasta 1907 año en el que se funda la *Junta para la Ampliación de Estudios*, de la que fue su más claro antecedente.

El principal impulsor de la *Escuela* fue, sin duda, Segismundo Moret, presidente del Ateneo en el momento de su fundación y durante todo el periodo de su funcionamiento, salvo el año que ejerció la presidencia José Echegaray.

Ya con anterioridad puede verse cómo en el discurso de Moret, leído en el *Ateneo* con motivo de la apertura del curso 1884-85, se está enunciado el espíritu de la *Escuela*. Este discurso lo dedica a atraer la atención de los ateneístas *al terreno de las Ciencias naturales, objeto actual de las predilecciones del Ateneo* para atajar *la falta de preparación que para el estudio de la naturaleza hemos tenido todos los que, habiéndola conocido sólo cual se enseñaba hace treinta años, no hemos después consagrado atención especial al estudio de sus leyes ó al de sus extraordinarias revelaciones.* (p. 16)

En este brillante y documentado discurso se hace un recorrido por los distintos recintos de la ciencia para motivar su estudio por encima de los conceptos que se enseñaban *hacía treinta años*. Expone con sagacidad las *dos corrientes que habían de contribuir sobremanera á extraviar nuestro concepto de las ciencias naturales*: una que considera *que la naturaleza se complace en dejar entrever de cuando en cuando secretos que niega á la observación y á la investigación científicas*, es decir que los descubrimientos científicos son fruto de la casualidad o del genio, por no decir de la revelación, y no del estudio y la investigación sistemática. La otra corriente *presenta los grandes adelantos de la Física, de la Química, de la Botánica y aun de las Matemáticas enlazados á un progreso material*

111

y relacionados con un fin económico ó industrial, de forma que para la atención general, incluso para los hombres instruidos pero extraños á la ciencia, se presenta la ciencia como motivada por razones más o menos industriales hasta que *hemos sido llevados á pensar que los trabajos de los naturalistas no merecían más atención que la que se da a los que luchan por conseguir un fin inmediato y práctico sin trascendencia alguna filosófica, y que todo ese mundo de las ciencias naturales no era en el fondo más que un vasto laboratorio donde se preparaban los progresos materiales y económicos de la portentosa y sibarítica civilización moderna* lo que le lleva a Moret a decir:

> *¡Qué contraste con la noción del filósofo idealista! Vedle allí, abstraído del mundo que le rodea, sólo y silencioso, ajeno á las solicitaciones de la vida, la mirada vuelta al interior de su conciencia para descubrir las leyes del pensamiento o perdida en el espacio para buscar en el infinito la noción de Dios y de la naturaleza que centellea misteriosa en los límites de la razón!*

A lo largo del discurso plantea el problema de la investigación científica en toda su complejidad, desde un punto de vista positivista y naturalista. Y ve su estudio desde el Ateneo diciendo:

> *nunca me ha parecido el Ateneo más a la altura de su misión que cuando, en medio de la revuelta lucha de los tiempos, convoca aquí, a este rincón sagrado de España donde se refugia el espíritu nacional dolorido y conturbado por la eterna lucha y la sangrienta agitación en que la patria vive, a todos los espíritus, para que, sacando a luz las dudas, profundizando los problemas y exponiendo las ideas, hallen por el propio esfuerzo la chispa que, iluminando el caliginoso horizonte, guíe el vacilante paso con que hoy camina la investigación filosófica.*

Un decenio después estas ideas se materializaron con la creación de la *Escuela de Estudios Superiores*, de cuyo espíritu y de la finalidad perseguida por ella podemos encontrar descripción, también, en palabras de Moret dichas en su discurso de fundación en 1896. Se trataba de crear un centro de estudios superiores para complementar los estudios universitarios, ya que el *carácter de la enseñanza oficial es el de ser exclusivamente destinada á la preparación para la vida práctica, para el resultado inmediato, para obtener un título académico que permita entrar en una carrera*, impartida por profesores sin *más preparación que la que ellos mismos se han dado.* Esto hace necesario la existencia de instituciones docentes en las se pueda *sin gran esfuerzo completar y sistematizar la enseñanza universitaria,* en las que, según Moret, se atienda al

Cultivo de la ciencia por la ciencia, raro y difícil siempre, lo es más en nuestro país: lo es por el escaso número de personas que a él se dedican; por su dificultad, que sólo vencen las grandes vocaciones; y hasta por sus escasos resultados prácticos, que lo hacen incompatible con las exigencias de la vida. Le falta además atmósfera para desarrollarse y hasta ocasión en que mostrarse, siendo frecuente que personas que han encontrado, tras largos estudios, ideas o teorías no conocidas, o desarrollos nuevos de los antiguos principios, carezcan de estímulo y hasta de lugar donde darlas á conocer.

Y expone los fines y características de la Escuela de Estudios Superiores diciendo

Obedece ésta a una idea fundamental, que definimos en los siguientes términos: crear un organismo científico de tal naturaleza que ampliando y sistematizando cuanto se enseña en los Centros docentes oficiales, sea al propio tiempo lugar especialísimo donde se cultive la ciencia por la ciencia; donde se expongan constantemente los adelantos y progresos que, tanto en el terreno experimental como en el teórico, va logrando el proceso intelectual humano; donde exista cátedra dignificada y permanente, en la cual puedan los que al cultivo de la ciencia se dedican, exponer los resultados de sus investigaciones y dar á conocer los productos de la cultura nacional, y desde la cual puedan suplirse las inevitables deficiencias de la enseñanza oficial. Y si acertamos en la definición, resultará que estos estudios que hoy inauguramos habrán de cumplir los siguientes fines: la sistematización de los conocimientos oficiales; el estudio puro y desinteresado de la ciencia; la difusión constante de sus progresos y adelantos; la cátedra abierta al que tenga una idea que exponer ó una teoría que popularizar; y además, y muy especialmente, el medio de satisfacer sin esfuerzo y sin resistencias aquellas necesidades que las enseñanzas históricas no pueden atender sino largo tiempo después de sentidas.

Hace notar más adelante que

...aquel útil y riquísimo fruto del trabajo constante de la vida entera de un hombre, queda las más de las veces desconocido, sin encontrar el medio de llegar a los demás y de acrecer el patrimonio de la cultura nacional. A esto atienden perfectamente las universidades alemanas: allí el profesor tiene su programa y explica su asignatura; pero a medida que amplía y completa sus investigaciones las expone en cursos separados, si es que a ello no es invitado especialmente y remunerado con generosidad, con lo cual forma discípulos, y hasta escuela, que continuando su obra desarrollan esa extraordinaria cultura científica que ha llegado á ser característica del pueblo alemán.

Además de las universidades alemanas, menciona también como ámbito de expansión y expresión de las ideas a la *Sociedad Inglesa para el Progreso de las Ciencias, con lo cual, no sólo se aprende pronto, mucho y bien, sino que resulta y se desprende de esos trabajos un espíritu de unidad en la marcha de la investigación científica y una solidaridad en los diversos ramos del saber, que por sí solas son fuente abundantísima de educación.*

A la pregunta de ¿Por qué no se hace este tipo de educación en España?, responde simplemente: porque no hay ni cómo ni dónde hacerlo. Para llenar este vacío propone la creación en el Ateneo de la *Escuela de Estudios Superiores* con el objetivo de que

todo aquel que en el laboratorio, en la ciencia, en la sala de disección ó en la observación de la Naturaleza crea haber encontrado algo nuevo, algo útil, ó haya llegado á descubrir nuevas relaciones entre los elementos conocidos, tenga la seguridad de hallar en esta nueva organización, y dentro de esta casa, tribuna donde exponer con entera libertad los productos de su estudio, seguro de que nunca ha de faltar en los que dirijan la Corporación simpatía para toda idea nueva,

y además

el de llenar los vacíos que ofrece la cultura nacional, vacíos vivamente sentidos y que nunca podrá atender con la urgencia requerida la enseñanza oficial. Y la razón es muy sencilla. Siempre que se presentan en el mundo de la inteligencia, y por tanto en el mundo de la educación, ideas nuevas, aspiraciones y tendencias que salen del molde vulgar, el movimiento

114

instintivo de los organismos establecidos es el de rechazarlas, y aun perseguirlas, en lo cual no hay nada de violento ni de extraordinario; antes bien no vacilo en afirmar que esa resistencia es legítima y, mientras no salga de sus límites, conveniente y provechosa,

ya que sino

las nuevas ideas tardan necesariamente en llegar a la vida oficial, y cuando en ella penetran, suelen venir ya adulteradas por la lucha, con pretensiones de imposición y de triunfo, con los vicios del antagonismo y sin las virtudes de la inspiración que las trajo á la vida..

Y justificaba que el Ateneo era el lugar mas adecuado para alojar estos Estudios, porque

El Ateneo es, por el personal que le compone, por las posiciones que ocupa en la enseñanza, en las academias, en la Administración, en la política, en el arte, el centro más genuinamente representativo de la cultura española, el que reúne mayor suma de ciencia y de experiencia, y el más capacitado, por tanto, para ensayar y dirigir el movimiento de alta educación ahora iniciado.

aunque la tarea no es sólo para el Ateneo, como seguimos leyendo en el discurso de Moret:

Después hemos creído condición esencial que todos los centros docentes, escuelas y universidades tuvieran representación en el programa, de suerte que todos los que en ellas aprenden o enseñan se sientan aquí representados, encuentren que lo que aquí se expone les importa y les afecta, y se logre así desde el primer momento aquel carácter universal de los cursos libres de la Sorbona, que hemos tomado como modelo y ejemplo. Es preciso que todo hombre de ciencia y de estudio, amante de la cultura de su Patria, pueda decir pensando en estos Estudios: "Allí estoy, o allí puedo estar, o en ellos puedo influir".

También considera que la Escuela de Estudios Superiores

es cosa muy distinta de lo que hasta ahora ha habido en el Ateneo. Al lado de la cátedra de propaganda, de exposición brillante, de novedad

115

de conceptos y de elocuencia halagadora, donde el orador busca ante todo darse á conocer, se eleva otra cátedra, modesta en apariencia, de exposición doctrinal, de trabajoso desempeño, de esfuerzo perseverante, y que pide al alumno atención y asistencia constante. En vez de públicos numerosos y entusiastas habrá limitados auditorios, que son siempre pocos los que trabajan y cultivan la ciencia por la ciencia, y los resultados, en vez del efecto inmediato de la oratoria, se conocerán á la larga por el progreso de la cultura y por la perseverancia de los alumnos.

Los nuevos estudios no son el Ateneo: éste los organiza y los dirige, los alberga en su casa y les dedica sus más solícitos cuidados; pero permanece distinto y separado de ellos. No son, pues, estas cátedras mero favor que la Corporación recibe; no viene a ellas el profesor, como en la cátedra de la noche, por un acto de cortesía y de deferencia al Ateneo; viene por un cuasi contrato, libremente propuesto y aceptado, remunerado aunque modestamente y con obligaciones precisas y definidas, pero con derechos y facultades también determinadas, y como tal exigibles, a cumplir un fin de antemano definido.

En resumidas cuentas la *Escuela de Estudios Superiores* se crea en el Ateneo a iniciativa de su presidente Segismundo Moret, con el auxilio del Estado y con el apoyo político de los ateneístas Cánovas del Castillo (Presidente del Consejo de ministros) y Rafael Conde y Luque (Director general de Instrucción pública). Esta *Escuela* era independiente de la vida ordinaria del Ateneo, aunque guarda con él íntima relación que puede considerarse entre sus gloriosas tradiciones. Se gestionó en la Comisión de Presupuestos del Congreso la inclusión en el de Fomento de una partida destinada a la *Escuela* de 50.000 pesetas, aprobándose por las Cortes, sin discusión alguna. Desde luego el Ateneo esperaba y pidió el concurso de todos para la organización de las enseñanzas sucesivas.

El claustro de la *Escuela* tenía la siguiente composición: estaba formado por la Junta de Gobierno del Ateneo, por los ex-presidentes del Ateneo, por los presidentes de las secciones y por seis socios elegidos en junta general. El Claustro estudiaba los temas a proponer, escogiendo siempre aquellos estudios en armonía con los fines de la *Escuela*. Se proyectaron inicialmente veintiocho cátedras, (más adelante reducidas a doce), que fueron ocupadas por prestigiosas personalidades de la ciencia y de la cultura, elegidas sin prejuicio de escuela, residencia o nacionalidad, aunque la mayor parte de ellos fueron activos ateneístas. Las lecciones eran retribuidas con cincuenta pesetas, como mínimo, por cada conferencia.

El curso de la Escuela se dividía en dos periodos, el primero iba del 15 de octubre al 15 de diciembre, y el segundo del 20 de enero al 30 de abril. Cada curso completo no debería exceder de veintidós lecciones ni tener menos de veinte. Las clases eran públicas para los socios del Ateneo, y los que no tenían esta condición debían matricularse previamente. Para atender a las necesidades de material experimental en las clases se facilitaban cuantos medios, instrumentos y aparatos era posible proporcionar según lo requería cada asignatura. Se valió asimismo, en ocasiones, de un aparato de proyección.

La asistencia de más de tres mil alumnos indica el gran interés que despertó la *Escuela*. Aunque el auditorio, que era numerosísimo al comenzar, fue perdiendo en *curiosos lo que ganaba en diligentes escrutadores de la ciencia*. Los Profesores daban á sus enseñanzas un carácter técnico y superior, no retórico ni de Parlamento, como la naturaleza de la institución demandaba.

Al éxito de la *Escuela* colaboró la prensa *de todos matices por su entusiasta cooperación, publicando a diario interesantes y bien hechos resúmenes de los cursos; haciendo atinadas observaciones sobre su organización, y prestando su concurso para todo lo que se refiere á los estudios superiores*.

El detalle de la evolución de los cursos, con sus programas y comentarios, pueden verse en las *Memorias de Secretaria*, que en cumplimiento de lo dispuesto por la Real orden de 20 de Noviembre de 1896, la Secretaría de la *Escuela de Estudios Superiores* debía dirigir todos los años al Ministro de Fomento. En estas Memorias se presentan los planes de enseñanza para el curso siguiente (títulos y programas de los cursos y profesores encargados de cada uno) así como resúmenes de los cursos dados en el año anterior y otros comentarios de carácter general. Al final de las cuales se incluye un cuadro estadístico, donde consta el número de conferencias de cada catedrático y el de alumnos matriculados en cada asignatura. El secretario de la *Escuela* clasificaba en sus *Memorias* los temas impartidos de la siguiente forma: *Ciencias históricas* (que subdividía en Historia literaria,

Historia jurídica, Historia artística, Historia militar), *Ciencias exactas, Ciencias físico-químicas, Ciencias naturales,* y *Literatura.*

La *Escuela* inició sus actividades el 25 de octubre de 1896, con un brillante plantel de profesores que trataron sobre medicina, ciencias exactas, físicas y naturales, ciencias militares, ciencias morales *y* políticas, literatura y ciencias históricas, filosofía y bellas artes. En medicina, Cajal dio un curso sobre *Estructura y actividad del sistema nervioso* (221 alumnos) en el que expuso sus últimas investigaciones por las que diez años después le darían el Premio Nobel, Luis Simarro *Psicología Fisiológica* (167 alumnos) y Alejandro San Martín un curso crítico sobre *Complementos clínicos.* En Matemáticas, Echegaray da un curso sobre *Resolución de las ecuaciones de grado superior y teorías de Galois* (122 alumnos) en el que trata, por primera vez en España, de las ideas algebraicas modernas; Eduardo Saavedra trata de *Historia de las Matemáticas desde su origen hasta la época de Newton*, cuando el estudio de la historia de la matemática estaba muy descuidada en nuestro país. En física, José María de Madariaga da un curso de *Electricidad y electromagnetismo* (235 alumnos), y León y Ortíz da otro sobre *Mecánica celeste ó sistema del mundo* (79 alumnos), que es una introducción a la astronomía moderna. El curso de Daniel de Cortázar versó sobre *Evolución general en los reinos orgánico é inorgánico* (63 alumnos) en él trata de una cosmogonía general con el punto de vista evolucionista desde la evolución de los minerales y las rocas hasta el origen del hombre. El curso de Adriano Contreras trata sobre el *Desarrollo y estado actual de la Química teórica* (109 alumnos), y Manuel Antón explica un curso sobre *Antropología de España.*

Después de la acogida del primer año, el interés se mantiene durante los cursos siguientes, variándose algo el número de cátedras dictadas y la asistencia a las mismas, cuyo detalle puede verse en las *Memorias* del secretario de la *Escuela* que mencionamos más arriba.

Aunque la principal actividad de la *Escuela* fue el dictado de las cátedras, no fue sólo la única. También funcionaron los innovadores Laboratorios, de *Lingüística* de Julio Cejador (1864–1927), y el de *Economía* de Antonio Flores de Lemus (1876–1941). A partir del curso 1904–1905 se amplió la labor educativa de la *Escuela de Estudios Superiores* a favor, no ya de la esfera científica, literaria o artística, sino en beneficio de la cultura de las clases populares mediante la organización de *Cursos de extensión universitaria*, consistentes en conferencias sobre los más variados temas, abiertos a las sociedades obreras y a otras personas que estuvieran interesados en ampliar su cultura, con lo que se pretendía sacar a la ciencia de la Academia a la calle. Estas conferencias se dictaban los domingos y días festivos por la tarde. También había un plan, que no llegó a funcionar, para difundir por toda España las enseñanzas de la *Escuela* empleando el sistema de *repetidores* y usando un sistema de *Manuales*. También estuvo en estudio un programa de excursiones y viajes de estudio que la falta de recursos impidió llevar a cabo.

Pero pese al buen funcionamiento de la *Escuela* y su general buena acogida, siempre aparecieron voces discordantes que consideraban *que nuestro temperamento es refractario a las abstractas especulaciones científicas*. Voces a las que la Secretaria respondía *que carece de racional fundamento esa, por desgracia bastante general, creencia* y que se desdeña *la protección á letras y ciencias, y de que tenemos en lamentable olvido, por no decir culpable menosprecio*. También se expresó en contra de *los funestos augurios de desconfiados ó incrédulos, cuando de la creación de la Escuela se trató* y contra *las odiosas predicciones sobre la imposibilidad de su existencia primero, sobre su corta viabilidad y difícil mantenimiento después* y en otra parte se lamentaba:

> *Porque es triste cosa, Excmo. Señor, que cuando una institución determinada procura noble y desinteresadamente favorecer y adelantar la prosperidad nacional, que arranca en primer término del progreso intelectual, no sólo halle obstáculos por parte de los indiferentes, sino se vea también atacada por adversarios, cual si fuera vituperable cultivar la ciencia pura, y señal de desaliento la inspiración de vida.*

Varias de estas voces discordantes procedían de los mismos socios del Ateneo que pedían modificaciones en el funcionamiento de la *Escuela*. Esto hizo que la Junta General y el Claustro de la Escuela vieran la necesidad, cuanto antes, de reformar su Reglamento. Para ello se nombró una Comisión, compuesta por Gumersindo de Azcárate (1840–1917), Jacinto Octavio Picón (1852–1823) y Julio Puyol y Alonso (1865–1937), con la finalidad de redactar las bases de la deseada reforma. Esta primera redacción de las *Bases* fue discutida y aprobada, con ligeras modificaciones, en las juntas generales extraordinarias de 31 de Octubre y 2 de Noviembre

119

de 1898. De acuerdo con estas bases, la Junta directiva redactó el nuevo Reglamento de la *Escuela de Estudios Superiores*, aprobado en sesión de 18 de Diciembre de 1898.

Todas estas dificultades e incomprensiones no pudieron aminorar la importancia y el éxito de la *Escuela de Estudios Superiores*. Esta importancia radicaba no sólo en la labor docente y de difusión de las ideas que se hicieron, sino también, y muy destacadamente, por la forma en que se hizo para orientar *a esa juventud de quien tan sistemáticamente se abomina*, y evitar que tomaran por cualquiera de los dos únicos caminos que en aquel momento existían *para desenvolver su actividad: cobijarse bajo el pendón de un cacique político, científico, literario ó artístico, o resignarse al papel de cenobita, sin que sus obras e impulsos generosos encuentren eco en la soledad que le circunda*. Ya que *en el primer caso, la iniciativa personal pocas veces subsiste; en el segundo, tarde ó temprano sobrevienen el hastío y el escepticismo.*

En el Ateneo de fin de siglo, no sólo se impulsó la *Escuela de Estudios Superiores*, sino que además, en su seno y por influjo del Ateneo de Madrid, se gestaron las dos instituciones científicas que fueron esenciales para el renacer de la actividad científica en España en el primer tercio del siglo XX, nos referimos a la *Junta para la Ampliación de Estudios e Investigaciones Científicas* y a la *Asociación Española para el Progreso de las Ciencias*, creadas durante el gobierno de Moret. A esta última institución dedicaremos las próximas páginas y a la anterior un capítulo más adelante.

4.4.4. La Asociación Española para el Progreso de las Ciencias

La *Asociación Española para el Progreso de las Ciencias,* es una institución que debe enmarcarse dentro del espíritu de regeneracionismo que, siguiendo los pasos de la revolución Septembrina, surgió con fuerza tras la convulsión producida por las pérdidas de Cuba y Filipinas. Es una institución que debe situarse en el otro 98, de que hablaba Rey Pastor, el 98 de Torres Quevedo y de Cajal que buscaba la renovación científica y su difusión en la sociedad.

Ya vimos como Moret, hacía referencia a la *British Association for the Advancement of sciences*, como una institución inglesa de gran relevancia para el desarrollo de la ciencia en el siglo XIX. Mediante ella se institucionalizó la organización de Congresos científicos nacionales, en los que se presentaban los resultados de las últimas investigaciones y se facilitaba la creación de un ambiente propicio para el intercambio de ideas y para la formación de un tejido social adecuado a la creación científica. Otras asociaciones del mismo carácter fueron fundadas en países como Alemania, Italia, Francia, Suiza... donde funcionaron también eficazmente. En España al finalizar el siglo XIX faltaba una institución de este tipo.

El Ateneo de fin de siglo era un hervidero de ideas progresistas, y en él había un ambiente científico muy propicio para que en la docta casa se planteara la fundación en España de la *Asociación Española para el Progreso de las Ciencias*, como complemento de la recién creada *Junta para la Ampliación de Estudios*. Aquella fundación se materializó en la asamblea celebrada en el Ateneo el 2 de enero de 1908, bajo la presidencia de Segismundo Moret (que seguía siendo presidente del Ateneo). En esta primera reunión se fijó su domicilio social en el propio Ateneo, domicilio que durará hasta 1934 en que su sede es acogida por la *Academia de Ciencias Exactas Físicas Naturales*. Moret, en el discurso de apertura del primer Congreso de la Asociación, nos dice que el objetivo principal de la recién creada asociación es el unir *los esfuerzos intelectuales de los hombres que en España se dedican a la investigación científica, y que parecen escasos en número, porque se hallan diseminados y aislados, pero que resaltarán en todo su valer e importancia en el momento en que nos demos cuenta de la cantidad y de la calidad del poder intelectual que representan.*

En la asamblea fundacional se constituyó una comisión para la redacción de los Estatutos compuesta por el ex-ministro de Marina, Víctor María Concas (1845–1916), el general de Estado Mayor y dramaturgo Leopoldo Cano (1844–1934) y los catedráticos de universidad Luis Simarro (1851–1921) y José Rodríguez Carracido (1856–1928), todos ellos ateneístas. Estos Estatutos fueron aprobados en nueva reunión, celebrada en el Ateneo el día 23 de febrero, y en ella también se nombra el comité ejecutivo de la *Asociación* presidido por Moret y formado en su mayor parte por ateneístas.

Al agradecer públicamente García Mercet la labor realizada para la creación de la *Asociación Española para el Progreso de las Ciencias*, destacaba los siguientes nombres pertenecientes al comité ejecutivo: José Rodríguez Carracido, Ignacio Bolívar, Carlos María Cortezo, Gabriel Maura Gamazo, el vizconde de Eza y Ángel Pulido, quienes, salvo Ignacio Bolívar, eran todos ateneístas.

Como la principal actividad de la *Asociación*, entre otras, era la organización de Congresos, su estructura se compuso en diversas secciones. Cada una de ellas se ocupaban de las siguientes ciencias: matemáticas, astronómicas, físico-químicas, naturales, sociales, filosóficas, médicas, aplicadas. La mayor parte de los presidentes de estas secciones también eran ateneístas.

Luis Simarro, activo ateneísta y presidente de la *Real Sociedad Española de Historia Natural*, fue el principal promotor de la puesta en marcha de la *Asociación Española para el Progreso de las Ciencias*. Fue él quien organizó su primer congreso de Zaragoza, y quien promovió los comités locales de Barcelona, Salamanca, Valencia y Granada.

El primer Congreso científico organizado por la *Asociación* se realizó en Zaragoza en 1908 (22-29 octubre), año de la conmemoración del centenario de los sitios de Zaragoza. Continuaron celebrándose bianualmente en diversas ciudades españolas, hasta el VIII Congreso español que coincidió con el I organizado conjuntamente con la *Associação Portuguesa para o Progresso das Ciências*, celebrado en Oporto. En cada uno de ellos se publicaron las Actas con las comunicaciones presentadas en los mismos. Estas Actas constituyen una verdadera fuente documental para conocer el desarrollo científico en España desde comienzos del siglo XX.

Con el tiempo, la iniciativa de la *Asociación Española para el Progreso de las Ciencias,* pasó de la influencia inicial de personas como Luis Simarro, Ramón y Cajal, a la de otros sectores más conservadores (Luis Marichalar, Eduardo Sanz Escartín, Juan Zaragüeta, José Gascón Marín...) con lo que se pasa de una preponderancia científica a otra técnica más política y pragmática.

Capítulo 5

La Junta para la Ampliación de Estudios.

5.1. Introducción. 5.2. Antecedentes y contexto social de la Junta. 5.3. Creación de la Junta. 5.4. Descripción sucinta del desarrollo de la Junta. 5.5. La guerra civil: la disolución de la Junta y su sustitución por el CSIC.

5.1. Introducción.

El estudio de las instituciones científicas es una tarea que ayuda a percibir mejor el desarrollo de la Ciencia de un país. Conocer la naturaleza de dichas instituciones, ver las diferencias entre ellas, en cuanto a fines y medios, y observar su evolución hasta alcanzar su plenitud o desaparición, arroja mucha luz sobre el desarrollo de la ciencia y sobre la sociedad en el que este desarrollo, positivo o negativo, se produce.

Institucionalizar significa, en general, disponer de organización y recursos para realizar ciertas tareas en un marco supra personal que asegure su continuidad más allá de los individuos que la componen. También es fuente de estímulo para realizar sus actividades. Sin embargo, en algunos casos, son un medio para controlar y manipular la actividad y a las personas integradas en las mismas. Por eso la historia de las instituciones científicas deben estudiarse analizando, no sólo lo que han hecho, sino también lo que han impedido hacer, y las causas por las que desaparecen y son sustituidas por otras.

En las páginas que siguen veremos sucintamente el origen, formación, desarrollo y brusca desaparición de una institución científica española la *Junta para la Ampliación de Estudios*, ejemplo de institución estimulante, y su sustitución por otra el *Consejo Superior de Investigaciones Científicas*, que se creó para controlar e impedir que la ciencia se desarrollara libremente.

5.2. Antecedentes y contexto social de la Junta.

La *Junta para la Ampliación de Estudios e Investigaciones Científicas,* ha sido, sin duda, la institución española más importante para el adelanto de la ciencia en España. En su creación han tenido mucho que ver la *Institución Libre de Enseñanza* y el *Ateneo de Madrid.* La influencia de este último ha pasado generalmente desapercibida, como ya hemos apuntado en el capítulo anterior, pese a su gran importancia. En cualquier caso para su aparición lo principal fue, sobre todo, que al finalizar el siglo, existiera en España un buen número de científicos que estaban desarrollando, aunque de forma dispersa, una producción científica de buena calidad. Podemos repetir de nuevo alguno de sus nombres: Ibáñez Ibero, Eduardo Hinojosa, Jaime Ferrán, Santiago Ramón y Cajal, Leonardo Torres Quevedo, Ramón Turró, Federico Oloríz, Eduardo Torroja, José Echegaray, Reyes Prósper... Estos hombres cultivaron la medicina, la ingeniería, la antropología, la matemática, la física... y en muchos campos fueron creadores de primera magnitud, como Cajal, Ferrán, o el gran precursor de la automática Torres Quevedo, creador del mando a distancia (telekino), del ajedrecista automático y de otras muchas máquinas de carácter algebraico.

Con estos antecedentes de las instituciones impulsoras y la existencia de eminentes cultivadores de la ciencia, en la primera década del siglo XX se acometió el mayor intento realizado en toda la historia de España para promover la actividad científica en nuestro país con la creación de la *Junta para la ampliación de Estudios e Investigaciones Científicas.*

Pero además de esos antecedentes de instituciones y de personas, el imperativo histórico que movió a la aparición de la *Junta* fue la necesidad apremiante de una filosofía que sustituyera el antiguo pensamiento dogmático feudal vinculado a la tierra por otro nuevo que diera soporte a un conocimiento racional para una organización más justa de la sociedad, y una forma de producir más eficiente. De hecho significaba un enfrentamiento entre las antiguas clases ultra conservadoras y los nuevos grupos que proponían un pensamiento racional y una forma política más avanzada acorde con los tiempos.

Fue precisamente el considerar como esencial su aspecto ideológico el que dio a la ciencia española de los siglos XVIII y XIX ese carácter de polémica político-filosófico-literaria, que la *Junta* venía a superar, dedicando sus esfuerzos al trabajo más que a la disquisición ideológica. Este cambio se consiguió dotando al estudio de la ciencia de procedimientos propios, adoptando un tipo de organización superior y específica, en la que se propiciaban los grupos de trabajo frente al trabajo aislado, y se dotaba de un adecuado soporte de laboratorios y bibliotecas al tiempo que se aumentaban las relaciones sistemáticas con otros centros científicos de Europa y de América. La *Junta* fue la impulsora de la gran renovación en la investigación científica en España y, en sólo veinte años, logró situar a la ciencia española a altura internacional. ¿Qué otras instituciones científicas han dado nunca un salto equivalente al que dio la *Junta* en ese breve lapso de tiempo?

Esta transformación era paralela a la que se estaba desarrollando en el país para pasar de unas estructuras feudales y agrícolas a otras liberales e industriales, con los cambios de todo tipo que esta modificación de estructura lleva consigo, entre ellas el pasaje de una situación laboral campesina, a otra en la que la población obrera industrial crecía en cantidad y conciencia. Esta nueva situación incorporaba tal cantidad de iniciativas que el pulso nacional alcanzó un vigor nunca igualado con anterioridad, pero que fue malgastado en la cruenta guerra civil del 36.

Después de la Guerra Civil se produjo de nuevo otro de los fatales periodos regresivos de la ciencia española: la mayor parte de los científicos debieron exiliarse, y los laboratorios decayeron o se cerraron. Con los restos de los laboratorios creados por la *Junta*, pero con otra titularidad, orientación y filosofía, se formó una nueva institución llamada *Consejo Superior de Investigaciones Científicas* que, con diversas vicisitudes y con distinto espíritu (sustituyendo la razón por la fe), aun continuó dedicándose al cultivo de las distintas ciencias.

Con estos antecedentes y en este contexto social y cultural se creó la *Junta*, por el impulso encauzado desde el *Ateneo de Madrid* y de la *Institución Libre de Enseñanza*, como ya hemos indicado más arriba. También facilitó su creación el haber pasado la *Instrucción Pública* de depender de una dirección general del *Ministerio de Fomento*, a alcanzar por sí sola, en el año de 1900, el rango ministerial con la denominación de *Ministerio de Instrucción Pública y Bellas Artes*.

5.3. Creación de la Junta.

Superada ya, en cierto sentido, la *Polémica de la Ciencia Española*, algunos eminentes hombres de ciencia habían cambiado la tarea de *polemizar* por la de trabajar para el avance de la ciencia en nuestro país. Suele considerarse a la *Institución Libre de Enseñanza* como principal promotora de la *Junta para la Ampliación de Estudios*, sin embargo, fue del *Ateneo* de donde salió el grupo de personas que formaron dicha *Junta*. Recordemos sólo cómo el ilustre Cajal, promotor y presidente de la *Junta*, y la mayoría de sus miembros, como ya vimos en el capítulo anterior, eran ateneístas activos y habían tenido un papel destacado en las tareas de la *Escuela de Estudios Superiores* que funcionó en el Ateneo entre 1896 a 1907, año en que precisamente se crea la *Junta*.

El espíritu de la *Junta* ya lo encontramos en los discursos de Moret, pero sobre todo en el *Discurso* de Cajal en su ingreso en la Real Academia de Ciencias, leído el 5 de diciembre de 1897, titulado *Deberes del Estado en relación con la producción científica*. En él se refiere a nuestro atraso científico, sus causas y remedios. Las causas que expone son un desarrollo de las ya apuntadas por Menéndez Pelayo; en cuanto a los remedios propone una política científica que engloba en cuatro puntos generales:

1° elevar el nivel intelectual de la masa de la población;

2° proporcionar a las clases sociales más humildes ocasión de una instrucción general suficiente;

3° transformar la Universidad, dedicada casi exclusivamente a la colación de títulos y a la enseñanza profesional, en el órgano principal de la producción filosófica, científica e industrial;

126

4° formar mediante el pensionado en el extranjero, y mediante contagio natural, un plantel de profesores capacitados para descubrir nuevas verdades y para transmitir a la juventud el gusto y la pasión por la investigación original.

Estas ideas de Cajal, en particular las que se recogen en los puntos 3° y 4°, son comunes con otros institucionistas y en particular con José Castillejo (1877–1945), alma e impulsor cotidiano de la Junta, para quien:

La Junta debía ser el organismo iniciador de una renovación intensiva y rápida de nuestra educación superior y nuestras investigaciones científicas, sobre la base de la comunicación con el extranjero, el trabajo desinteresado y la libertad de elección de materias y procedimientos

y para quien la *Junta* también debía *provocar una corriente de comunicación científica y pedagógica con el extranjero, y agrupar en núcleos de trabajo intenso y desinteresado los elementos disponibles en el país.*

En efecto, el gran genio científico de Cajal y su generosa vocación de maestro obtuvo el apoyo oficial para la creación de una institución dedicada a la investigación científica que se llamó *Junta para la Ampliación de Estudios e Investigaciones Científicas.* Fue eficazmente gestionada por su secretario José Castillejo a quien se debe en gran parte el éxito de su funcionamiento. Gracias a la *Junta* se inició, en los primeros lustros del siglo, la acelerada y profunda regeneración científica, que ha significado un hito de modernidad para la cultura española y el momento más alto de la actividad científica en España.

Aunque ya hemos indicado antecedentes remotos en la Ilustración para *provocar* dicha corriente de comunicación con el extranjero, y aunque durante el siglo XIX pueden encontrarse otros antecedentes, como el informe de Quintana de 1813 en la *Junta de Instrucción Pública*, proponiendo la concesión de pensiones *para salir fuera del reino y adquirir en las naciones sabias de Europa el complemento de la instrucción*; o el Decreto de Gamazo de 1898 en el que se dan normas para la concesión de *pensiones de un año, a fin de que perfeccionen sus estudios en el extranjero*; antecedentes más próximos los podemos encontrar en disposiciones oficiales dictadas en los primeros años del siglo XX. Entre ellas una disposición del ministro García Alix (Real Decreto de 6 de julio de 1900) en la que se reglamentaba la forma de obtener los profesores permiso con sueldo para ir al extranjero a ampliar estudios; otra del Conde de Romanones (Real Decreto de 18 de julio de 1901), por la que se crean pensiones en el extranjero para los alumnos que hayan obtenido premio extraordinario en la reválida o en el grado; otra de Allende Salazar (Real Decreto de 8 de mayo de 1903, modificando el anterior) en la que se da *la libertad completa y absoluta para la elección de la materia que ha de ser objeto de la ampliación de estudios y del punto del extranjero donde se ha de efectuar.* También se concedían subvenciones para los delegados en Congresos Científicos.

Todas estas disposiciones (realizadas en el cambio de siglo), condujeron a la creación, en el *Ministerio de Instrucción Pública* (1906), de un S*ervicio de información técnica y de relaciones con el extranjero,* para coordinar y orientar la actividad relativa a los pensionados, y de esa forma optimizar los esfuerzos que ya habían comenzado a realizarse. Castillejo se hace cargo de este servicio, que fue el germen oficial de la estructura de la *Junta* que se crearía el año siguiente. Él mismo enuncia las funciones que debería tener este servicio:

1º La información amplia sobre la vida intelectual y material en cada país, Centros de educación y de trabajo, equivalencia de estudios y títulos, cursos, laboratorios, clases privadas, instituciones circumescolares, etc...

2º Preparación en España para los alumnos que pudieran ir pensionados, a fin de darles la orientación necesaria;

3º Elección de los que debieran recibir pensión, teniendo en cuenta las condiciones individuales, de orden intelectual y moral, y el interés social de los diferentes trabajos;

4º Inspección y ayuda a los pensionados, para guiarles durante su excursión, facilitarles el acceso a Centros oficiales y particulares, y apreciar sus aficiones y su labor;

5º Fomento de una comunicación sana y de solidaridad entre los españoles que trabajan en cada país, población, etc.

6° Organización de un servicio que permitiera aprovechar, en beneficio de nuestros estudiantes, las plazas para españoles en el extranjero, especialmente en Centros docentes;

7° Relaciones oficiales con los Gobiernos y establecimientos de educación, para las cuestiones técnico-científicas;

8° Envío de Delegados oficiales a los Congresos científicos;

9° Fomento de las investigaciones científicas dentro de España, mediante pensiones, auxilios y publicaciones;

10° Creación en España de Centros de investigación, utilizando los elementos disponibles y lo que aportasen los pensionados;

11° Acción sobre los estudiantes universitarios para estimular y favorecer las manifestaciones sanas de la vida corporativa, como los juegos, los restaurantes cooperativos, las bibliotecas circulantes.

Un simple servicio ministerial quedaba corto para realizar todos esos objetivos; la posibilidad de una institución más adecuada, fue factible durante los gobiernos liberales de Montero Ríos (1832–1914) y de Moret (1838–1913) y así bajo el ministerio de Amalio Jimeno en Instrucción Pública se aprobaría el Real Decreto de 11 de enero de 1907, por el que se creaba la tantas veces mencionada *Junta para la Ampliación de Estudios e Investigaciones Científicas.*

En otros países estaban apareciendo instituciones científicas de rango nacional para promover sistemáticamente la investigación. Por citar tres de las principales, mencionaremos el *Massachusetts Institute of Technology* (MIT) en Estados Unidos, el *Imperial College of Science and Technology* en Inglaterra, la *Kaisser Wilhelm Gesellschaft zur Fórderung der Wissenschaften* en Alemania. En todas ellas se agrupaban laboratorios dispersos que ya existían en el siglo anterior. En España la *Junta,* se inspira en estas Sociedades científicas avanzadas, aunque su cometido es más arduo pues ha de comenzar con mucha menos tradición. También para delinear su organización la *Junta* está en contacto con las universidades más modernas, anglosajonas, alemanas y francesas. Se crea, así, una institución con muchos aspectos singulares y originales que tendría una gran repercusión no sólo en la ciencia sino en toda la cultura moderna de España.

El Real Decreto por el que se crea la *Junta* está firmado por Alfonso XIII y en la exposición del preámbulo presentado por Amalio Jimeno, se incluyen los siguientes párrafos que nos informan sobre el espíritu de la institución recién creada:

> *El pueblo que se aísla, se estaciona y se descompone. Por eso todos los países civilizados toman parte en el movimiento de relación científica internacional, incluyendo en el número de los que en ella han entrado, no sólo los pequeños estados europeos, sino las naciones que parecen apartadas de la vida moderna, como China, y aun la misma Turquía, cuya colonia de estudiantes en Alemania es cuatro veces mayor que la española, la antepenúltima de todas las europeas, ya que sólo son inferiores a ella, en número, las de Portugal y Montenegro. Y, sin embargo no falta entre nosotros gloriosa tradición en esta materia. La comunicación con los moros y judíos y la mantenida en plena Edad Media con Francia, Italia y Oriente; la venida de los monjes de Cluny; la visita de las universidades de Bolonia, París, Montpellier, y Tolosa; los premios y estímulos ofrecidos a los clérigos por los cabildos para ir a estudiar al extranjero, y la fundación del Colegio de San Clemente en Bolonia, son testimonio de la relación que en tiempos remotos mantuvimos con la cultura universal.*

Pero no sólo se reconoce la necesidad de relación internacional, y de estudio en otros países y otras universidades, sino también se ve la necesidad de que la ciencia aprendida se pueda fijar en nuestro suelo, como continúa el preámbulo de la citada ley, diciendo:

> *No olvida, el Ministro que suscribe, que necesitan los pensionados a su regreso, un campo de trabajo y una atmósfera favorable en que no se amortigüen poco a poco sus nuevas energías y donde pueda exigirse de ellos el esfuerzo y la cooperación en la obra colectiva a que el país tiene derecho. Para esto es conveniente facilitarles, hasta donde sea posible, el ingreso al profesorado en los diversos ordenes de la enseñanza, previas garantías de competencia y vocación; contar con ellos para formar y nutrir pequeños Centros de actividad investigadora y trabajo intenso, donde se*

cultiven desinteresadamente la Ciencia y el Arte, y utilizar su experiencia y sus entusiasmos para influir sobre la educación y sobre la vida de nuestra juventud escolar.

En el texto del Decreto puede leerse la finalidad de la *Junta*:

Se crea en el Ministerio de Instrucción Pública y Bellas Artes una Junta para la ampliación de estudios e investigaciones científicas que tendrá a su cargo:

1° El servicio de ampliación de estudios dentro y fuera de España.

2° Las Delegaciones en Congresos Científicos.

3° El servicio de información extranjera y relaciones internacionales en materia de enseñanza.

4° El fomento de los trabajos de investigación científica, y

5° La protección de las instituciones educativas en la enseñanza secundaria y superior.

No se trataba de un Decreto más, obra de la improvisación de políticos, sino que estaba respaldado por una Junta de personas, que con su talla científica y obra hecha aseguraban que el espíritu superaba con mucho la letra. La *Junta* estaba compuesta por veintiún miembros honorarios y vitalicios, compuesta por notables profesores y científicos que representaban las diferentes ramas del conocimiento y todas las tendencias de la opinión pública, desde carlistas y católicos hasta republicanos y ateos. Bastaría con citar los nombres del Presidente y del Secretario para confirmar lo dicho. Pero citemos también los nombres de los asistentes a la primera reunión de la Junta presidida por el Ministro, celebrada el día 15 de enero de 1907, a la que concurrieron como presidente D. Santiago Ramón y Cajal que vivía en la calle del Príncipe número 41, como secretario D. José Castillejo y como vocales: D. Adolfo Álvarez Buylla, (Conde de Aranda, 8), D. Gumersindo Azcárate (Alarcón 1), D. Ignacio Bolívar (Martínez Campos 17), D. Julián Calleja (Argensola 5), D. Julián Casares Gil (Plaza de Santa Catalina 1), D. José Echegaray (Zurbano 44), D. Victoriano Fernández Ascarza

(Observatorio Astronómico), D. José Fernández Jiménez (Echegaray 10), D. Amalio Gimeno (Serrano 51), D. Eduardo Hinojosa (Plaza de Leganitos 1), D. José Marvá (Campomanes 8), D. Marcelino Menéndez Pelayo (León 21), D. Ramón Menéndez Pidal (Ventura Rodríguez 21), D. Julián Rivera y Tarragó (Luna 33), D. José Rodríguez Carracido (Orellana 10), D. Vicente Santamaría de Paredes (Campoamor 20), D. Luis Simarro (General Oráa 5), D. Joaquín Sorolla (Miguel Ángel 9), D. Leonardo Torres Quevedo (Válgame Dios 3) y D. Eduardo Vincenti (Castelló 6 duplicado), muchos de ellos eran también ateneístas activos.

También es significativo, que la *Junta* iniciara sus tareas de gran envergadura, en un domicilio tan modesto como el siguiente: Plaza de Bilbao nº 6, segundo derecha. Contrastando con los mortuorios mármoles que han revestido instituciones científicas de épocas posteriores.

La *Junta para la ampliación de Estudios*, fue una Institución, en cierta medida, *anti-universitaria*. Es cierto que los hombres que la constituyen son todos universitarios, y en su mayor parte profesores prestigiosos de Universidad, pero sus principales impulsores piensan que la estructura de la universidad es conservadora y burocrática, lo que dificulta realizar el esfuerzo necesario para recorrer el atajo que nos conducirá a la modernización de la Ciencia y a la renovación de la Universidad desde fuera. Así lo dice José Castillejo en el capítulo dedicado a *un experimento de Organismo Autónomo para la Reforma Educativa* de su libro *Guerra de Ideas en España* (editado por primera vez en Inglaterra en 1937) particularmente en el siguiente párrafo:

> *Los institutos de investigación necesitaban una libertad que era incompatible con las restricciones académicas y administrativas. La Junta tuvo que seguir otra vez la misma estrategia que se siguió en el Renacimiento con el Collège de France y en el siglo XVIII con las Academias e incluso en el XIX con la École des Hautes Études: es decir, establecer la investigación fuera de las universidades como el mejor medio para reformarlas.*

y todo ello pese:

> *al rencor de las universidades, estimulado por candidatos desalentados que no habían podido conseguir becas, puestos o ayuda financiera.*

132

El 25 de enero de 1907, diez días después de la primera reunión de la *Junta*, se inicia el Gobierno Maura, que va a durar hasta octubre de 1909 cuando se vio obligado a dimitir por el escándalo que siguió a la ejecución en Montjuich del prestigioso pedagogo anarquista Ferrer y Guardia (1859–1909) acusado infundadamente de ser el instigador de la *semana trágica* de Barcelona. Este gobierno conservador hizo que el primer año de la *Junta* fuera improductivo, y que se intentara cambiar su espíritu cuando el Ministro, sin atribución para ello, modificó esencialmente el Reglamento aprobado por la Junta en la sesión de 27 de enero de 1907. Recomendamos leer la *Memoria* de la *Junta* correspondiente al año de 1907 e impresa en Madrid en 1908.

Castillejo cuenta en su *Guerra de ideas en España*, que:

> *La Junta para Ampliación de Estudios e Investigaciones Científicas era una idea no fácilmente digerible por los políticos españoles. Los ministros sostienen que es de su exclusiva autoridad y responsabilidad la administración de los fondos públicos y la contratación de las personas que deben ser pagadas. Es difícil convencerles de la diferencia, que existe entre otorgar una beca para investigación científica y el nombramiento de un jefe de policía.*

La vida de la *Junta* se redujo, pues, a un semiletargo durante sus dos primeros años de vida, y no murió gracias a la habilidad de Castillejo para hacer creer al nuevo Ministro que la *Junta* había nacido muerta y que sólo servía para otorgar alguna beca para el extranjero.

En 1910, bajo el Gobierno liberal de Canalejas, la *Junta* resurge de nuevo y esta vez con toda vitalidad. Aunque en el Decreto de 22 de enero de 1910 se habla de reformar la *Junta*, se trata realmente de un nuevo nacimiento, aunque conservando íntegramente el espíritu de la anterior creación. Vemos, pues, como en la exposición a dicho Decreto hecha por el ministro Antonio Barroso y Castillo, se puntualizan los elementos básicos por los que se debe gestionar la *Junta*: ser una institución verdaderamente nacional en la que colaboren todos los partidos y fuerzas vivas del país, tener autonomía tanto administrativa como técnica (dejando al ministro la función tutelar y de alta inspección), y dar garantías para que los pensionados en el extranjero puedan continuar con su actividad en España. El texto de esa exposición comienza recordando la ceracion de la Junta y la necesidad de revitalizarla con el apoyo de todos:

Desde que el 11 de enero de 1907 fue creada la Junta para Ampliación de Estudios e Investigaciones Científicas, con el fin de promover la comunicación intelectual con el extranjero, fomentar en el país los trabajos de investigación y favorecer el desarrollo de instituciones educativas, ha transcurrido tiempo bastante para recoger las enseñanzas de la experiencia e incorporar a esta obra, que, por ser verdaderamente nacional, exige la colaboración de todos los partidos y todas las fuerzas vivas del país, algunas reformas encaminadas a aumentar las facultades y a facilitar el funcionamiento del organismo encargado de realizarla.

Importa, sobre todo, completar las disposiciones del Real Decreto citado, deslindando bien las dos formas de actividad que atribuye a la Junta: una, en que actuando como corporación de carácter público, aplica los recursos que el Estado o los particulares le hayan encomendado, y otra, por la cual, como órgano de la Administración, desempeña una función técnica para cooperar [en] la realización de un servicio.

La Junta debe tener en el primer caso la responsabilidad plena del servicio, y en el segundo, la de la decisión de su especialidad técnica, conservando el ministro la sanción suprema, siempre que sea preciso disponer de los fondos del presupuesto, cuya aplicación le está encomendada, y en todo caso, la función tutelar y de alta inspección sobre la actividad total de la Junta.

Y subraya con claridad que no se trata solo de gestionar becas para el extranjero sino, también la necesidad de asegurar a los becarios que puedan continuar las tareas iniciadas en el extranjero.

Por otra parte, es conveniente otorgar a la labor hecha por nuestros pensionados en el extranjero las suficientes garantías de que no dejará de ser fructífera, facilitándoles el acceso a los puestos desde donde la cultura ha de difundirse, todo ello sin perjuicio del sistema fundamental que la Ley establece para la selección del cuerpo docente oficial.

Con la misma fecha de 22 de enero de 1910, se aprobó el reglamento por el que debía funcionar la *Junta*. Es un texto interesante, porque aparte de definir en su capítulo I los órganos y estructura, en su capítulo II dedica 28 artículos a pormenorizar las funciones de la Junta. Con esto el entramado institucional estaba completo, ahora sólo quedaba ponerse a trabajar.

5.4. Descripción sucinta del desarrollo de la Junta.

Aunque no es este el lugar de entrar en los pormenores de la enorme labor realizada por los diversos centros, institutos y laboratorios que se reunieron en torno de la *Junta*, mencionaremos sucintamente alguno de los logros alcanzados por ella.

El primer objetivo de la *Junta* era, como hemos visto, la formación en el extranjero de investigadores con una educación avanzada. Por eso desde el mismo año de su creación en 1907 la labor de enviar jóvenes pensionados al extranjero sería continua. El número de pensiones solicitadas desde 1907 a 1921 fueron 4422, de las que se concedieron 810, con un promedio de 54 anuales, aunque en el periodo de la preguerra mundial (1911 a 1913) se superaron el centenar cada año, y se redujo muy notablemente en los años de la guerra del 14.

Pero el objetivo esencial era dotar a los pensionados que regresaban del extranjero de un entorno físico y cultural en el que pudieran mantener el nivel de conocimientos y de estímulos adquiridos en los centros en los que habían ampliado sus estudios. Para lo cual era necesario contar con una serie de institutos, centros y laboratorios, con estructuras que fueran flexibles, homogéneas y permanentes, y que no estuvieran condicionados por la influencia externa de títulos oficiales o de otras ventajas que no fuesen la buena preparación de investigadores y las facilidades para que con su trabajo obtuviesen resultados significativos para la ciencia.

En este sentido, fueron numerosos los laboratorios e institutos que aparecieron bajo el impulso de la *Junta*, y en los que se agruparon los pensionados a su regreso a España, con el fin de mantener y aumentar los conocimientos que habían adquirido en los países más cultos de Europa. Así encontramos en los años veinte un entramado de instituciones, laboratorios, publicaciones, etc., vivificados con personas con nueva savia y entusiasmo para probar, de una vez por todas, que los pesimismos en torno a la incapacidad del español para la ciencia, como venían manteniendo algunos los defensores de una de las tesis del atraso de la ciencia española, eran totalmente injustificados.

Inmediatamente después de ser refundada la Junta en 1910, comenzaron a crearse los centros y laboratorios a que aludimos más arriba. El 18 de marzo se crea el *Centro de Estudios Históricos* (que el 16 de abril recibe una real orden para que fomente las relaciones con los países hispanoamericanos), por Real Decreto de 6 de mayo se crea una *Residencia y Patronato de estudiante*, el 27 de mayo se crea el *Instituto Nacional de Ciencias*, el 3 de junio la *Escuela española en Roma*, el 12 de junio una *asociación de laboratorios*, etc.

En el preámbulo del Real Decreto de creación del *Centro de Estudios Históricos,* refrendado por el conde de Romanones como ministro de Instrucción pública, se da la siguiente justificación:

> *Considera el ministro que suscribe, asesorado por la Junta, que los estudios históricos son un excelente campo para intentar el primer ensayo, ya se atienda a su evidente florecimiento entre nosotros en los últimos años, ya al interés que nuestra lengua, nuestra literatura, nuestra historia y nuestro arte despiertan hoy en el mundo entero, interés bien manifiesto para cuantos conozcan las publicaciones literarias, los cursos que sobre aquellas materias se dan en las universidades de las principales naciones y el número de extranjeros que oficial o particularmente, aislados o formando escuela, trabajan en nuestros archivos, museos, monumentos y ruinas.*

La flexibilidad de los objetivos del *Centro* recién creado permitió, que poco a poco se fuera estructurando en una serie de secciones, como las que incluimos a continuación con indicación de las personas que las dirigían:

> *Instituciones políticas y sociales de España en la Edad Media: D. Eduardo de Hinojosa. Trabajos sobre Arqueología española: D. Manuel Gómez Moreno. Estudios de Filología española: D. Ramón Menéndez Pidal. Metodología de la historia: D. Rafael Altamira. Investigaciones de las fuentes para la historia de la Filosofía árabe española: D. Miguel Asín. Investigación de las fuentes para el estudio de las instituciones sociales de la España musulmana D. Julián Ribera. Problemas del Derecho civil en los*

principales países en el siglo XIX: D. Felipe Clemente de Diego. Trabajos sobre el arte escultórico y pictórico de España en la Baja Edad Media y el Renacimiento: D. Elías Tormo. Estudios sobre la Filosofía contemporánea: D. José Ortega Gasset. Estudios de Filología semítica e investigación de las fuentes arábigas y hebraicas para la historia, literatura y filosofía rabínico-españolas: Dr. Abraham S. Yahuda.

El interés por fomentar las relaciones científicas con los países hispanoamericanos queda expresado en unos de los párrafos de la citada orden real:

> *fomentar el estudio de los pueblos hispanoamericanos en la compleja variedad de su vida económica, social, jurídica, científica, literaria, etc., mediante la visión directa de la realidad presente, que nunca podrá ser sustituida por libros; promover el cambio de publicaciones y las relaciones entre los centros docentes, y ofrecer a la juventud de aquellos países la ocasión de unirse a trabajar en común en el progreso de la cultura de la raza.*

Estas relaciones fueron especialmente fructíferas con Argentina a través de la *Institución Cultural Española*, como puede comprobarse revisando los interesantes y documentados *Anales* de esta institución.

Para afianzar y extender el espíritu de la *Junta,* se crearon otras instituciones entre las que destacan la *Residencia de Estudiantes* y el *Instituto Escuela.* La primera, ahora bien conocida gracias a su recuperación y actividades de los últimos años, y la segunda para la investigación y experimentación pedagógica, especialmente en los planes de segunda enseñanza.

La *Residencia de Estudiantes*, creada en 1910 y dirigida por Alberto Jiménez Frau, fue de gran transcendencia para la vida cultural española de los tres decenios siguientes.

> *En los órdenes superiores de la enseñanza en España, nos preocupamos casi exclusivamente de la parte instructiva de los escolares, pero nada o muy poco de la parte que pudiéramos llamar educativa propiamente tal, es decir, de la que afecta a la formación del carácter, a las costumbres, a la cortesía en el trato social, a la tolerancia y respeto mutuos.*

Los lazos de solidaridad y de compañerismo colectivo entre los estudiantes son muy escasos o casi nulos, apenas existen instituciones escolares que fomenten la fraternidad y el estudio, y los alumnos se ven y se tratan solamente en el tiempo que permanecen en las aulas. (...) Es preciso, para remediar estos males, procurar influir de una manera más decisiva y más duradera sobre el carácter y sobre las costumbres del escolar, y para ello, a falta de organismos históricos, que en España existieron y por desgracia han desaparecido, hay que acudir a crearlos, aunque por el momento sea en escala reducida y como ensayo sujeto a las modificaciones de la experiencia.

En esta *Residencia* convivieron Unamuno, García Lorca, Machado, Ortega y Gasset, Juan Ramón Jiménez, Eugenio D'Ors... y han pasado por su cátedra eminentes figuras como las de Einstein, Bergson, Paul Valéry, Paul Claudel, Hugo G. Wells, Le Corbusier, Ravel, Maríe Curie, etc.

En el mismo Real Decreto por el que se creaba la *Residencia de Estudiantes*, se creó también un *Patronato de Estudiantes* con el fin de dar el apoyo y la asistencia necesaria, intelectual y humana, a los pensionados que se encontraban en distintos países de Europa. Con ello se pretendía atenuar los problemas de adaptación al nuevo medio, así, como de forma recíproca, facilitar la estancia en España de los estudiantes extranjeros que viniesen a estudiar a nuestro país. La forma de funcionar de este patronato quedaba definida en el artículo 5º, del Decreto más arriba mencionado, que dice así:

El Patronato para estudiantes españoles fuera de España y extranjeros en nuestro país, tendrá las siguientes funciones:

a) Reunir una amplia información acerca de los centros docentes y las condiciones de la vida en los principales países, especialmente en aquellos aspectos que puedan interesar más directamente a nuestros estudiantes.

b) Hacer en España, mediante publicaciones, conferencias e informes privados, una obra de propaganda y vulgarización acerca de la educación en el extranjero y de los centros que principalmente la representan.

c) Evacuar consultas referentes al envío de jóvenes al extranjero, a la organización de estudios, elección de país y establecimientos docentes, métodos de enseñanza, coste de la vida, etc.

d) Organizar un servicio que permita a las familias enviar a sus hijos al extranjero con las garantías convenientes, en épocas determinadas, e instalarlos en las debidas condiciones.

e) Tener en los principales países delegados o comités encargados de velar por nuestros estudiantes, protegerlos, dirigir sus estudios, influir en sus costumbres y proporcionarles relaciones dentro del país.

f) Ofrecer a los estudiantes extranjeros en España las informaciones que necesiten y todas las posibles facilidades para su instalación y para sus trabajos, en las condiciones más favorables, dentro de nuestra patria.

El *Patronato* contaba de un comité central en Madrid, designado por la *Junta para Ampliación de Estudios*, y varias delegaciones en el extranjero para atender directamente las necesidades de los pensionados.

Con estas instituciones la *Junta* creó entornos en los que se facilitaba la motivación y el interés por el estudio y la investigación científica, dentro de un ambiente cultural y ético que eran necesarios para formar un tejido productivo y coherente para alcanzar la renovación educativa que España requería en un momento crucial de su historia. Pero esta capacidad productiva de investigación científica precisaba de centros y laboratorios adecuados donde llevarla a cabo y estos necesitaban a su vez de instalaciones, aparatos e instrumentos imprescindibles en este tipo de tareas. Ambas cosas se tuvieron en cuenta en la *Junta*.

Con relación a los centros y laboratorios, no se trataba sólo de crear algunos nuevos, sino también incorporar y modernizar los ya existentes. Este es el espíritu principal que se recoge en la exposición presentada por el Conde de Romanones, en el Real Decreto de 27 de mayo de 1910, por el que se crea el *Instituto Nacional de Ciencias Físico-Naturales*; que comienza planteando el problema:

Al lado de las medidas encaminadas a crear nuevos organismos de cultura, hay otras que tienden a obtener de los ya existentes, mayores frutos. Es, en este aspecto, urgente procurar la solidaridad entre las personas que se ocupan en idénticos problemas y el auxilio e intercambio de ideas entre los que cultivan disciplinas conexas.

En los países donde la vida científica es aún incipiente, se hace esto doblemente necesario, ya se considere la conveniencia de formar pronto un pequeño grupo de trabajadores, capaz de crear [un] ambiente adecuado y [de] sostener relaciones con los de otros países, y la ventaja de utilizar en común el material de los laboratorios y la ayuda de sus directores.

Al mismo tiempo, la reunión de fuerzas que hasta ahora han permanecido disociadas, puede contribuir, no sólo al mutuo y fecundante influjo, sino al nacimiento de organismos nuevos que, sólo surgiendo por ese proceso natural, pueden ser robustos y durables.

Y termina sugiriendo como resolverlo

Hay una entidad oficial a quien los Gobiernos sucesivos vienen encomendando el fomento de las investigaciones científicas, el servicio de pensiones con el mismo fin dentro y fuera de España, y la ampliación, especialización y aplicación de los estudios hechos en los diversos centros docentes. Hay, por otra parte, cierto número de museos y laboratorios que son fundamentalmente instrumentos al servicio de las mismas funciones. La conveniencia de que esas actividades múltiples se reúnan y complementen, no puede ofrecer dudas.

Pero es preciso, al hacerlo, no sacrificar la personalidad propia de esos organismos, de tal modo, que la conjunción no altere la naturaleza ni perturbe el funcionamiento de cada uno, sino en el grado mínimo en que lo exijan la unidad o la correlación de sus fines.

Es interesante observar como este *Instituto* es considerado fundamentalmente como una red de cooperación, en la que los centros y laboratorios mantienen su autonomía. En los dos primeros artículos de este Real Decreto se determinan los centros que coordinará la *Junta*, y los objetivos básicos de los mismos, dicen así:

Artículo 1.° Bajo la dependencia de la Junta para Ampliación de Estudios e Investigaciones Científicas, y con la denominación de Instituto Nacional de Ciencias Físico-Naturales, se agruparán: el Museo de Ciencias Naturales, con sus anejos marítimos de Santander y las Baleares, y una Estación Alpina de Biología, cuya instalación se encomienda a la Junta; el

Museo de Antropología, constituido por la sección del mismo nombre del primeramente citado; el Jardín Botánico; el Laboratorio de Investigaciones Biológicas y el de Investigaciones Físicas que la Junta viene formando.

Art. 2.° Los fines de esta agrupación serán favorecer el cultivo, en nuestra patria, de las referidas ciencias, en especial, mediante publicaciones, excursiones y trabajos de laboratorio, dirigidos por especialistas competentes, procurando así la formación de un personal dedicado a las investigaciones, y ofreciendo a los que intenten ampliar estudios en el extranjero medios para una preparación adecuada, y a los pensionados que regresen, ocasión de continuar sus trabajos y ponerlos al servicio de la cultura del país.

Entre los centros que se incluyen en el nuevo *Instituto*, están algunos de los más prestigiosos ya existentes, como el *Museo de Ciencias Naturales*, el *Museo de Antropología* (que era una sección del anterior), y el *Jardín Botánico*. Estos serían los primeros nodos de la red (a la que se irían sumando otros) que ya estaba formando la *Junta*, como los laboratorios de *Investigaciones Biológicas* y de *Investigaciones Físicas*, y otros que se crearan nuevos o por subdivisión en el futuro. El *Instituto Nacional de Ciencias físico-naturales*, cambia su nombre en 1916 por el de *Instituto Nacional de Ciencias* cuando a su esfera de acción se agregaron también las ciencias exactas.

Como la investigación experimental requería de instrumentos y artefactos específicos, se vio la necesidad establecer por una parte la coordinación para el uso compartido de los ya existentes (sin perturbar sus servicios propios) y, por otra, de utilizar para la construcción de nuevos aparatos los talleres, ya existentes u otros nuevos, capaces de construirlos. Este instrumental científico requería de una gran precisión y a veces su diseño formaba parte de la propia investigación que lo empleaba. Además, como tal género de material de estudios es costoso, revertía también en un ahorro si se evitaba la compra de los mismos. Esta coordinación se hizo a través de la *Asociación de Laboratorios*, como veremos un poco más adelante.

El *Laboratorio de investigaciones Biológicas,* dirigido por Santiago Ramón y Cajal, fue creado por orden real de 1900, con motivo de la concesión a Cajal del Premio Moscú, quien recibió después la medalla de oro de

Helmholtz otorgada por la Academia de Ciencias de Berlín, y en 1906 recibiría también el Premio Nobel. Cuando se crea la *Junta* el laboratorio pasa a depender del *Instituto Nacional de Ciencias Físico-Naturales.*

En 1920 se crea el *Instituto Cajal*, en el que se integran el *Laboratorio de Investigaciones Biológicas*, ya mencionado, y los laboratorios de Fisiología experimental, Neuropatología e Histología que sostenía la Junta. Para el nuevo *Instituto Cajal*, que también dependería del *Instituto Nacional de Ciencias,* se construyó un edificio especial. Auxiliaron en esta creación la *International Health Board* y la *International Educational Board*, así como numerosos particulares que colaboraron en una suscripción publica abierta para tal fin (entre ellos encontramos el nombre de Avelino Gutiérrez, presidente de la *Institución Cultural Española* de Buenos Aires, quien dono 25.000 pesetas, y el curioso donativo de 125.000 enviado por *Un obrero de la Pampa*).

En el *Instituto Cajal,* equiparable al *Instituto Pasteur* de París, trabajaban junto a Cajal un grupo de biólogos y de médicos que alcanzaron gran prestigio quienes con su trabajo conjunto encontraron nuevas aportaciones al acerbo científico universal. Por citar sólo a algunos de ellos mencionaremos a Francisco Tello (1880–1958), Nicolás Achúcarro (1889–1918), Pío del Río Hortega (1882–1945), Rafael Lorente de No (1902–1990), Fernando de Castro (1896–1967), etc.

El *Laboratorio de Investigaciones Físicas*, que dirigió Blas Cabrera, se situó inicialmente en los llamados Altos del Hipódromo (donde actualmente están el *Museo de Ciencias Naturales* y la *Escuela de Ingenieros Industriales*). Sus trabajos se orientaron fundamentalmente hacia los estudios de magneto química, disciplina en la que fue primera autoridad mundial. En torno suyo se agruparon un plantel de buenos colaboradores como Enrique Moles (1883–1953) –autoridad mundial en físico-química–, Miguel Catalán (1894–1957) –espectografista influyente en mecánica cuántica y astrofísica–, y Julio Palacios (1891–1970), a los que más tarde se agregarían otros como Duperier (1900–1959) –uno de los creadores y mejores conocedores de las radiaciones cósmicas–. El impulso creciente y la seriedad de los trabajos que se desarrollaban en el *Laboratorio* de Cabrera atrajo la atención de la *Fundación Rockefeller*, quien propuso subvencionar le creación de un nuevo *Instituto Nacional de Física y Química*, para lo

142

que contribuyó con la donación del edificio (el actualmente situado en el campus científico de Serrano) y con las consignaciones iniciales para la adquisición de instalaciones de importancia.

El *Instituto Nacional de Física y Química* fue inaugurado el 6 de febrero de 1932, y entre los eminentes profesores que asistieron al acto, estaban Sommerfeld, Scherrer... El éxito alcanzado por los trabajos realizados en este *Instituto* quedan reflejados en los premios y distinciones alcanzados por Cabrera como reconocimiento nacional e internacional a su esfuerzo. Demos una sucinta lista: miembro de la *Academia de Ciencias de París*; miembro de comité científico del *Consejo Internacional de Física Solvay* a propuesta de Mme. Curie y de Einstein; Secretario del *Comité Internacional de Pesas y Medidas*; Presidente de la *Real Academia de Ciencias de Madrid*; académico de la *Española* en el sillón de Cajal etc.

También los estudios de matemáticas encontraron cauce en la *Junta para Ampliación de Estudios*. Este campo fue impulsado por la inteligencia y enérgico tesón de Julio Rey Pastor quien, ya catedrático, fue becado por la *Junta* para ampliar estudios en Alemania; a su vuelta se le encargó la organización del *Laboratorio Matemático*. Rey Pastor siempre recordaba con admiración que Ortega y Gasset tuviese un gran retrato de Galileo en su despacho, viendo este hecho como símbolo del gran cambio que se estaba produciendo en la filosofía en España. El *Laboratorio y Seminario Matemático* inicia sus actividades primero en un local de los sótanos de la Biblioteca Nacional, después pasa a un modesto apartamento de la calle de Santa Teresa, y en el se nuclean varios matemáticos que emplearían técnicas nuevas de estudio y dispondrían de una moderna biblioteca. Entre los colaboradores del *Laboratorio Matemático* se encontraban Fernández Baños (1886–1946), Pedro Pineda Gutiérrez (1891–1983), Roberto Araujo García, Orts, José Mª Íñiguez Almech, Lorente de No, Pedro Puig Adam (1900–1969), José Barinaga (1890–1958), etc. Varios de ellos fueron después profesores universitarios. Por impulso del *Laboratorio* se crea la *Revista Matemática*, a la que pronto se agregará a su título la denominación de *Hispano-Americana* con la pretensión de convertirse en la revista para la expresión de los matemáticos de habla hispana. Posteriormente se trasladó el *Laboratorio* a los nuevos locales de la *Junta* en la calle del Duque de Medinaceli, en el que se incorporan los matemáticos más jóvenes como Luis A. Santaló (1911–2001), Ricardo San Juan Llosá (1909–1969), Sixto

Ríos (1913–2008), etc. quienes cultivaron los campos más recientes de las matemáticas. Después de la guerra civil española Santaló tuvo que exiliarse en Argentina y los otros dos fueron profesores sobresalientes de la Universidad de Madrid. Como testimonio de la calidad de estos jóvenes, puedo decir que el profesor alemán Blascke, eminente creador de la geometría diferencial, consideraba a Santaló como su mejor discípulo. De Santaló es la teoría de la geometría integral.

Sucesivamente fueron apareciendo otros laboratorios como el de Química biológica, dirigido por José Rodríguez Carracido, que fue Rector de la Universidad Central, o el de Análisis químico, dirigido por José Casares, catedrático de la misma Universidad, etc. y entre estos nuevos laboratorios resaltamos el *Laboratorio de Fisiología,* instalado en la Residencia de Estudiantes, dirigido por Juan Negrín, en el que se formaría, junto con varios otros investigadores, el futuro premio Nobel de Medicina Severo Ochoa.

Como vimos más arriba, en 1910 se creó una *Asociación de Laboratorios* dependiente directamente de la *Junta*, que fue financiada con recursos públicos y privados. En la real orden de su creación se dice en su primer artículo:

> *Se crea bajo el patronato de la Junta para la ampliación de estudios e investigaciones científicas una asociación de Laboratorios para el fomento de las investigaciones científicas y los estudios experimentales. Podrán formar parte de ella todo Laboratorio, taller o centro de investigaciones, dependientes del Estado, siempre que, invitado por la Junta, obtenga la necesaria autorización del Departamento ministerial a que pertenezca.*

y su finalidad será la construcción de

> *Toda clase de material científico destinado a los Laboratorios o Centros de enseñanza que dependan directamente del Estado, sin que en ningún caso resulte en competencia con la industria particular, y, además, cualquier maquina o aparato que, a juicio de la Comisión, ofrezca novedades importantes de interés científico y técnico.*

El laboratorio más importante que integra la nueva *Asociación* es el que dirigía Leonardo Torres Quevedo, denominado *Laboratorio de Mecánica Aplicada* dependiente del Ministerio de Fomento. Este laboratorio había

144

sido creado en 1904, dentro del *Centro de Ensayos de Aeronáutica*, y posteriormente fueron aumentadas su funciones en 1911, cuando pasó a depender de la *Asociación de Laboratorios*, y cambiado su nombre por *Laboratorio de Automática*. Sus dependencias se instalaron en los locales del Alto del Hipódromo, donde ya funcionaban el *Museo de Ciencias Naturales* y *Escuela de Ingenieros Industriales*, y también comenzaba a funcionar el *Laboratorio de Investigaciones Físicas*, facilitándose así la cooperación de estas instituciones. En 1926 paso a llamarse *Laboratorio de Mecánica Industrial y Automática*. Otro laboratorio con el que también estuvo relacionada la *Junta* fue el *Laboratorio Aerodinámico de Cuatro Vientos*, fundado y dirigido por Emilio Herrera (1879–1967)

La *Asociación de Laboratorios* se gestionaba por una comisión técnica que estaba formada, además de Torres Quevedo que era su gran impulsor, por Enrique Losada (del Cuerpo de Artillería), Ignacio Bolívar (director del *Museo de Ciencia Naturales*), Eduardo Mier (ingeniero geógrafo), Rodríguez Carracido, Juan Flórez (director de la *Escuela de Ingenieros Industriales de Madrid*) y Blas Cabrera (director del *Laboratorio de Investigaciones Físicas*).

El advenimiento de la segunda República el 14 de abril de 1931, supuso un gran paso adelante en la democratización y modernización de la sociedad española. Este advenimiento en alguna medida fue el fruto de la renovación social, cultural y científica que había ido desarrollándose desde el triunfo de la revolución del 68. *Social*, porque el desarrollo industrial estaba limitando el poder agrario, y haciendo aparecer un movimiento de empresarios y obreros de cierta importancia. *Cultural*, porque la renovación de las enseñanzas medias y universitarias, amplió la cultura popular e hizo aparecer una intelectualidad independiente. *Científico*, como lo probaron los éxitos de la *Junta para la Ampliación de Estudios*.

El ímpetu renovador de la *República*, hizo pensar que sería conveniente comenzar a aplicar el gran caudal de conocimiento teórico alcanzado por la *Junta* en las décadas anteriores e iniciar un camino análogo para el desarrollo tecnológico. Por eso, todavía durante el gobierno provisional y antes de que se aprobara la constitución republicana, se creó en junio de 1931 la *Fundación Nacional para Investigaciones Científicas y Ensayos de Reformas*.

Con esta fundación se pretendía contribuir al crecimiento industrial y económico del país fomentando la cooperación entre la investigación y la empresa, usando tanto recursos públicos como privados. La *Fundación* se regía por un director, que fue José Castillejo, y un Consejo de administración formado por destacadas personalidades políticas, con predominio del Partido Socialista, pese a que en el preámbulo del Decreto de creación se decía expresamente:

> *Hay que insistir en colocar estos servicios nacionales, que exigen continuidad y confianza y que piden la colaboración de todos, fuera de las oscilaciones pasionales de la política, como remanso de paz, mutua tolerancia y de independencia y libertad científicas.*

Pero a pesar de estas buenas intenciones no cabe duda que esta institución nacía vinculada a la política gubernamental. En alguna forma planteaba duplicidad con la *Junta* al poner en el título de la *Fundación* la expresión *para Investigaciones Científicas*. El primer centro adscrito (en marzo de 1933) provenía de la Junta, fue el *Laboratorio de Mecánica Industrial y Automática "Torres Quevedo"*. Por otra parte la *Fundación* inició proyectos con abundantes recursos, como el de la *Expedición al Amazonas*, que tenía más interés diplomático y político que científico o tecnológico, y que terminó por fracasar.

Hemos dado un panorama general de las principales actividades que realizó la *Junta* y del espíritu de creación y de cooperación en el que se realizaron. No es este el lugar para recordar a todas las personas y a todos los acontecimientos que colaboraron para hacer de la *Junta para la ampliación de Estudios e Investigaciones Científicas* una de las instituciones más ejemplares, no sólo en nuestro país, sino en todos aquellos que, atrasados en la ciencia, querían dar un salto hacia adelante para incorporarse en el quehacer científico internacional. La *Junta* alcanzó su merecido prestigio en poco más de dos décadas, gracias al gran esfuerzo que en el cambio de siglo se hizo por regenerar la producción científica en España, y se pudo verificar que si las condiciones ambientales se dan, «Han bastado tres décadas de trabajo serio para desligar drásticamente el supuesto maleficio», como diría Rey Pastor, refiriéndose a la *Junta*, en unos de sus discursos en la Academia de Ciencias.

Con este sucinto panorama de la actividad científica desarrollada por la *Junta* (del que hemos omitido los trabajos abundantes y de excelente calidad realizados por disciplinas consideradas tradicionalmente como letras), queremos, al menos, dejar patente la vigorosa componente científica que tuvo la cultura española en la primera parte del siglo XX, y rendir un homenaje a una institución que hasta recientemente era poco conocida por los jóvenes, y olvidada y silenciada por los viejos.

¿Cómo acabó esta aventura? Por una parte con la mayor *huida de cerebros* que ha habido en nuestra historia -siempre tan llena de emigraciones- y la consiguiente depauperación científica que ello ha significado; al exilio científico dedicaremos más adelante un capitulo. Por otra parte acabó con la disolución de la *Junta*, en plena Guerra Civil, desde el gobierno de Burgos y, una vez acabada la guerra, su sustitución por el *Consejo Superior de Investigaciones Científicas*. A este cambio de instituciones dedicaremos el próximo parágrafo.

5.5. La guerra civil: la disolución de la Junta y su sustitución por el CSIC.

Cuando la ciencia española se estaba normalizando gracias al esfuerzo de la *Junta para la Ampliación de Estudios*, cuando empezaba a tomar un carácter similar a la de otros países avanzados, y parecía que la secular polémica sobre la ciencia había desaparecido para siempre, la sublevación militar, la guerra y el Estado totalitario consiguiente, vino a truncar la regularidad de las actividades de aquella institución científica y su desaparición.

Durante la guerra la actividad científica tomó un carácter peculiar. Era necesario atender actividades relacionadas con la medicina militar, la nutrición, las comunicaciones, la estadística, la aeronáutica, la balística, la meteorología, etcétera... y muchos de los científicos se dedicaron a ellas durante la guerra civil y, en algunos casos, también fueron utilizados sus conocimientos y experiencia en la Segunda Guerra Mundial. Por todo ello creemos que sería útil y curioso un estudio de la actividad científica durante la guerra civil española.

Igualmente, la actividad de la *Junta* durante los años de la guerra, aunque no desapareció, se redujo enormemente. Su sede, así como el mayor número de laboratorios y centros de investigación estaban en Madrid, ciudad que pronto estaría prácticamente sitiada. El gobierno de la *República* se trasladó primero a Valencia (noviembre de 1936) y después a Barcelona y con él la *Junta* y algunos de sus centros. Aunque el gobierno tenía tareas más apremiantes que la tranquila investigación científica, sin embargo, la *Junta* siguió funcionando en la zona republicana hasta el final de la guerra civil.

La primera dificultad que existía para su regular funcionamiento era encontrar personas que se encargaran de su dirección, ya que muchos de los anteriores miembros de la *Junta* colaboraban en otras tareas del gobierno, y otros estaban en el extranjero. Nombres que figuraron entre los puestos directivos se pueden citar a Rafael Lapesa, Luis Calandre Ibáñez (elegido para coordinar una Subdelegación en Madrid de la *Junta*), José Royo Gómez (discípulo de Ignacio Bolívar y profesor del *Museo Nacional de Ciencias Naturales*, fue Vicesecretario de la *Junta* en la parte final de este difícil periodo), Moles, Tomás Navarro Tomás...

Los centros vinculados a la *Junta* seguían funcionando, aunque con grandes obstáculos. El *Instituto Cajal* continuó hasta el final de la Guerra Civil bajo la dirección Francisco Tello, (principal discípulo de Ramón y Cajal) que haba sido nombrado en ese cargo en 1934; el *Museo Nacional de Ciencias*, funcionó bajo la dirección de Antonio de Zulueta, (Jefe del laboratorio de Biología); el *Laboratorio de Matemáticas* en Madrid, estuvo dirigido por José Baringa y colaboraba José Gallego Díaz; el *Museo de Antropología* de Madrid; el *Laboratorio de Embriología* (Valencia); el *Laboratorio de Metalografía* (Valencia) etc. sólo por citar algunos. En ciudades sitiadas como Madrid se editaban revistas científicas, por ejemplo, la *Gaceta Matemática,* publicada en este período por José Baringa, y el *Anuario de Astronomía,* editado por Carrasco Garrorena).

El *Centro de Estudios Históricos* siguió los pasos del gobierno a Valencia, y a Barcelona. Junto a Tomás Navarro, colaboraron durante este periodo como integrantes de la *Junta*, entre otros: Dámaso Alonso (filólogo), Manuel Gómez Moreno (arqueólogo), Antonio Fernández Navarro, Rubén Landa (Profesor de la *Institución Libre de Enseñanza*), Rafael Lapesa (filólogo), Benito Sánchez Alonso (filólogo), Claudio Sánchez Albornoz (catedrático de Historia de España, muy preocupado por papeles relativos a los *Monumenta*, depositados en la Universidad de Burdeos), Luis Álvarez Santullano (secretario de las *Misiones Pedagógicas* y profesor de pedagogía)...

Pero muchos de los testimonios de estas personas indican precisamente la penuria de su actividad, lo escaso y los retrasos de las retribuciones, pero también indican los esfuerzos por sacar a la luz algunas revistas y otras publicaciones, así como continuar con las adquisiciones de libros para sus bibliotecas.

También continuaba funcionando la *Residencia de Señoritas*, dependiendo administrativamente de la *Junta*, con sedes en Madrid, y Valencia, bajo la dirección de María Moliner. Sin embargo la *Residencia de Estudiantes* se convirtió en Hospital de Carabineros bajo la dirección del Dr. Luis Calandre.

* * *

En la zona fascista tampoco se olvidaron de la *Junta*, pero en este caso para desmontarla y reprimirla, ya que explícitamente se la acusaba de ser la principal culpable intelectual y moral de la situación que había conducido a la Guerra Civil.

La rebelión militar del 18 de julio de 1936, se inició como un golpe de estado contra el gobierno de la República. Pero la inmediata resistencia armada, opuesta principalmente por los sindicatos, convirtió el golpe militar en una larga guerra civil contra el fascismo que estaba extendiéndose por Europa. Al *directorio militar*, cuya presidencia debía tomar el general Sanjurjo (que no funcionó por la muerte de este en accidente de aviación viniendo de Portugal), siguió una *Junta de Defensa Nacional*, presidida por el general Cabanellas. Esta Junta formada en Burgos el día 24 de julio, estableció inmediatamente el estado de guerra en todo el territorio español. Suprimió todas las libertades, disolvió todos los partidos políticos (excepto la Falange y los *requetés* carlistas), todos los sindicatos y demás organizaciones republicanas. La justificación de la insurrección fue la lucha contra una República *marxista* y *antiespañola*, que la Iglesia Católica acogió enseguida como una *Cruzada* para liberar a España del ateísmo. El 1 de octubre de 1936, el general Franco fue designado Jefe del Gobierno del *Estado español*, quien estableció una dictadura personal basada en un régimen militar, apoyada en una *Junta Técnica del Estado* (formada por militares) como órgano consultivo del dictador.

Al alargarse la guerra, no era suficiente para la administración del territorio ocupado por el nuevo Estado totalitario la *Junta Técnica* recién creada, por eso mediante la *Ley de la Administración Central del Estado* (30 de enero de 1938) se dota al nuevo régimen de una estructura que amplía la meramente consultiva del órgano anterior. Con esta ley se concentra en la figura de Franco todos los poderes: ejecutivo, legislativo y judicial. La Administración Central del Estado se organiza en Departamentos Ministeriales (Asuntos Exteriores, Justicia, Defensa Nacional, Orden Público, Interior, Hacienda, Industria y Comercio, Agricultura, Educación Nacional, Obras Públicas, y Organización y Acción Sindical), al frente de cada uno de los cuales habrá un Ministro. Con ello comienza a darse un aspecto de normalidad a un gobierno que había surgido de un golpe de Estado y se estaba desarrollando durante una sangrienta guerra contra el pueblo español y su gobierno republicano legítimamente formado de manera democrática.

Dentro de esta *normalización* del Estado durante la guerra, había que hacer funcionar también a las instituciones culturales y entre ellas a las Academias. El *Instituto de España* fue creado, durante la guerra civil, para agrupar a los escasos académicos residentes en la zona franquista. Según me contó personalmente Pedro Sainz Rodríguez (1897–1986), fue una idea de Eugenio D'Ors (1882–1954) esencialmente creada con fines de propaganda. Se quería *«mostrar que la zona nacional, aunque era el resultado de una sublevación militar, tenía una personalidad cultural y existían en ella hombres de estudio»*, pero como ninguna de las Academias podía quedar representada por el escaso número de académicos que de ellas había en la zona franquista, *«surgió de la fantasía de Eugenio D'Ors la idea de crear un organismo en que reunidas todas las Academias»* se pudieran *«realizar sesiones más o menos espectaculares»*. Y no sólo eso, sino también excluir de sus puestos de académicos a aquellos que no jurasen fidelidad a Franco y a su régimen.

Así leemos en el preámbulo del Decreto de 8 de diciembre de 1937 de creación del *Instituto de España*, que:

En homenaje de la venerada tradición española, de colocar la vida doctoral bajo los auspicios de la Inmaculada Concepción de María, se ha escogido el día de hoy para proceder a la convocatoria de las Reales Academias de España, cuyas tareas se encuentran interrumpidas desde hace tiempo y cuyo renacer es con impaciencia esperado en la España Nacional.

Algunos nombres implicados en la creación del *Instituto* son: Pedro Sainz Rodríguez, Eugenio D'Ors, Pedro Muguruza (1893–1952), Miguel Artigas (1887–1947), Agustín G. Amezúa (1881–1956), José María Pemán (1898–1981), Enrique Suñer (1878–1941). También damos a continuación, por grotesca y como expresión de la contra modernidad del nuevo espíritu *científico*, la fórmula de juramento a que estaban obligados los académicos por una orden aparecida en el Boletín Oficial del Estado:

Sucesivamente se irá colocando cada uno ante la mesa presidencial en la cual se encontrarán un ejemplar de los Santos Evangelios, con el texto de la Vulgata, bajo cubierta ornada con la señal de la Cruz y un ejemplar del "Don Quijote de la Mancha" con cubierta ornada con el blasón del Yugo y las Flechas. De pie, ante los libros, con la mano derecha puesta en los Evangelios y vuelta la cara al Presidente, el Académico aguardará que el Secretario del Instituto le pregunte, según la forma del juramento:

Señor Académico: ¿Juráis en Dios y en vuestro Ángel Custodio servir perpetua y lealmente al de España, bajo imperio y norma de su tradición viva; en su catolicidad, que encarna el pontífice de Roma; en su continuidad representada por el Caudillo, salvador de nuestro pueblo? Responderá el Académico: "Sí, juro". Dirá el presidente: "Si así lo hiciereis Dios os lo premie y, si no, os lo demande.

Con esta reorganización de las Academias se buscaba, además, una depuración encubierta de los académicos no afectos al nuevo régimen, como podemos ver en el punto IV de la misma orden:

Los derechos de los Académicos electos o recibidos se considerarán caducados por ausencia continuada durante un semestre a las sesiones del mismo, a

menos de causa justificada, así como por el retardo de más de un semestre en
la ceremonia de ingreso o reingreso, a partir de la sesión solemne del próximo
6 de enero, o de la elección en que fueren nombrados los futuros electos.

Pero aquí nos interesa ver la relación del *Instituto de España* con la *Junta para la Ampliación de Estudios*. Según palabras de Pedro Sainz Rodríguez, monárquico y entonces Ministro de Educación, fue él mismo quien asignó las tareas de la *Junta* al *Instituto de España*, y se produjo así: *Dándole vueltas a esta idea de liberar la investigación científica del caciquismo político, pensé que el cascaron vacío del Instituto de España me podría servir para ello; entonces publique un Decreto en 19 de marzo de 1938 que adjudicaba al Instituto de España la alta dirección de la investigación científica, incorporando a él todas las funciones que tenía anteriormente la Junta de Ampliación de Estudios.* Y así decía, en el artículo primero de dicho Decreto:

> *El Instituto de España, además del carácter corporativo de Senado de la Cultura Patria, que le atribuye el Decreto de ocho de diciembre de mil novecientos treinta y siete será el órgano a través del cual el Estado orientara y dirigirá la alta Cultura y la investigación superior en España, viniendo a sustituir, en parte a la Junta de Ampliaciones de Estudios y Pensiones para el extranjero*

Dice en parte porque algunas de los centros de la *Junta* pasaran a las universidades y otros se suprimirán, como se expresa en el artículo segundo, que dice:

> *El Ministerio de Educación Nacional detallará en Órdenes sucesivas las Fundaciones y Establecimientos que, como consecuencia del presente Decreto, deban pasar a depender del Instituto de España, así como las partes o servicios de los mismos que habiendo pertenecido hasta ahora a la Junta para Ampliación de Estudios, deban ser entregados para su continuación a las Universidades españolas, así como aquellos otros cuya supresión pueda convenir.*

En el artículo séptimo del mencionado Decreto se disponía:

> *Queda disuelta por este Decreto la Junta para Ampliación de Estudios e Investigaciones Científicas.*

152

Pues al Instituto España, institución tan frívolamente concebida y en completa precariedad, se encomendaría la dirección de lo que hasta el comienzo de la guerra civil había constituido el foco de nuevas ideas y la incorporación y desarrollo de la ciencia contemporánea en España y de España a la investigación mundial.

Cuando la ciencia española empezaba a tomar un carácter similar a la de otros países avanzados, el trágico final de la guerra civil vino a truncar ese progreso y, por una parte, dispersó a los científicos en la diáspora del exilio de 1939 y con ellos sus ideas y sus saberes y desapareció una obra que se había construido con tanto esfuerzo, tesón y delicadeza. Por otra parte, muchos de los pocos científicos de la *Junta* que se quedaron en España sufrieron lo que se ha llamado el *exilio interior*, que significó persecución personal y el fin de su actividad investigadora, y fueron duramente represaliados, desposeídos de sus cargos, de sus bienes y sufrieron destierro, cárcel y hasta la muerte. En los juicios especiales a que les sometieron aparecen como agravantes el haber mantenido y cuidado los centros de la *Junta* durante la guerra.

Pero, ¿qué pasó con toda la infraestructura de investigación creada por la *Junta*? ¿Qué pasó con el conjunto de laboratorios, bibliotecas, centros, publicaciones...? ¿Qué pasó con la red de relaciones internacionales con las principales instituciones científicas de todo el mundo? ¿Sería el *Instituto de España* capaz de continuar tan vasta obra?

Cuando acabó la guerra, Pedro Sainz Rodríguez (1897–1986) era todavía Ministro de Educación Nacional, y bajo su cartera estaba la reorganización de la ciencia. Julio Palacios (1891–1970), hombre de confianza suyo y monárquico como él, fue nombrado en abril de 1939, vicepresidente del *Instituto de España*, así como vicerrector de la *Universidad de Madrid*, y director del *Instituto Nacional de Física y Química*. Como vicepresidente del *Instituto de España* era el responsable de los centros científicos y por tanto, desde el 1 de mayo, encargado de gestionar la herencia de la *Junta*. Inició la depuración del personal científico y comenzó la reorganización de los centros existentes y la apertura de algunos nuevos. También realizó gestiones para tratar de incorporar a científicos españoles residentes en el extranjero, como eran los casos de Esteban Terradas (1883–1950) y Julio Rey Pastor. Estas tareas duraron hasta el 8 de agosto de 1939, momento en el que Sainz Rodríguez fue destituido del Ministerio y sustituido por José Ibáñez Martín (1896–1969).

Ya desde el inicio de la posguerra, como era de esperar, se produjeron tensiones en torno a la continuidad del gobierno. Personas antes próximas a Franco perdieron su confianza, entre otras causas por propugnar una restauración monárquica. Esto les ocurrió a Sainz Rodríguez y a Julio Palacios cuando estaban en plena gestión de la disolución de la *Junta* y de su traspaso al *Instituto de España*. Ambos no solamente tuvieron que distanciarse del gobierno y apartarse de ese proyecto científico, sino que se vieron obligados después a exiliarse políticamente en Portugal.

Eliminado el escollo del grupo *monárquico*, se acabó con la idea de pasar la investigación científica al *Instituto de España* que estaba llevando a cabo Julio Palacios, un monárquico que se había formado en la *Junta* y, por tanto, no libre de sospecha. El nuevo ministro Ibáñez Martín, más ortodoxo en sus creencias, inicio el proceso de creación de un nuevo organismo dedicado a la investigación científica, con el siguiente firme propósito:

Habíamos de desmontar todo el tinglado de una falsa cultura que deformó el espíritu nacional con la división y la discordia y desraizarlo de la vida espiritual del país, cortando sus tentáculos y anulando sus posibilidades de retoño. Sepultada la Institución Libre de Enseñanza y aniquilado su supremo reducto, la Junta para ampliación de Estudios, el Nuevo Estado acometió, bajo el impulso del Caudillo, la gran empresa de dotar a España de un sólido instrumento (...) para crear una ciencia española al servicio de los intereses espirituales y materiales de la Nación... era vital para nuestra cultura amputar con energía los miembros corrompidos, segar con golpes certeros e implacables de guadaña la maleza, limpiar y purificar los elementos nocivos. Si alguna depuración exigía minuciosidad y entereza para no doblegarse con generosos miramientos a consideraciones falsamente humanas era la del profesorado.

y con el espíritu que se perfila en el siguiente párrafo:

Conscientes de que está representada aquí la más alta ocasión de la nueva España, con aire severo y religioso de concilio, proclamamos ante todo nuestra fe en la Ciencia española. Gloriosa Ciencia, tesoro patrimonial de nuestros mejores siglos, que los hierofantes de la impiedad y de la antipatria —culpables máximos del desastre cultural, social y político de que acabamos de salir indemnes por obra del genio de V. E. y la sangre de la juventud— negaban en criminal y porfiada polémica contra la voz clamante en el desierto, de don Marcelino Menéndez y Pelayo. Aquella polémica termina hoy y aunque la "superbia vitae" de sus promotores haya costado muchas lágrimas y mucha sangre, la nueva España que sobrevive a tantas afrentas y angustias, es a la postre símbolo de la victoria plena de don Marcelino sobre los pigmeos que lograron tan sólo arañar la corteza centenaria de la nación. El heterodoxismo inútil no pudo torcer la índole unitaria de la raza y aún tiene raíces y savia el árbol luliano de nuestra Ciencia para retoñar las fecundas yemas y brotes de la fuerza imperial que nos hizo influir con cristiano destino en el pensamiento del universo.

Con estas ideas se creó un nuevo organismo, por Ley de 24 de noviembre de 1939, al que se le puso el pomposo nombre de *Consejo Superior de Investigaciones Científicas (CSIC)*, con el explícito objetivo recogido en el preámbulo de esa ley que dice:

En las coyunturas más decisivas de su Historia concentró la Hispanidad sus energías espirituales para crear una cultura universal. Esta ha de ser también la ambición más noble de la España del actual momento, que, frente a la pobreza y paralización pasadas, siente la voluntad de renovar su gloriosa tradición científica.

Tal empeño ha de cimentarse, ante todo, en la restauración de la clásica y cristiana unidad de las ciencias, destruida en el siglo XVIII. Para ello hay que subsanar el divorcio y discordia entre las ciencias especulativas y experimentales y promover en el árbol total de la ciencia su armonioso incremento y su evolución homogénea, evitando el monstruoso desarrollo de algunas de sus ramas, con anquilosamiento de otras. Hay que crear un contrapeso frente al especialismo exagerado y solitario de nuestra época, devolviendo a las ciencias su régimen de sociabilidad, el cual supone un franco y seguro retorno a los imperativos de coordinación y jerarquía. Hay que imponer, en suma, al orden de la cultura, las ideas esenciales que han inspirado nuestro Glorioso Movimiento, en las que se conjugan las lecciones más puras de la tradición universal y católica con las exigencias de la modernidad».

155

De lo que se desprendía que debía ser al *Estado, a quien corresponde la coordinación de cuantas actividades e instituciones están destinadas a la creación de la ciencia*, y por eso según dice el artículo 2° de la ley, *El Consejo Superior de Investigaciones Científicas estará bajo el alto patronato del Jefe del Estado, y Caudillo de España, y en su representación será presidido por el Ministro de Educación Nacional.*

No es necesario insistir mucho sobre cuál fue el espíritu del nuevo organismo, cuyo fin inicial era eliminar, por perversa, toda la obra realizada por la *Junta*, para pasar a otra forma de investigación que se enraizase en la tradición cristiana, continuando el pensamiento escolástico español del siglo XVII, y despreciando el gran avance científico europeo de los siglos XVIII y XIX, considerándolo como el causante de los males contemporáneos. Para ello se requería una estructura jerárquica rígida encabezada por el propio Franco, para someter el pensamiento a las normas del *Glorioso Movimiento Nacional* y de la fe católica.

Se ponía así la investigación científica española bajo el control directo de Franco. Para volver a matar a la disuelta *Junta para la Ampliación de Estudios*, se hicieron pasar todas sus pertenencias -las que sobrevivieron a la guerra- al CSIC como se dice en el artículo 6° que disponía que:

> *Todos los. Centros dependientes de la disuelta Junta para Ampliación de Estudios e Investigaciones Científicas, de la Fundación de Investigaciones Científicas y Ensayos de Reformas y los creados por el Instituto de España, pasarán a depender del Consejo Superior de Investigaciones Científicas. Quedan ligados también al Consejo los Centros investigadores de este Ministerio, no vinculados a la Universidad.*

Aunque se pasaban los Centros se suprimía el espíritu de la *Junta*, como queda constancia en la recopilación de artículos recogida en el libro titulado *Una poderosa fuerza secreta, la Institución Libre de Enseñanza* (publicado en San Sebastián en 1940), firmados por algunos autores franquistas en los que se incluye, con espíritu de denuncia y revancha, un alegato contra personas que todavía vivían y que se obligaba a responder a las públicas y concretas inculpaciones que se les dirigían... *Para evitar que el árbol de la Institución, que hoy parece abatido, pueda retoñar de algún modo*, es decir, para abrir públicamente expedientes de depuración.

Así se dejó cesantes a cuantos nombramientos, designaciones o encargos hubieran podido hacerse antes de la organización del Consejo y las vacantes se cubrirían por designación directa del Ministro.

El CSIC fue fundado por Franco, y estaba presidido por Franco por medio de su Ministro Ibáñez Martín, y tenía como primer secretario general a José María Albareda (1902–1966).

Para saber cuáles eran las ideas que tenía Albareda sobre la Ciencia y la investigación científica, basten recoger algunos párrafos de su discurso de ingreso en 1942, en la *Academia de Ciencias Exacta, Físicas y Naturales*. Comienza identificando la Verdad (con mayúscula) con Dios a las que deben estar supeditadas todas las demás verdades (incluidas las científicas), es decir, la Ciencia supeditada a Dios

> *La investigación ha de servir y ha de dirigirse hacia el servicio austero y cordial de la Verdad y de España. [...] La investigación tiene importancia; pero hay otras muchas cosas en que pensar y en que actuar. El mundo necesita algo más que saber; necesita alegría, alegría honda, capaz de superar todas las crisis y todas las angustias, superior a la enfermedad y a la muerte, efluvio de alegría jugosa, que es don divino traído a los hombres de buena voluntad en la noche de Belén. [...] Investigación es anhelo de un más allá, insatisfacción de lo conocido y de lo dominado, deseo de caminar buscando verdades. Y las verdades son camino para la Verdad. Como a los Magos de Oriente, la luz lleva a la Luz. [...] Al investigador hay que exigirle limpieza y objetividad en el juicio, y, además, la pasión del servicio a la Verdad. A la Verdad absoluta y eterna que es Dios [...]*

Mas adelante busca lo especifico, la verdad de la "España inmortal", a las que las demás verdades deben de estar supeditadas:

> *Y pasión y servicio a esta verdad honda y viva que es España. Porque España no puede vivir como tantas colectividades humanas, educadas suaves y templadas, siendo mentira. Para España la mentira es toxico. Por ello España, nuestra España, ha estado en trance de muerte, al ingerir las mentiras que, como frívolo brebaje, beben en otras latitudes. Bajo el poder de la mentira, España no se tuerce como una masa proteica y acomodaticia, cuya esencia es vivir como sea. Bajo el poder de la mentira, España vive el*

martirio. Segad todas las gratas flores literarias, removed toda la costra brillante, accesible y fácil: allá debajo, en el escondido subsuelo español, encontrareis una densidad de callado heroísmo concentrado y hondo, que es la explicación de vuestra vida. Allí —zonas olvidadas, fundidas en impulsora unidad— vive la verdad de la España inmortal.

Para terminar poniendo a la Ciencia supeditada al Caudillo:

[...] Esa ciencia del «modus vivendi» no podría ser Ciencia española. Una ciencia que lleva al escepticismo, a preguntar como Pilatos, que es la verdad, no puede ser española. Por ello fue preciso que, en este renacer de España, el dolor y la sangre no siguiese aquel intelectualismo empantanado en una soberbia superadora de todos los valores, superior al bien y al mal, a la patria y a sus sacrificios. El Caudillo creó el Consejo Superior de Investigaciones Científicas, plantó el árbol de la Ciencia —viejo y nuevo, universal y español— en el suelo fecundo de España.

Para realizar la investigación, que así quedaba caracterizada, no se necesitaba científicos expertos sino inquebrantables adictos al régimen. Sobre la calidad de los nuevos investigadores ya el 22 de noviembre de 1939 decía Julio Palacios:

Son tantas las personas de valor científico que han traspuesto las fronteras de España, que la situación actual es verdaderamente desoladora y resulta agravada porque gran número de los elementos que por su escaso valor habían sido justamente postergados se comportan como si la guerra no hubiese sido otra cosa que unas elecciones ganadas, y piensan que ha llegado la ocasión de ocupar todos los puestos que antes se hallaban en poder del adversario y como son muy pocos quienes pueden alardear de una conducta ideológica intachable, todos se esfuerzan ahora en aparentar un celo depurador que contrasta con la mansedumbre con que anteriormente toleraban las vejaciones.

Recogemos a continuación algunas palabras de Pedro Laín Entralgo de su libro *Descargo de conciencia*, publicado en 1976. Laín Entralgo (1908 –2001), medico e historiador de la ciencia, había sido falangista de la primera época, después fue Rector de la Universidad de Madrid cuando los acontecimientos universitarios de 1956. Por eso su crítica a como fueron

158

reclutados los que debían dirigir la ciencia en CSIC cobra mayor valor y contrasta con el espíritu expresado en el preámbulo de la Ley que lo crea. Comienza diciendo::

> *Desde el Ministerio de Educación Nacional y a través del naciente Consejo de Investigaciones Científicas … después del atroz desmoche que el exilio y la "depuración" habían creado en nuestros cuadros universitarios, científicos y literarios… continuó implacable tal "depuración" y deliberada y sistemáticamente se prescindió de los mejores, si éstos parecían ser mínimamente sospechosos de liberalismo o republicanismo, o si por debajo de su nivel había candidatos a un tiempo derechistas y ambiciosos.*

Después pone algunos ejemplos "sangrantes" de la depuración realizada, después de acabada la guerra, sobre profesores que no habían salido al exilio

> *De dirigir la investigación filológica-románica no se encargó a Dámaso Alonso y a Rafael Lapesa -y por supuesto, tan pronto como volvió a España, a don Ramón Menéndez Pidal-, sino a Entrambasaguas y a Balbín. Al frente del Instituto Cajal, nuestro más prestigioso centro científico, no se puso a Tello o a Fernando de Castro, ambos discípulos directos de don Santiago y disponibles ambos en Madrid, sino –entre otros– al enólogo Marcilla, persona excelente y técnico muy competente en lo suyo, pero tan alejado del trato con las células de Purkinje, valga este ejemplo, como del cerebelo pueda estarlo el vino. El gobierno y la orientación de los estudios físicos no fueron encomendados a Julio Palacios, católico y monárquico, dicho sea de inciso, y a Miguel Catalán, espectroscopista de renombre internacional, sino a José María Otero Navascués, óptico muy estimable, desde luego, más no comparable entonces con los dos maestros mencionados. Para la dirección de los estudios filosóficos, el P. Barbado fue preferido a Xavier Zubiri, e incluso a don Juan Zaragüeta. Acerca de la actitud del P. Barbado frente a Ortega, toda ponderación sobra; por él y por quienes le llevaron a dirigir el Instituto Luis Vives – ¡pobre Luis Vives! – hablaría luego su hermano de hábito el P. Ramírez. Pero tal vez no sea ocioso recordar que aquél, docente eventual en la Facultad de Filosofía y Letras de Madrid, fue el principal agente de la escandalosa reprobación de la tesis doctoral de Julián Marías, en 1941…,*

y termina diciendo:

En Química física, Moles y los suyos fueron totalmente eliminados a favor de Foz Gazulla, inteligente químico, y buen amigo mío, pero fanático y neurótico. A costa de olvidar su propio pasado... don Pascual Galindo prevaleció resueltamente sobre José Vallejo y Antonio Tovar, ambos herederos de la naciente filología clásica del0 Centro de Estudios Históricos y demasiado sospechosos, por tanto, de "continuismo". Obermaier quedó oficialmente olvidado. En Barcelona, el enorme vacío creado por la ausencia de Augusto Pi y Suñer fue habitado 6por la incipiente y escasa fisiología de Jiménez Vargas, miembro del Opus Dei. ¿Para qué seguir?... la decisión de partir desde cero o desde la más pura derecha se impuso implacablemente.

Para terminar este capítulo transcribiremos a continuación unas palabras escritas por Enrique Trillas, que fue presidente del CSIC (1984–1988) incluidas en el libro editado por el CSIC *Tiempos de Investigación* (2007), decía lo siguiente:

Estrictamente, el Consejo Superior de Investigaciones Científicas no es la Junta para la Ampliación de Estudios, ni su continuación. El Consejo es una consecuencia de la traumática discontinuidad histórica de la Guerra Civil; fue creado por y dentro de un Estado totalitario-fascista que, de entrada, acordó la disolución de la Junta y la tildó de anti-patriótica. No me consta que haya habido, hasta la fecha, un específico acto político de desagravio público.

Capítulo 6

El exilio científico español de 1939

6.1. Antecedentes. 6.2. La represión franquista causa de la emigración y exilio. 6.3. La salida de España y llegada a los países de acogida. 6.4. Relación de exiliados por ciencias. 6.4.1. Médicos. 6.4.2. Físicos y matemáticos. 6.4.3. Naturalistas. 6.4.4. Químicos y farmacéuticos. 6.5. Nota sobre el origen del texto de este capítulo.

6.1. Antecedentes.

Es muy importante observar lo que significó para la ciencia española el exilio de 1939 producido, tras derrota de la II República Española, por la implacable persecución política ejercida por el nuevo Estado franquista. Esta emigración, presenta un dramatismo especial debido a que la ciencia solo había fructificado con cierto esplendor en España una vez desde el Renacimiento, como ocurrió en la segunda mitad del siglo XVIII y, a diferencia de otros campos de la cultura española, su arraigo tenía mucho menos vigor y tradición. La Ciencia, pese a los dos grandes intentos que en tal sentido se habían hecho en los tres últimos siglos, era todavía a comienzo de la guerra civil lo suficientemente frágil para que una tempestad como la producida en la posguerra dejara exhaustas las capacidades científicas en nuestro país. Por tanto una emigración masiva en el cuerpo aun débil de la ciencia española, que todavía no había impregnado con su filosofía al cuerpo social, significó un retroceso más notable y grave que el exilio de otras disciplinas más arraigadas en nuestro suelo y por ende de más fácil resurgimiento.

161

Expondremos sucintamente cuales fueron algunas de las causas y circunstancias que motivaron un exilio tan masivo y de tal magnitud como el de 1939. Por otra parte, veremos cómo se produjo la salida de España y la llegada a los lugares de acogida. Además, dedicaremos una parte importante del presente capítulo a dar una relación de exiliados, que sin duda será incompleta aunque creemos que suficiente, para cuantificar lo que significó la sangría de este exilio viendo la magnitud en cantidad y calidad de los científicos que emigraron.

Nos hubiera gustado dedicar todo un parágrafo para tratar de la revista titulada *Ciencia, Revista hispano-americana de ciencias puras y aplicadas,* y de lo que esta significó para los científicos españoles en el exilio. Esta importante omisión, sólo se salvaría con un estudio sobre esta monumental obra científica, que se publicó ininterrumpidamente desde de marzo de 1941, en que apareció en México su primer número, hasta los años en que se inició la llamada transición española en que se dio por terminada. Comenzó a editarse bajo la dirección del eminente naturalista y venerable anciano don Ignacio Bolívar Urrutia, con un comité de redacción formado por Cándido Bolívar Pieltain, Isaac Costero y Francisco Giral. Después de la muerte de Ignacio Bolívar, en noviembre de 1944, continuó como director Blas Cabrera hasta su fallecimiento en agosto de 1945. La dirección sería después asumida durante muchos años por Cándido Bolívar Pieltain. Más de treinta volúmenes han aparecido hasta su final. En esta revista colaboraron un gran número de los científicos del exilio. Esta es, sin duda, una de las revistas científicas de carácter general en lengua española más importante de todos los tiempos. En ella se daba cabida a artículos originales de toda disciplina científica, se realizaba una amplia revista de revistas con abstracs firmados de los artículos mundiales más relevantes, así como reseñas de libros nuevos. Este tipo de revistas han sido muy raras en España. Más adelante referimos a cómo fue prohibida su distribución en España e impedida su entrada mediante el correo postal.

* * *

El exilio se produce después de un siglo de grandes esfuerzos para poner la ciencia española al nivel de los países avanzados de Europa. El primer exilio importante de científicos españoles se produjo durante la oscura noche que significó el reinado de Fernando VII. A su reinado no siguió un amanecer brillante sino un panorama todavía cubierto por negros nubarrones, que sólo permitía tímidamente iniciar el estudio de las ciencias. Pero ese tímido interés no era suficiente, pues se requerían condiciones generales políticas y de cultura para que la actividad de la ciencia se insertara dentro del cuerpo social del país. Ya hemos visto anteriormente algunas de las vicisitudes por las que pasó la ciencia durante el siglo XIX. Así, la tendencia hacia una ligera industrialización y la necesidad de construir nuevas vías de comunicación, impulsaron de nuevo a iniciar los estudios técnicos y, en su apoyo, paulatinamente los estudios científicos. También se vio la necesidad de incrementar la educación general recogida en diversos planes de estudio y en la renovadora Ley Moyano de 1857. Pero, como ya dijimos, hubo que esperar hasta la Revolución del 68, que trajo una democracia con libertades suficientes, para incrementar los avances en la enseñanza (media, técnica y universitaria), y se abriera un camino hacia el nuevo resurgir de la ciencia.

Gracias a este resurgir ya contaba España, al finalizar el siglo, con cierto número de científicos que realizaban una producción que iba permeando la sociedad. Por otra parte, desde que regresó de Alemania Sanz del Río, hubo un nuevo planteo en las concepciones filosóficas que ayudaron a algunos grupos a salirse del escolasticismo imperante y que, por intermedio del *Ateneo de Madrid* y la *Institución Libre de Enseñanza*, influyeron en el futuro de la educación y de la actividad intelectual y científica española.

También, la conjunción de la influencia de la *Escuela de Estudios Superiores del Ateneo de Madrid* y de la *Institución Libre de Enseñanza*, junto con una apertura liberal del gobierno, hicieron posible la creación de la *Junta para la Ampliación de Estudios e Investigaciones Científicas* promotora de los brillantes logros alcanzados en el primer tercio del siglo XX.

También en esta época se produjo en Barcelona un importante crecimiento de las actividades científicas, auspiciadas primero por la *Diputación*, luego por la *Mancomunitat* y después por la *Generalitat de Catalunya*. En estas actividades participaron nombres como los de Milá y Fontanals, Serra Hunter, Bosch Gimpera, Xirau, Nicolau d'Olwer, Soldevila, Turró, Pi Sunyer y más jóvenes como Bellido, González Domingo, Dalmau, Cervera, Carrasco. Que actuaban en instituciones como el *Instituto d'Estudis Catalans*, la *Societat Catalana de Biología*, el *Laboratori Municipal del Parc* dirigido por Turró, el *Laboratori de Fisiología* dirigido por Augusto Pi Sunyer, los laboratorios de la Facultad de Ciencias, de donde salieron figuras como la de Fernández Galiano. Otros profesores también contribuyeron a vitalizar las entidades catalanas, como son Jaime Peyri, Manuel Dalmau, Gallart, Corachan, entre otros más.

6.2.- La represión franquista causa de la emigración y exilio.

Con estos brillantes antecedentes, y después de más de setenta años de finalizada la guerra civil española, resulta a veces difícil comprender cómo pudo realizarse un exilio de la magnitud del que es motivo este capítulo, con la perdida de riqueza que ello supuso. Es sobre todo sorprendente que este exilio haya sido padecido por personas liberales y cultas, la mayor parte profesores universitarios pertenecientes a clases acomodadas y difícilmente imputables de extremismo. Esta emigración, que representa una de las mayores *huidas de cerebros* de la historia, no fue causada por la búsqueda de mejores condiciones económicas o de mejores infraestructura científicas, ya que estos logros se estaban consiguiendo en España y era uno de los objetivos que orientaba la actividad científica de esos años: crear un tejido de personas e instituciones que lograra incorporar la ciencia universal a nuestra cultura.

La explicación hay que buscarla en el propio antagonismo de las dos Españas. Los valores que para la España republicana representaban sus objetivos fundamentales -la libertad, la democracia, el librepensamiento, la modernidad, la ciencia, la industrialización- representaron para la otra España motivo de sublevación, ya que defendían la monocracia, la ortodoxia religiosa, la tradición, el escolasticismo, la propiedad agraria. Por eso la guerra pronto dejó de ser un golpe de estado para derribar a un gobierno recién elegido, y se convirtió en una cruzada para borrar del suelo español todo intento de modernización social, económica, política y cultural, y para ello necesitaba restaurar un Estado con el apoyo de lo más rancio de la sociedad española. En él la monocracia no podía ser una restauración monárquica, y menos en un rey como Alfonso XIII (1886–1941) al que consideraban culpable por haber permitido la situación de avance hacia la modernidad y por su huida al exilio. Además los ejemplos contemporáneos autoritarios de Italia y Alemania, con su fascismo y nazismo dominantes en Europa, facilitaban la instauración de una dictadura en España que llevase a cabo una *depuración* radical de las nuevas formas que se estaban desarrollando en nuestro país.

El triunfo del Frente Popular significaba para España el haber alcanzado, tras siglos de oscurantismo, la posibilidad de regeneración desde los puntos de vistas *cultural* y *social*. Social, porque se intuía posible el paso de una sociedad agraria a una sociedad industrial avanzada con protagonismo obrero; y cultural porque se alcanzaba después de una paciente y delicada tarea educativa lograr para España un pensamiento libre y racional apartándose de los dogmatismos eclesiásticos y del escolasticismo universitario tradicional.

La tarea realizada durante los cien años anteriores por el *Ateneo*, la *Institución Libre de Enseñanza* y la *Junta para la Ampliación de Estudios* estaban dando sus frutos y cabía esperar cambios esenciales en las estructuras económica y social de España que condujesen a un incremento de la riqueza y a una mejor distribución de la misma. Pero, justamente, en esa posibilidad de cambio cultural encontramos una de las causas de la sublevación militar: el temor a que los antiguos privilegios fueran abolidos si se generalizaba un pensamiento racional que orientara la justicia social.

Por eso, desde el comienzo de la guerra, hubo una especial represión ejercida por el movimiento franquista contra todo lo que significase educación, cultura y ciencia libres y modernas. Ya dedicamos algunos párrafos del capítulo anterior a este importante tema, que solo traemos a colación para situar lo que determinó el exilio de tantos científicos españoles que se vieron obligados a huir por la campaña de desmantelamiento de la cultura republicana cuando esta estaba empezando a florecer. Por eso nos limitaremos aquí a recordar algunos hechos que ponen de manifiesto la destrucción premeditada y sistemática de las ideas y de las instituciones científicas (que iniciaron su actividad en los decenios anteriores), y muy especial y explícitamente contra el *Ateneo*, la *Institución Libre de Enseñanza* y la *Junta para la Ampliación de Estudios*.

Se inició esta represión desde los orígenes de la sublevación, después de constituirse la *Junta de Defensa Nacional*, y del régimen provisional de Mandos combinados, que se creó para responder a las más apremiantes necesidades de organización de la sublevación militar. Pero se organiza poco tiempo después, cuando el 1 de octubre se forma por Decreto, un Gobierno de la zona sublevada y Franco asume todos los poderes. Esto se hace para imponer «un régimen orgánico y eficiente, que responda adecuadamente a la nueva realidad española y prepare, *con la máxima autoridad*, su porvenir» como se decía en el preámbulo de dicho Decreto.

Para ello se crea *como órgano principal de la Administración Central del Estado, la Junta Técnica, con sus Comisiones* (que después se convertirían en Ministerios), *el gobernador general del Estado, la Secretaría de Relaciones Exteriores y la Secretaría General del Jefe del Estado*, para atender *en la parte liberada del solar de la Patria, el volumen y la complejidad creciente de las funciones de gobierno y de gestión, y la necesidad de tener montado de modo completo el sistema administrativo y la reorganización de los servicios centrales que, sin prejuzgar una definitiva forma del Estado, abra cauce a la realización de una obra de gobierno estable, ordenada y eficaz* y en todo caso *sujeta a la constante influencia del Movimiento Nacional* por *su espíritu ... hondo y medularmente español*. Con este Decreto se configuraba una estructura del Estado monocrática, autoritaria y dictatorial, ya que Franco tenía la potestad de dictar las leyes y decretos y los futuros ministros las ordenes. En esta organización se daba una atención especial al ejército a través del Ministerio de Defensa Nacional, (aunque Franco conservaría de por vida el mando supremo de los Ejércitos de Tierra, Mar y Aire), al control público que disponía de dos ministerios, el de Orden Púbico y el de Interior, y a la Iglesia católica a la que se atiende desde tres ministerios: el de Asuntos Exteriores con una atención especial a las relaciones con la Santa Sede, el Ministerio de Justicia con atención especial a los asuntos eclesiásticos, y el Ministerio de Educación Nacional cuya orientación cae especialmente bajo influencia de la Iglesia.

Vemos pues una estructura del Estado que es una dictadura unipersonal que se apoya en el ejército como fuerza esencial de mantenimiento del orden público (complementado por la policía armada y la guardia civil) y en la Iglesia católica para el mantenimiento del orden moral, especialmente a través de la enseñanza a todos los niveles y de la censura de las ideas y de su expresión pública (prensa, publicaciones, espectáculos). Sólo faltaban los instrumentos jurídicos específicos de represión y los cuerpos que ejecutaran la misma.

Dentro de la *Junta Técnica del Estado* se creó la *Comisión de Cultura y Enseñanza* presidida José María Pemán, y en la que ocuparía la vicepresidencia Enrique Suñer Ordóñez, que se encargó de una depuración del profesorado universitario, en las zonas bajo su control, que su presidente caracterizaba así:

> *El carácter de la depuración que hoy se persigue no es sólo punitivo, sino también preventivo. Es necesario garantizar a los españoles... que no se volverá a tolerar, ni menos a proteger y subvencionar a los envenenadores del alma popular, primeros y mayores responsables de todos los crímenes y destrucciones que sobrecogen al mundo y han sembrado de duelo la mayoría de los hogares honrados españoles. No compete a las Comisiones depuradoras el aplicar las penas que los Códigos señalan a los autores por inducción, por estar reservada esta facultad a los Tribunales de Justicia, pero sí proponer la separación inexorable de sus funciones magistrales de cuantos directa o indirectamente han contribuido a sostener y propagar a los partidos, ideario e instituciones del llamado "Frente Popular". Los individuos que integran esas hordas revolucionarias, cuyos desmanes tanto espanto causan, son sencillamente los hijos espirituales de catedráticos y profesores que, a través de instituciones como la llamada "Libre de Enseñanza", forjaron generaciones incrédulas y anárquicas. Si se quiere hacer fructífera la sangre de nuestros mártires es preciso combatir resueltamente el sistema seguido desde hace más de un siglo de honrar y enaltecer a los inspiradores del mal.*

Esta *Comisión* funcionó hasta la creación, en enero de 1938, del *Ministerio de Educación Nacional*, dentro del cual se creó, en marzo, la *Oficina Técnico Administrativa para la tramitación de los expedientes de depuración.*

Ya antes, el 1 de febrero de 1938, se dictó una orden para regular la provisión de cargos y de funcionarios de todas clases dependientes de Ayuntamientos y Diputaciones. Por esta Orden causaban baja inmediata y definitiva en el escalafón del Cuerpo respectivo todos los sancionados anteriormente por faltas en el Decreto número 108 de la *Junta de Defensa Nacional* como desafectos al *Glorioso Movimiento Español* y a la *Causa Salvadora de España.* Con ello se evitaba el desempeño de funciones públicas a personas no afectas al Movimiento Nacional.

La depuración iba contra las personas, pero las instituciones tampoco eran respetadas y menos todavía el espíritu de libertad con que habían sido creadas. Ya vimos cómo se creó el *Instituto España*, para agrupar a los académicos afectos al régimen franquista y vimos también como el ministro Sainz Rodríguez, le usó para *atender en el papel* la investigación científica, disolviendo previamente la *Junta para Ampliaciones de Estudios*.

A las anteriores siguieron otras normas depuradoras, pero fue poco antes de terminar la guerra, el día 9 de febrero de 1939, cuando se dicta la *Ley de Responsabilidades Políticas*, en la que se disponen sanciones restrictivas de libertad de actividad (como inhabilitación absoluta, e inhabilitación especial), de libertad de residencia (como el extrañamiento, la relegación a las posesiones africanas, el confinamiento y el destierro) y de libertad económica (como la pérdida total de los bienes, el pago de cantidad fija, o la pérdida de bienes determinados). La exigencia de las responsabilidades políticas era independiente de las exigencias determinadas por los tribunales militares, que actuaban en otra jurisdicción, que pudieran caer sobre las mismas personas.

El espíritu de esta ley queda reflejado en su preámbulo que se inicia así:

> *Próxima la total liberación de España, el Gobierno, consciente de los deberes que le incumben respecto a la reconstrucción espiritual y material de nuestra Patria, considera llegado el momento de dictar una Ley de Responsabilidades Políticas, que sirva para liquidar las culpas de este orden contraídas por quienes contribuyeron con actos u omisiones graves a forjar la subversión roja, a mantenerla viva durante más de dos años y a entorpecer el triunfo providencial e históricamente ineludible, del Movimiento Nacional, que traduzca en efectividades prácticas las responsabilidades civiles de las personas culpables y que, por último, permita que los españoles que en Haz apretado han salvado nuestro país y nuestra civilización y aquéllos otros que borren sus yerros pasados mediante el cumplimiento de sanciones justas y la firme voluntad de no volver a extraviarse, puedan convivir dentro de una España grande y rindan a su servicio todos su esfuerzos y todos sus sacrificios.*

También se refleja en la forma en que se componen los tribunales:

> *Los Tribunales encargados de imponer las sanciones estarán compuestos por representantes del Ejército, de la Magistratura y de la Falange Española*

Tradicionalista y de las J. O. N. S., que darán a su actuación conjunta el tono que inspira al Movimiento Nacional.

Y tiene el agravante de su carácter retroactivo, como vemos en su artículo 1º, cuando dice:

Se declara la responsabilidad política de las personas, tanto jurídicas como físicas, que desde primero de octubre de mil novecientos treinta y cuatro y antes de dieciocho de julio de mil novecientos treinta y seis, contribuyeron a crear o a agravar la subversión de todo orden de que se hizo víctima a España y de aquellas otras que, a partir de la segunda de dichas fechas, se hayan opuesto o se opongan al Movimiento Nacional con actos concretos o con pasividad grave.

En el artículo 2º, se declaran fuera de la ley a:

Todos los partidos y agrupaciones políticas y sociales que, desde la convocatoria de las elecciones celebradas en dieciséis de febrero de mil novecientos treinta y seis, han integrado el llamado Frente Popular, así como los partidos y agrupaciones aliados y adheridos a éste por el sólo hecho de serlo, las organizaciones separatistas y todas aquellas que se hayan opuesto al triunfo del Movimiento Nacional.

En virtud de lo cual (artículo 3º):

Los partidos, agrupaciones y organizaciones declaradas fuera de la ley, sufrirán la pérdida absoluta de sus derechos de toda clase y la pérdida total de sus bienes. Estos pasarán íntegramente a ser propiedad del Estado.

Los expedientes de *depuración* se iniciaban por varios caminos: como consecuencia de sentencias dictadas por la Jurisdicción Militar, por denuncia escrita y firmada de cualquier persona natural o jurídica, o por propia iniciativa del Tribunal.

Y, pese a la formación de tribunales especiales con los que se quería dar una apariencia de legalidad, ni siquiera estos fueron usados en muchos casos, como en los que se dictaron sentencias directamente por organismos gubernamentales. La urgencia de la represión en la universidad no esperó siquiera a la aparición de la *Ley de responsabilidades políticas*, para dar arbitrarias Órdenes ministeriales. Veamos algunos ejemplos de sentencias dictadas por Órdenes ministeriales, que por tratarse de científicos son de especial interés en este capítulo.

Así, antes de finalizada la guerra, por dos Órdenes ministeriales aparecidas en el BOE, el 4 de febrero de 1939, (cinco días antes de promulgar la Ley de responsabilidades políticas), el Ministro Pedro Sainz Rodríguez, dispone que se separen definitivamente del servicio a varios catedráticos por ser *pública y notoria la desafección, de los Catedráticos universitarios que se mencionarán, al nuevo régimen implantado en España.*

Con la primera orden *se separan definitivamente del servicio y se dan de baja en sus respectivos escalafones,* a los catedráticos de Ciencias: Honorato de Castro Bonel, Pedro Carrasco Garrorena, Enrique Moles Ormellá, Miguel Crepi Jaume y Cándido Bolívar Pieltain; de Farmacia: Antonio Medinaveitia Tabuyo; y de Medicina: Manuel Márquez Rodríguez, José Sánchez-Covisa y Teófilo Hernando Ortega. Orden que que envió el ministro Saínz Rodriguez al *Jefe del Servicio Nacional de Enseñanzas Superior y Media, que t*ranscribimos a continuación:

> *ORDEN de 4 de febrero de 1939 separando definitivamente del servicio a varios Catedráticos de Universidad.*

> *Ilmo. Sr.: Dados los antecedentes completamente desfavorables y en abierta oposición con el espíritu de la Nueva España de los señores Catedráticos que a continuación se relacionan, este Ministerio ha resuelto separar definitivamente del servicio y dar de baja en sus respectivos Escalafones a los señores don Luis Recasens, Catedrático de Derecho de la Universidad Central; don Honorato de Castro Bonel, Catedrático de la Facultad de Ciencias de la Universidad Central: don Pedro Carrasco Garrorena, Catedrático de la Facultad de Ciencias de la Universidad-Central: don Enrique Moles Ormellá, Catedrático dé la Facultad de Ciencias de la Universidad Central; don Miguel Crespi Jaume, Catedrático de la Facultad de Ciencias de la Universidad Central; don Antonio Medinaveitia Tabuyo, Catedrático de la Facultad de Farmacia de la Universidad Central; don Manuel Márquez Rodríguez, Catedrático de la Facultad de Medicina de la Universidad Central; don José Sánchez-Covisa, Catedrático de la Facultad*

de Medicina de la Universidad Central; don Teófilo Hernando Ortega,
Catedrático de la Facultad de Medicina de la Universidad Central, y don
Cándido Bolívar Pieltain, Catedrático de la Facultad de Ciencias de la
Universidad Central.

La lista de represaliados se amplía en esta segunda orden ministerial, en
la que se incluía a destacados científicos como José Giral Pereira, Gustavo
Pittaluga y Fattorini, Juan Negrín López, Blas Cabrera Felipe, junto a otras
destacadas figuras universitarias. Tras exponer las causas delictivas que
motivaron esta drástica represión, con estas palabras:

Ilmo. Sr.: Es pública y notoria la desafección de los Catedráticos
universitarios que se mencionarán al nuevo régimen implantado en
España, no solamente por sus actuaciones en las zonas que han sufrido
y en las que sufren la dominación marxista, sino también por su pertinaz
política antinacional y antiespañola en los tiempos precedentes al Glorioso
Movimiento Nacional;

se reconoce que esta sanción se dictó sin garantías procesales,

La evidencia de sus conductas perniciosas para el país hace totalmente
inútiles las garantías procesales, que en otro caso constituyen la condición
fundamental de todo enjuiciamiento, y por ello:

Este Ministerio ha resuelto separar definitivamente del servicio y dar de
baja en sus respectivos escalafones a los señores don Luis Jiménez Asúa,
Catedrático de Derecho de la Universidad Central; don José Giral Pereira,
Catedrático de Farmacia de la Universidad Central; don Gustavo Pittaluga
y Fattorini, Catedrático de Medicina de la Universidad Central; don
Fernando de los Ríos y Urrutia, Catedrático de Derecho de la Central; don
Juan Negrín López, Catedrático de Medicina de la Central; don Azcárate
Flórez, Catedrático, Demófilo de Buen y Lozano, Catedrático de Derecho,
excedente; don Mariano Gómez González, Catedrático de Derecho,
excedente; don Julián Besteiro Fernández, Catedrático de Filosofía
y Letras de la Central; don José Gaos González Pola, Catedrático de
Filosofía y Letras de la Universidad Central; don Domingo Barnés Salinas,
Catedrático de Filosofía y Letras de la Universidad Central; don Blas
Cabrera Felipe, Catedrático de Ciencias de la Universidad Central; don

171

Felipe Sánchez Román, Catedrático de Derecho de la Universidad Central; don José Castillejo y Duarte, Catedrático de Derecho de la Universidad Central y don Wenceslao Roces Suárez, Catedrático de Derecho; excedente

También firmado en Vitoria, el III año Triunfal, por Pedro Sains Rodriguez.

Y en días posteriores, recién terminada la guerra, seguía cesándose un número mucho mayor de profesores. Pero no eran sólo los catedráticos de universidad sobre los que se ejercía la represión, también lo eran otros científicos que desarrollaban sus actividades en otras instituciones. Así tenemos el ejemplo de la orden del Vicepresidente Francisco Gómez-Jordana y Souza, recibida por el Jefe del *Servicio Nacional del Instituto Geográfico y Catastral*, para que causen baja definitiva de los escalafones, varios astrónomos, ingeniaros geógrafos, y otro personal técnico de esta institución. Entre ellos se incluyen algunas eminentes figuras de la ciencia, como los ya citados entre los catedráticos, los astrónomos Pedro Carrasco Garrorena y Honorato de Castro Bonel, junto a la de otros muchos ingenieros geógrafos, topógrafos y diverso personal auxiliar del Instituto Geográfico y Catastral, simplemente por aplicación administrativa de la Ley de Responsabilidades Políticas. La orden da la lista de todos los depurados, y dice así:

... ha resuelto separar del servicio activo y disponer causen baja definitiva en sus respectivos escalafones, los funcionarios dependientes de dicho Instituto Geográfico y Catastral que a continuación se expresan:

Astrônomos: D. Pedro Carrasco Garrorena, D. Honorato de Castro Bonel. Ingenieros Geógrafos: D. Valentín Fuentes López, D. Rodrigo Gil Ruíz, D. Luís del Valle y Jove, D. Ricardo Fernández Murrieta, D. José Asensio Torrado, D. Joaquín Alonso García, D. Jacinto de Bordons Gomes. Topógrafos: D. Victoriano Claudín Jarano. D. Francisco Fernández Asenjo, D. Fernando Oca del Valle. D. Enrique Carratalá Cernuda. D. Constantino Navarro Marquês. D. Recaredo César Quirós Martínez. D. Felipe Mestre Jou. D. Domingo Martínez Barrio. D. Manuel Fernández Cuevas Oria, D. Juan Antonio Pedrazas Herrero. D. José Aquilino Jareño Morales. D. Julio del Rincón Ruíz Gómez. D. Remiario Díaz Fernández de la Reguera. D. Francisco Agulló de la Escosura. D. Jesús Méndez Hernández. D. Juan Luis Gomila Mulet; Delineantes Cartográficos: D. Julio Oca del

Valle. D. Victoriano González Noriega. Administrativos-Calculadores: D. Angel Balius Pastor. D. Jorge Soler Casanova. D. José Canellas Ruíz. D. Fernando Valera Aparicio. Oficiales de Artes Gráficas: D. Manuel Fernández Sánchez Garrido, D. Cayetano Redondo Aceña. Ayudantes de Artes Gráficas: D. José Carrillo Corellano. Mozos de Laboratorio: D. Francisco Giral Bravo. Jornalero D. Valentín Bermejo del Olmo

Como ya hemos dicho, no bastaba con la represión a las personas, era necesario también reformar las instituciones para eliminar el espíritu de libertad y renovación que tenían y ajustarlas a los principios del Movimiento Nacional. Así vemos como en el caso de la ciencia e inmediatamente después de terminada la guerra se crea el *Consejo Superior de Investigaciones Científicas*, por ley de 24 de noviembre de 1939, donde se ponía la investigación científica bajo el control directo de Franco al servicio del *glorioso movimiento*, y, por delegación, del Ministro de Educación Nacional. Se remataba así a la disuelta *Junta para la Ampliación de Estudios* pasando todas sus pertenencias al recién creado *Consejo,* que asumía las obligaciones antes encomendadas a aquellos organismos, y dejando cesantes a cuantos nombramientos, designaciones o encargos hayan podido hacerse antes de esta nueva organización de la investigación científica, y se cubrirían todas esas vacantes por designación directa del Ministro, pretextando la mayor rapidez en la organización de los Centros indicados. De esta manera se completaba la represión contra una institución, la *Junta*, y contra su espíritu de ciencia y modernidad.

Para percibir el espíritu con el que se creaba el *Consejo Superior de Investigaciones Científicas*, ya vimos en el capítulo anterior un párrafo del Preámbulo de la ley por la que se crea el *Consejo*.

La idea de depuración sistemática desde el gobierno quedaba clara en el discurso del ministro de Educación Nacional, José Ibáñez Martín, pronunciado en la Universidad de Valladolid en la apertura del curso 1940, cuando dice: *Si alguna depuración exigía minuciosidad y entereza para no doblegarse con generosos miramientos a consideraciones falsamente humanas era la del profesorado.*

Para la represión en la Universidad existía una *Comisión Depuradora del Personal Universitario*, que tenía la obligación de abrir expediente a

173

todos los profesores que estuvieran en activo el 18 de julio de 1936. Esta *Comisión* funcionaba en Zaragoza y estaba formada por cinco catedráticos y la presidía el de la Universidad de Zaragoza, Gregorio Rocasolano. Tras la guerra, todos los profesores estaban obligados a presentar una instancia solicitando al Rector el reingreso, a la que debía acompañar una declaración jurada sobre su conducta política, social, moral, religiosa y profesional junto con las pruebas documentales correspondientes. Una vez iniciado el expediente, este era enviado para su tramitación a la Comisión de Zaragoza, o directamente al juez instructor correspondiente.

Pero pese a lo anómalo de una comisión depuradora, en muchos casos ni siquiera fue necesario abrir expediente y seguir un proceso por irregular que fuese, sino que se actuaba arbitrariamente por los *antecedentes completamente desfavorables y en abierta oposición con el espíritu de la nueva España no solamente por sus actuaciones en las zonas que han sufrido la dominación marxista, sino también por su pertinaz política antinacional y antiespañola en los tiempos precedentes al Glorioso Movimiento Nacional* por lo que *la evidencia de sus conductas perniciosas para el país, hace totalmente inútiles las garantías procesales, que en otro caso constituyen la condición fundamental de todo enjuiciamiento,* como hemos visto más arriba en alguna de las ordenes de depuración transcritas.

* * *

Veamos también algunos testimonios concretos de los protagonistas del exilio que nos ocupa.

Los datos contenidos en una carta, que ya hace mucho tiempo, me remitió desde México el eminente médico y entusiasta español doctor Puche Álvarez, agregan luz sobre la represión política como causa del exilio científico y, también, datos sobre los negativos efectos de ese exilio en la investigación y en la docencia científicas españolas. En esa carta se refiere a la depuración de los profesores universitarios de la siguiente forma:

> *El doctor Francisco Giral me transmitió algunos datos que resumen las alteraciones producidas en el escalafón de catedráticos, tomando como*

punto de referencia el de 1935. La relación de este documento incluía 575 catedráticos universitarios en activo, más 40 excedentes. El de 1945 reducía la relación de profesores en activo y excedentes en aproximadamente la mitad, 319 y 20, respectivamente. Se daba el caso de que aparecían incluidos algunos profesores exiliados y otros repuestos al terminar el proceso de depuración.

Los que salimos al exilio suman algo más de un centenar y casi otros tantos, de los que quedaron en España, fueron destituidos o sujetos a proceso. Ocho fueron fusilados, dos de ellos ejerciendo las funciones rectorales. Leopoldo Alas (hijo de Clarín), en la Universidad de Oviedo; Salvador Vila, en Granada; Juan Peset, mi antecesor en la rectoría de Valencia, fue también pasado por las armas. Los otros compañeros Casto Prieto Carrasco, Joaquín García Labella, Rafael García Duarte, José Palanco Romero y Arturo Pérez Martín; L. Morillo, decano de Medicina en Santiago, se suicidó en la cárcel ante la intolerable presión y amenaza.

Y nos cuenta, también, la preocupación por impedir la difusión de sus ideas

El triunfalismo dio como resultado el exterminio de los elementos más valiosos de la Universidad española. Después continuó por muchos años la más sañuda persecución prohibiendo la publicación de nuestros escritos, obligando a los editores de obras originales, aun de traducciones de obras extranjeras, a dejar innominados nuestros trabajos. Y así..., ¡podríamos continuar una larguísima lista de asesinatos, agravios y vejámenes!

El exilio siguió produciéndose, también, después de finalizada la guerra. Por ejemplo se excluyó el acceso a la universidad a jóvenes aspirantes, muy valiosos, por el hecho de no ser adictos al nuevo régimen, y que los que tienen oportunidad se ven obligados a buscar el ingreso en universidades de Europa y América.

En los párrafos anteriores quedan recogidas varias razones que justifican el exilio de esos científicos que tuvieron que sustituir la vida de claustro y laboratorio que llevaban en España por una vida peregrina, abandonando los lugares en donde estaban logrando para interés propio y social un brillo que hasta entonces no había sido alcanzado por nuestra ciencia.

Hay en esos párrafos razones dramáticas para el exilio, razones impuestas por una represión sobre las personas y sobre las obras. En el *Boletín Informativo de la Unión de Profesores Universitarios Españoles en el Extranjero* se describen varios casos de represión sobre las obras; en los números 6, 8 y 9, bajo el título genérico *El Estado franquista, editor pirata*, aparecen una serie de artículos en los que se cuentan varios casos de mutilaciones de obras, de supresión de nombres de los autores, etc..., a esos números remitimos al lector. También es interesante y curiosa la noticia que se da en el número 10 de ese mismo *Boletín* sobre la prohibición de la circulación en España de la revista *Ciencia,* cita que transcribimos a continuación:

> *Un caso impresionante fue el de la revista Ciencia. Comenzó a publicarse esta "Revista hispanoamericana de ciencias puras y aplicadas" en México y en marzo de 1940. Del primer número se remitieron a España cerca de quinientos ejemplares. Al parecer, la mayoría llegó a su destino. Por muy diversos conductos se supo en México de la enorme satisfacción que produjo en todos los medios científicos españoles. Algunos, incluso escribieron solicitando la suscripción regular. Cuando fueron a entregar en la Administración de Correos de México los paquetes del tercer número (mayo de 1940) destinados a España, se mostró a los editores de la revista un oficio de la Administración de Correos de España recomendando a la Administración mexicana no admitiese paquetes de la revista Ciencia, pues serían íntegramente devueltos por haber sido prohibida su difusión en España.*

Quienes conozcan esta revista, estrictamente científica, quedarán perplejos ante tal prohibición, y comprenderán hasta donde llegaba esta represión cultural.

La ocultación de la obra de los exiliados españoles, e incluso del hecho mismo de este exilio, puede verificarse consultando algunos de los diccionarios biográficos aparecidos en la larga posguerra española, en los que se omiten muchos nombres de exiliados eminentes y de otros que a pesar de incluirlos no citan ni de pasada esta circunstancia. Aunque peor es el párrafo con que en una de esas obras se pretende justificar el exilio de figura tan eminente como la de Ignacio Bolívar, que dice así:

176

La gran equivocación de los continuadores de la escuela entomológica de Bolívar (y de él mismo) fue la de mezclar, cosa frecuente entre los intelectuales españoles de los años treinta, la ciencia objetiva con la política, y esto hizo que aquel venerable anciano fuera a morir, ya ciego, lejos de su Patria y de "su" Museo, al que había dedicado los mejores años de su vida.

Oigamos por boca del propio Ignacio Bolívar su sensación respecto al destierro que sufrió a la edad de ochenta y nueve años:

Los universitarios españoles que hemos soportado, como simples ciudadanos, las amarguras de la emigración, comunes a todos los compatriotas desterrados, hemos sufrido, además, el inmenso dolor de abandonar nuestros centros y nuestros medios de trabajo, en la mayoría de los casos sin esperanza de recuperarlos jamás. La destrucción accidental o la destrucción premeditada, el rencor, las más bajas pasiones de venganza y hasta de incompetencia y la estupidez, han acabado con una buena parte de nuestros centros universitarios españoles y con la casi totalidad de nuestras bibliotecas particulares. Al problema general de reconstruir en el destierro nuestra vida privada, tuvimos que añadir una imperiosa necesidad que fue, para nosotros, sagrado deber: el de rehacer nuestra vida intelectual.

6.3. La salida de España y llegada a los países de acogida.

Una vez terminada la guerra, con la derrota militar republicana, se produjo la más grande emigración española de su historia. Entre los seiscientos mil exiliados que salieron de España, se encontraban una buena parte de los científicos, que con tanto esfuerzo habían ido formándose en los decenios que precedieron a la sublevación militar del 36. El Dr. Puche nos relata cómo se inició el exilio de numerosos profesores universitarios, investigadores, profesionales... Unos, los que pudieron cruzar la frontera con Francia, se vieron internados en campos de concentración, en donde los recluyeron inicialmente las autoridades francesas hasta que más tarde y con dificultad pudieron cruzar la línea que les impedía su acceso a las ciudades más populosas del norte de Francia. Otros embarcaron en los puertos de Valencia o Alicante con dirección a países de América, especialmente a México. Otros aún, salieron por procedimientos menos convencionales (peligroso paso por Portugal, pequeñas embarcaciones conducidas a Argel, etc...) o padecieron los campos de concentración o las prisiones españolas antes de poder trasladarse al exilio.

Citamos a continuación un párrafo del Dr. Puche, en el que nos cuenta cómo fue la evacuación del poeta Antonio Machado por parte de los servicios de Sanidad del Ejercito de la República:

> *Uno de los últimos servicios de evacuación realizado por la Sanidad del Ejército de la República consistió en el traslado de un grupo de profesores y del más glorioso de los poetas españoles, don Antonio Machado. Enfermo, mortalmente angustiado, deseaba verse a salvo de las vejaciones inhumanas de las tropas falangistas que avanzaban sobre la capital de Cataluña. El doctor A. Folch fue designado para trasladar desde Barcelona a Cerbére a don Antonio acompañado por su anciana madre y por todos sus familiares inmediatos. Iban con él varios profesores universitarios, algunos niños y mujeres de familias truncadas por la guerra. Unas horas después de cumplido el servicio, los Machado fueron instalados en un hotel de Collioure, donde el gran poeta había de morir pocos días más tarde, rodeado de limpios afectos y recatando, como él acostumbraba, su patética desesperación.*

Para la organización general del desplazamiento a los lugares de acogida de los cientos de miles de refugiados que se habían producido al terminar la guerra, se creó en abril de 1939 el *Servicio de Evacuación de Republicanos Españoles* (SERE) y más adelante otra con el nombre de *Junta de Auxilio de Refugiados Españoles* (JARE).

Entre los refugiados atendidos por estas instituciones se encontraban también los científicos españoles a quienes se les facilitaron los primeros desplazamientos. Además, aparecieron otras varias organizaciones que facilitaron la búsqueda de destinos definitivos y lugares de trabajo para los profesores y científicos que se vieron obligados a exiliarse. En este sentido jugó un papel muy importante la *Junta de Cultura Española*, creada en París en 1939 y trasladada posteriormente a México por distinguidos representantes de la intelectualidad española en el exilio; sus objetivos eran:

hacer un censo de intelectuales españoles emigrados, que se estimaban en más de cinco mil; aconsejar y hacer posible la distribución de estos intelectuales entre los distintos países que los acogían, especialmente en los de habla hispana, ya que para muchos de ellos el idioma era una barrera; evitar el aislamiento de los intelectuales, proporcionando medios para un contacto permanente; animar a que la cultura española, amenazada por el nuevo régimen instalado en territorio español, pudiera no sólo sobrevivir en otros territorios, sino también incrementarse mediante el intercambio libre y solidario. Uno de los medios de este intercambio fue la fundación de la revista mensual *España Peregrina*. Otro fue la institución *Unión de Profesores Universitarios Españoles en el Extranjero* (UPUEE), creada en París en 1939, y que pronto pasaría a América, cuya Sección de México estaba presidida por Ignacio Bolívar. A partir de agosto de 1943 se publicó el *Boletín Informativo de la UPUEE*, en el que además de las noticias de las actividades de la *Unión de Profesores*, se incluían las referencias bibliográficas de las publicaciones del profesorado universitario español durante la emigración.

* * *

Diversos países europeos, como Francia, Inglaterra, o la Unión Soviética, acogieron a científicos e intelectuales españoles, pero en general ésta fue una estancia temporal, y el destino definitivo para la mayor parte de ellos fue, sin ninguna duda, los países americanos. Entre ellos fue México el país que incorporó la mayor cantidad, proporcionándoles desde su llegada una acogida calurosa y fraterna. Otros países de América en los que fue notable el exilio de científicos españoles fueron Argentina, Chile, Colombia, Cuba, Venezuela... y Estados Unidos, en cuyas universidades pronto impartieron sus conocimientos.

La acogida de científicos españoles en los distintos países era motivada muchas veces por el prestigio internacional de los mismos, por el conocimiento local de su valía constatado en actividad docente o conferenciante realizada en dicho país antes de estallar la guerra civil, por relación personal con profesores nativos o españoles ya instalados en dichos países, etc. o por instituciones especialmente creadas para tal fin, como fue el *Comité Técnico de Ayuda a los Españoles en México*.

Sobre la acogida de científicos españoles en distintos países, pondremos unos ejemplos de cómo se realizaron de forma concreta estos desplazamientos. Los dos primeros son de carácter personal, el tercero institucional.

Rey Pastor, hacía ya algunos años que, aprovechando la diferencia de estaciones producida por la diferencia de hemisferio, pasaba la mitad de su tiempo entre la universidades de Madrid y Buenos Aires. Desde el comienzo de la guerra no había vuelto a España, pero sin embargo, desde su puesto de profesor titular de la Universidad Nacional de Buenos Aires, apoyó a los exiliados matemáticos Luis Santaló, Ernesto Corominas, Pi Calleja y Manuel Balanzat, que se encontraban en Francia a mediados de 1939. Rey Pastor conocía la valía intelectual y personal de dichos matemáticos, alguno de ellos, como Santaló, había sido discípulo suyo en Madrid. Por ello no dudó en correr personalmente con los gastos de desplazamiento de esas personas a Buenos Aires y de buscarles allí puestos de profesor en diversas universidades del país. De esta forma ayudaba, por una parte, a jóvenes matemáticos perseguidos por el franquismo y, por otra, conseguía consolidar en Argentina una escuela matemática que Rey Pastor había iniciado varios años antes desde que fuera invitado por la Asociación Cultural Española en 1917.

Otro ejemplo del proceso de traslado y acogida lo tomamos de la descripción que hace Marcel Granier-Doyeux de la captación de Augusto Pi Suñer por parte de la universidad venezolana:

> *Al finalizar la guerra de España, encontrábase en Francia el profesor Pí Suñer. Por cuenta del Comité de la Recherche Scientifique trabajaba, cuando el ministro de Educación Nacional de Venezuela, Enrique Tejera, hizo valer sus influencias ante el Gobierno venezolano para conseguir la contratación de los servicios del profesor Pí Suñer. Es de estricta justicia reconocer a este ministro el mérito indiscutible que le corresponde por su gestión ante el gobierno presidido por el general Eleazar Gómez Contreras. Por otra parte, Tejera consiguió de las Cámaras legislativas una importante asignación para material científico con destino a la Universidad Central, primer centro docente de la República, cuyos laboratorios carecían de una dotación cónsona con el adelanto de la ciencia. Gracias a los créditos*

votados por el Congreso, pudo destinarse una cantidad apreciable a la
creación del Instituto de Medicina Experimental y otra a la adquisición de
instrumentos y aparatos que podrían adjuntarse a los que existían ya en el
Gabinete de Fisiología de la Escuela de Medicina.

Un ejemplo institucional es el *Comité Técnico de Ayuda a los Españoles en México*. Este Comité fue creado a mediados de mayo de 1939, y tenía por objetivo inmediato el recibir, ayudar, buscar trabajo, etc. a los grupos de emigrantes republicanos que llegaran al país. Pero su objetivo último era que, mediante este apoyo a los profesores e intelectuales españoles, pudiera mantenerse encendida la luz de la cultura española y tratar de ganar espiritualmente la batalla que en España se había perdido militarmente con el apoyo de fuerzas extranjeras. El *Comité Técnico*, para facilitar su cometido, creó diversas instituciones en las que poder emplear a gran número de profesores españoles exiliados; estas instituciones fueron: el *Instituto Luis Vives* y la *Academia Hispano-Mexicana*; el *Patronato Cervantes*, que promovió la creación de diversos centros educativos en distintos Estados de México; la *editorial Séneca*, etc. Entre los científicos que fueron acogidos ya en 1940 por el *Comité Técnico* se encontraban: Pedro Carrasco, presidente del Patronato del Instituto Luis Vives; Miguel del Río Guinea, Marcelo Santaló Sors, Alfonso Boix Vallicrosa, Eligio de Mateo Sousa, Juan Valero Serrano, Faustino Miranda, Federico Bonet Marco, todos ellos profesores del Instituto Luis Vives; Ricardo Vinós, Lorenzo Alcázar, Luis Torón, Vicente Carbonell, José Fernández de Lerena y Teodoro González, profesores de Matemáticas de la Academia Hispano-Mexicana; Pablo Diz Flores, Eugenio Álvarez Díaz, Casimiro Mahou, profesores de Física y Química de la misma institución; Carlos Velo, profesor de Ciencias Naturales de la Academia Hispano-Mexicana, etc. Más adelante transcribimos unos párrafos de Somolinos que son muy ilustrativos de cómo fueron acogidos los médicos españoles exiliados en México.

6.4. Relación de exiliados por ciencias.

En las páginas que siguen damos un panorama de la emigración, clasificada por ciencias, en el que se incluye una breve reseña biográfica de las figuras más destacadas.

6.4.1 Médicos

Numéricamente el mayor contingente de científicos exiliados estuvo formado por médicos (sólo en México se estima que llegaron 500 médicos en 1939), muchos de renombre internacional. Entre ellos se encuentran *fisiólogos* como Augusto Pi Sunyer y sus discípulos Carrasco Formiguera, José Puche Álvarez, Jaime y Santiago Pí Sunyer Bravo y Bellido Golferich; Juan Negrín y sus discípulos Francisco Grande Covián, Severo Ochoa, etc...; *dermatólogos* como Julio Bejarano Lozano, Peyri Rocamora, Sánchez Covisa; *endocrinólogos* como Carrasco Formiguera, García Valdecasas, Pérez Cirera, Vázquez López; *ginecólogos* como Otero Fernández, Torre Blanco; *oftalmólogos* como Bidauzarraga y Laspita, Márquez Rodríguez, Rivas Cherif, Antonio Ros; *cirujanos* y *clínicos* como Cortés Lladó, Juan Cuatrecasas, Juan Planellas, Trías Pujol, Trueta Raspall; *psiquiatras* y *neurólogos* como Ángel Garma, Gonzalo Lafora, Wenceslao López Albo, Mira López, Dionisio Nieto, Pascual de Roncal, Miguel Prados Such; *histólogos* como Pío del Río Hortega y Costero Tudanca; Médicos especializados en **s**anidad militar como Francisco Bergós Ribalta, Alberto Folch Pí, José Garreta Sabadell; *inmunólogos* como Pedro Domingo; *parasitólogos* como Gustavo Pittaluga; y hasta un *historiador de la medicina* como Somolinos d'Ardois (1911–1973).

Aunque esta relación es incompleta, nos da una clara idea de la amplitud en personas y en especialidades que representó el exilio médico.

Además hemos de señalar que gran número de dichos doctores ocupaban cátedras en diversas universidades españolas, y de entre ellos varios eran maestros de una especialidad en la que podría hablarse de escuela. La mayoría fueron académicos de diversas academias nacionales y extranjeras, y algunos ocuparon altos cargos en la Sanidad Nacional.

Incluimos aquí un párrafo de la *Presentación* del trabajo de Somolinos d'Ardois, *25 años de medicina española en México,* editado en 1966 por el Ateneo Español de México que, aunque no aparece firmado, creemos que pertenece al doctor Puche Álvarez, en el que se describe la actividad médica en la organización de la Sanidad del Ejército de la República:

El doctor Juan Cerrada, médico militar, persona cabal, republicano convencido, asumió, secundado por otros compañeros médicos, civiles y militares, la tarea de organizar la Sanidad del Ejército de la República. Trabajaron, como era de esperar, sin discrepancia alguna, en perfecta armonía, con tal entusiasmo y abnegación que los servicios de Sanidad se adelantaron casi siempre a la formación de las unidades combatientes. Sustituyó a Cerrada el doctor Julio Bejarano, que se había distinguido en la organización de los servicios de Sanidad en el leal Cuerpo de Carabineros, que pudo ofrecer a la República los primeros contingentes regulares de su naciente Ejército. Allí quedaron sus principales colaboradores: J. Segovia, Rafael Fraile, Torre-Blanco, Fanjul, Meda, Encinas, Nieto, Capellas y muchos más. Bejarano, en la Inspección General de Sanidad del Ejército de Tierra, reprodujo a escala más amplia la excelente labor realizada con anterioridad.

Otros muchos médicos colaboraron en esta tarea, como Joaquín d'Harcourt, junto a don Manuel Bastos, en los servicios quirúrgicos de la Inspección general. Juan Herrera, Femando Priego, J. Recatero, Carlos Díez, J. L. Estellés, Martínez Ibarra, los hermanos Colchero, Vega Díaz, Villa, M. Usano se dedicaron a organizar los servicios en las zonas de operaciones. Cortés, Rivaud, Rincón de Arellano, Hinoja, Arranz, Sarmiento, Almagro, J. Aguado, Jaime Roig, Quemades, Medinaveitia, Márquez, Rivas Cherif, Acosta, Fumagallo, A. Peyri, organizaron los servicios de hospitales y especialización. En las postrimerías de la guerra, fue nombrado director general de Sanidad el doctor Puche, que estaba al frente del Instituto Nacional de la Alimentación de Madrid. Durán multiplicó las unidades móviles de transfusión sanguínea. Emilio Mira y López Albo contribuyeron a mejorar las condiciones psicológicas de los heridos en centros y hospitales especializados. También se pueden citar a otros muchos médicos dedicados durante la guerra a atender las necesidades sanitarias de Armas y Cuerpos, como R. Fraile, J. González Aguilar, Gómez Pallete, García Cicuéndez con sus experiencia en la Dirección sanitaria, o como D'Harcourt, Vázquez López, A. Folch, A. Giral, Minguillón, los dos Trías Pujol, Trueta, Lagarriga, Griñó F. Grande, J. Bofill, Ridaura, Benaiges y Oriol, en sus respectivas especialidades.

Después de la guerra, una enorme pléyade de médicos se vio obligada a abandonar su país huyendo de la represión franquista que, sin embargo, sí cayó sobre otros de sus colegas que no pudieron alcanzar el exilio.

Refiriéndose a México, Somolinos, en su ya citado trabajo, nos cuenta la llegada de los médicos españoles al exilio, dice:

Durante la segunda mitad del año 1939 y principios del 40, se produjo en la medicina mexicana un hecho insólito, del que no conozco antecedente similar en ningún otro país, ni pienso pueda volver a repetirse.

Sin aviso previo y casi sin consultar a los organismos directivos de la medicina, por una serie de contingencias políticas, obtuvimos carta de residencia y permisión de ejercicio en la República [de México] unos quinientos médicos españoles, llegados en grupo como exiliados políticos con el amparo del Gobierno de México.

Las estadísticas consideraban en unos cinco mil el número total de médicos que en aquella época estaban registrados en el Departamento de Salubridad. De tal manera que el volumen de los recién llegados representaba aproximadamente el 10 por 100 del cuerpo médico mexicano.

Dentro del grupo hubo grandes figuras con prestigio internacional; médicos granados con labor sólida y madura, médicos anodinos y principiantes. Muchos vinieron aquí a terminar su vida de trabajo; otros, a iniciarla. Pí Suñer, Otero, Lafora, don Manuel Márquez, son ejemplos inolvidables de maestros que dirigieron nuestras vidas juveniles y llegaron ya reconocidos como primeras figuras de la medicina mundial. Varios de ellos fueron miembros de esta Academia Nacional de Medicina de México. D'Harcourt, Bejarano, Puche, Cristián Cortés, Rivas Cherif, Torre Blanco y otras varias decenas más representaban al médico español, todavía joven, pero ya con sólida preparación teórica y práctica, la mayoría de los cuales, además, habían ya sobresalido en la cátedra y en la enseñanza. Algunos eran investigadores de primera fila, jóvenes y con grandes promesas, sólo recordaré a dos que están entre nosotros y cuya labor es de todos conocida: Isaac Costero y Rafael Méndez.

Más adelante, Somolinos, refiriéndose a los profesores universitarios, recuerda la nada desdeñable tarea que realizaron en la universidad figuras como:

Puche, Pérez Cirera, De Miguel, Capella, Rafael Méndez, Costero y Jaime Pi Suñer, en la Universidad; don Manuel Márquez, Paniello, Germán

184

García, Torre Blanco, Dutrém, Folch Pí, en el Politécnico; López Albo,
Peyri y Fumagallo, en Monterrey; Herráiz y Aparicio, en Pachuca;
Riclaura, en Tampico.

También nos describe Somolinos algunos otros aspectos de la actividad médica de los emigrados españoles, como son la actividad clínica, la actividad en los *laboratorios farmacéuticos* que hicieron posible la fabricación en México de numerosos medicamentos de tratamiento delicado, y en la investigación.

Estos párrafos transcritos nos dan un testimonio de cómo fue la emigración de los médicos en México, y nos hace comprender cómo lo fue en otros países con un número menor de emigrados, pero de análoga calidad; buscando no tanto logros personales, sino científicos e institucionales para los países que los acogieron.

Así podemos citar la gran obra realizada en Argentina por Río Hortega en el *Laboratorio de Histopatología* creado por él, bajo el patrocinio de la *Institución Cultural Española*; o la inmensa repercusión que tuvo Ángel Garma en el mismo país a través de la *Asociación Psicoanalítica Argentina*, por él fundada y presidida durante varios años.

También es de importancia la obra realizada por Pi Suñer en Venezuela, tanto de investigación como de docencia a través del *Instituto de Medicina Experimental* creado por él en 1940, o la tarea de Gustavo Pittaluga en Cuba. A continuación daremos unas breves reseñas sobre algunos estos personajes.

* * *

Aunque no podemos aquí extendernos en todos los médicos citados, daremos, sin embargo, algunos datos de los más notables para que sirvan de muestra de la calidad de los médicos exiliados.

José Puche Álvarez (1895-1979), doctor en Medicina, catedrático de Fisiología General, Química Fisiológica y Fisiología Especial de la Facultad de Medicina de la Universidad de Valencia, es uno de los más eminentes

185

discípulos de Pí Suñer. Fue también rector de la Universidad de Valencia, director del Instituto Nacional de Higiene de la Alimentación de Madrid, consejero de Instrucción Pública, inspector general de Sanidad del Ejército de Tierra y director general de Sanidad de Guerra. En 1939 se exilió a México, donde fue profesor de Fisiología General en el Departamento de Fisiología de la Escuela de Medicina de la Universidad Nacional Autónoma de México y profesor de Fisiología Humana en la Facultad de Medicina de la misma Universidad. Fue miembro del Consejo de Redacción de la revista *Ciencia;* Fue miembro de diversas academias y sociedades científicas. Murió en ciudad de México.

Alejandro Otero Fernández (1888-1953), fue catedrático de Obstetricia y Ginecología de la Facultad de Medicina de la Universidad de Granada, de la que también fue vicerrector. Participó en diversos congresos de obstetricia y fue vicepresidente del Congreso Español de Obstetricia celebrado en 1925. Fue diputado a Cortes; murió en el exilio en la Ciudad de México.

Manuel Márquez Rodríguez (1872-1961), fue catedrático de Terapéutica en la Universidad de Madrid y más tarde catedrático de Oftalmología en la misma Universidad; fue miembro de la Real Academia de Medicina de Madrid y miembro honorario de las sociedades oftalmológicas de Francia, Austria (Viena), Bélgica, Estados Unidos (Nueva York) y México. Fue decano de la Facultad de Medicina de la Universidad de Madrid. En 1939 se exilia en México, donde fue fundador del Ateneo Ramón y Cajal. Residió en México hasta su fallecimiento.

Julio Bejarano Lozano (1899-1865), dermatólogo; fue médico del Cuerpo de Sanidad Nacional y ejerció como profesor e inspector del Servicio de Profilaxis antivenérea. Fue auxiliar del Dr. Márquez Rodríguez en la Facultad de Medicina de la Universidad de Madrid. Fue médico del Hospital General de Madrid, del Hospital de San Juan de Dios y de la Beneficencia Municipal de Madrid. Estuvo exiliado inicialmente en Colombia, desde donde se trasladó a México, donde residió hasta su fallecimiento.

Manuel Rivas Cherif (1894-1966), oftalmólogo discípulo de Manuel Márquez. Fue profesor de Oftalmología en la Universidad de Barcelona. En 1939 se refugia en México, donde fue miembro de la *Casa de España en México* y del *Colegio de México*; también fue jefe de servicio del Hospital de la *Asociación para Evitar la Ceguera*. Residió en México hasta su fallecimiento.

Isaac Costero Tudanca (1903-1980), fue becario de la Junta para la Ampliación de Estudios; discípulo de Pío del Río Hortega, trabajó con él en el *Laboratorio de Histología Normal y Patológica* de la Residencia de Estudiantes de Madrid. Fue catedrático de Histología Normal y Anatomía Patológica en la Facultad de Medicina de la Universidad de Valladolid y jefe del Laboratorio de Investigaciones de la misma Universidad. Una vez exiliado en México, dirigió, por encargo del doctor Chávez, el *Laboratorio de Anatomía Patológica* del *Instituto Nacional de Cardiología*. Fue profesor de Anatomía Patológica de la Universidad Nacional Autónoma de México; presidente de la Sociedad Latino Americana de Anatomía Patológica, presidente de la Sociedad Mexicana de Patólogos, presidente de la Academia Nacional de Medicina de México. Murió en la Ciudad de México.

Francisco Guerra (1916-2011), estudió Medicina en Madrid, donde fue discípulo de Teófilo Hernando, con quien se inicia en Farmacología. Con sólo veinte años, participó en la guerra civil española, en la que ascendió por méritos de guerra, dirigió un Hospital Militar y fue jefe del Servicio de Inválidos. En 1944 se gradúa en Farmacología en la *Universidad de Yale*, y fue profesor de esta especialidad en las Universidades de México y California Los Ángeles (UCLA); profesor de Historia de la Medicina en la Universidad de Yale. Es miembro de numerosas academias y asociaciones científicas. Posee una biblioteca particular con fondos valiosísimos para el estudio de la historia de la ciencia española, que guarda celosamente. Regresó a España. Murió en Madrid.

Pío del Río Hortega (1882-1945), fue sin duda una de las grandes figuras de la histología española perteneciente a la prestigiosa escuela de Cajal. Fue becario de la Junta para la Ampliación de Estudios, trabajó en París, Londres y Berlín, a su regreso a España se incorpora al grupo de investigadores del Instituto Cajal, colaborando directamente con Achúcarro en estudios de neurohistología normal y patológica, y desarrollando métodos originales de investigación histológica. Sucedió a Achúcarro en la dirección del *Laboratorio de Histología Normal y Patológica* y fue director del Instituto del Cáncer de Madrid y presidente de la *Sociedad Española de Historia*

Natural. Dio cursos en Norteamérica, Rusia, Japón y en los principales países europeos. Fue doctor «honoris causa» de las Universidades de Oxford y Cambridge. En el exilio trabajó sobre la estructura de los tumores cerebrales, primero en la clínica del profesor Vincent, en el Hospital de la Piedad, de París, y luego con el profesor Carm, en el Hospital Radcliff, de Oxford. En 1940 marchó a la Argentina, invitado por la *Institución Cultural Española* para dirigir el *Laboratorio de Investigaciones Histopatológicas* de Buenos Aires. Fue profesor extraordinario de la Universidad de La Plata y miembro de diversas academias y sociedades científicas. Murió en Buenos Aires.

Ángel Garma (1904-1993), había estudiado en las Universidades de Madrid, Tubingen y Berlín. Su especialidad fue la psiquiatría, que ejerció en Madrid. En 1939 se exilia en Argentina, donde funda y dirige el *Instituto de Psicoanálisis* de Buenos Aires y la *Revista de Psicoanálisis.* Fue también fundador y presidente durante varios años de la *Asociación Psicoanalítica Argentina.* También fue profesor en la Universidad de La Plata (Argentina) y en los Estados Unidos. Es muy importante su tarea como propulsor de los estudios psicoanalíticos y la actividad psicoanalítica en América Latina. Muere en Buenos Aires.

Augusto Pi Suñer (1879-1965), una eminente figura de la medicina catalana y española del siglo XX. Catedrático de Fisiología en las Universidades de Sevilla y Barcelona. Dentro de la Mancomunidad de Cataluña, y como filial del *Institut d'Estudis Catalans*, funda la *Societat Catalana de Biología*, institución de gran prestigio que promovió el *Laboratorio Municipal del Parque*, dirigido por Turró, el *Laboratorio de Fisiología* de la Facultad de Medicina, dirigido por el mismo Pi Suñer y los de la Facultad de Ciencias, etc. La *Sociedad Catalana de Biología*, publicó un boletín, que se incluyó dentro de las actas de la *Société de Biologie* de París; para apreciar la importancia de esta *Sociedad*, citemos algunos nombres vinculados a la misma: Marañón, Negrín, Pittaluga, Pío del Río Hortega, Severo Ochoa, Ignacio Bolívar... varios de los cuales citamos en otra parte por haber conocido también ellos el exilio. Fue Pí Suñer diputado a Cortes por Figueras, académico de la Real Academia de Medicina de Barcelona, premio Achúcarro. Estuvo en Buenos Aires invitado por la *Institución Cultural Española*, y por su influjo se creó el *Instituto de Fisiología* de la Facultad de Medicina, de donde saldría el premio Nobel argentino Bernardo Houssay; fue vocal de la *Junta para la Ampliación de Estudios* y consejero de Instrucción Pública, así como miembro de numerosas academias europeas y americanas. Maestro fecundo entre cuyos discípulos españoles podemos contar a: P. Agustí, R. Carrasco Formiguera, L. Cervera, J. Puche, F. Riofrío, J. Pi Suñer Bravo, J. Bofíll, F. Doménech Alsina, J. Raventós, C. Pi Suñer Bravo, M. Ferrán, A. Folch. Emigró a Francia en 1939, fue llamado por el ministro de Educación Nacional de Venezuela, en donde funda el *Instituto de Medicina Experimental*, centro de alta investigación en el que forma otro nuevo grupo de discípulos americanos. Después de su jubilación en Venezuela se desplaza a México, donde fallece en 1965.

Gustavo Pittaluga (1876-1956), de origen italiano, se nacionalizó español en los primeros años del siglo XX. Fue jefe de la Sección de Parasitología en el *Instituto Nacional de Higiene* que dirigía Cajal, catedrático de Parasitología y Patología Tropical en la Facultad de Medicina de la Universidad de Madrid, miembro de la *Real Academia de Medicina* y director de la *Escuela Nacional de Sanidad*. Fue diputado a Cortes durante la Monarquía. Cuando se crea en París en 1939 la *Unión de Profesores Universitarios Españoles en el Extranjero*, ocupa la presidencia. Más tarde se traslada a Cuba, donde ejerce como profesor del *Instituto de Investigaciones Científicas* de la Universidad de La Habana; también fue profesor en la *Escuela de Medicina Tropical* de Puerto Rico. Murió en La Habana.

Por último daremos alguna referencia de dos de los médicos españoles exiliados en Inglaterra.

Juan Negrín (1892-1956), pese a su perfil político (más conocido popularmente por su actuación durante la guerra), fue ante todo un hombre de ciencia y un universitario distinguido. Doctor en Medicina, fue catedrático de Fisiología en la Facultad de Medicina de la Universidad de Madrid; becado en Alemania, se doctoró en la Universidad de Leipzig, de la que fue *Privatdozent*. A su regreso a España se hace cargo, por indicación de Cajal, del *Departamento de Fisiología Cerebral del Instituto*. Fue director del *Laboratorio de Fisiología de la Residencia de Estudiantes*, de Madrid, secretario de la *Junta Constructora de la Ciudad Universitaria* de Madrid y uno de sus mayores impulsores. Entre los discípulos distinguidos de Negrín citaremos al premio Nobel Severo Ochoa. Políticamente fue parlamentario del Partido Socialista Obrero Español, diputado en las Cortes Constituyentes de la República y, durante la guerra, fue ministro de Hacienda en el Gabinete de Largo Caballero y presidente del Consejo de Ministros hasta el final de la guerra. En 1939 se exilia y continúa siendo el jefe del Gobierno en el exilio hasta 1945, que dimite; desde esta fecha se dedica de nuevo a sus trabajos científicos en Inglaterra, país donde pasa la mayor parte de su exilio. Murió en París en el 12 de noviembre de 1956.

José Trueta Raspall (1897-1977), fue profesor de Cirugía en la Universidad de Barcelona y director del Hospital General de Cataluña. Durante la guerra civil española experimentó con éxito un método propio para el tratamiento de heridas abiertas, método que siguió empleando durante su exilio en Inglaterra en la *Radcliff Infirmary*, de Oxford. En 1939 fue asesor personal de McDonall, ministro de Sanidad británico durante la segunda guerra mundial. Actuó como cirujano en el desembarco de Normandía. Trabajó durante muchos años en el *Morris Orthopedic Hospital*, de Oxford; fue profesor ordinario de la Universidad de Oxford. Al jubilarse en 1966 regresó a España, donde ha sido presidente de la Societat Catalana de Biología. Murió en Barcelona.

6.4.2 Físicos y matemáticos.

En España, los estudios de matemáticas venían siendo generalmente considerados a finales del siglo XIX como ciencia instrumental, cuya principal justificación fuese su aplicación en la técnica o en otras ciencias; por eso era corriente confundir ingenieros con matemáticos y se discutió sobre si era necesario enseñar las matemáticas superiores en una Facultad universitaria cuando ya se hacía en las Escuelas de ingenieros. Sin embargo a principios del siglo XX, ya estaban regularizados los estudios de la matemática superior en las Facultades de Ciencias, aunque todavía no lo estaban las tareas de investigación sistemática. Estas tareas se iniciaron por influencia, entre otros, del *Laboratorio Matemático* (1910) de la *Junta* que dirigió Rey Pastor y, por tanto, en 1939 era reducido el número de investigadores de la matemática propiamente dicha y, por consiguiente, reducido también en términos absolutos el número de matemáticos emigrados por razones directamente motivadas como consecuencia de la guerra civil española.

De la Física podemos decir algo similar de lo que acabamos de decir respecto de la Matemática. La docencia fue casi la exclusiva actividad de los físicos, hasta que los éxitos personales de Blas Cabrera y la organización del primer *Instituto de Investigaciones Físicas* de la *Junta*, por él impulsado, orientaron hacia la investigación como principal finalidad a numerosos físicos. Por eso el número de físicos exiliados en 1939 fue también reducido considerado en valor absoluto.

Sin embargo, tanto la emigración de físicos como de matemáticos significó de hecho una pérdida de difícil reparación para ambas ciencias, ya que eran árboles recién plantados y que no habían enraizado lo suficiente como para soportar una poda del calibre de la que se realizó en la posguerra de la guerra civil española.

En efecto, vemos entre los físicos que son obligados a emigrar, figuras como Blas Cabrera, Nicolás Cabrera, Duperier, Castro Bonel, Carrasco Garrorena, Catalán, Martínez Risco, Candela Vila, Moles, Julio Palacios; y entre los matemáticos, Luis Santaló, Manuel Balanzat, Pedro Pi Calleja, Ernesto Corominas, Marcelo Santaló, aparte de un grupo de profesores de Matemáticas que habían actuado en la enseñanza secundaria o en las prestigiosas academias preparatorias de ingenieros, como Lorenzo Alcaraz, Vicente Carbonell, José Fernández Lerena, Teodoro González, Miguel Río Guinea, Luis Torón, Ricardo Vinós y Juan Valero Serrano. Queremos citar también aquí, aunque son figuras más directamente vinculadas con la Filosofía, los nombres de Juan David García Bacca y José Ferrater Mora, por su acercamiento a la Lógica Matemática, disciplina no cultivada hasta entonces en España, salvo la gloriosa excepción de Reyes Prósper, quien ya a finales del siglo XIX había trabajado en lógica formal con algún éxito. También mencionaremos entre los matemáticos exiliados a la peculiar personalidad de Francisco Vera.

La sola enunciación de la anterior lista de nombres nos hace ver que, aunque no sea muy numerosa, en ella figura lo más granado de la Física y la Matemática española y era el soporte de lo que podría haber sido el foco que diera grandeza a estas dos ciencias poco tratadas con anterioridad en nuestro país.

Algunos físicos destacables.

Blas Cabrera (1878-1945), eminente investigador cuya pérdida supuso una catástrofe para nuestra Física. Murió en el exilio en México. Cabrera, fue el padre de la nueva Física en España, director del Laboratorio de Investigaciones Físicas primero y después del Instituto de Investigaciones Físicas y Químicas, patrocinado por la Fundación Rockefeller. Fue rector de la Universidad de Madrid y presidente de la Real Academia de Ciencias de Madrid, así como secretario general del Comité Internacional de Pesas y Medidas de París, y por invitación de Einstein y Mme. Curie fue miembro del Comité Científico del Consejo Internacional de Física Solvay de Bruselas. Pero sobre todo fue una persona con el talento y la voluntad de hacer crecer la ciencia en España. Por una parte negando la vieja tesis de la incapacidad del español para la investigación científica, como podemos apreciar en el siguiente párrafo de su discurso de contestación a Moles, en la recepción de éste en la Academia de Ciencias en 1934:

> *Muchos de nosotros vinimos a la vida consciente en una época que pasaba como evidente la incapacidad del español para la investigación científica; peregrina idea que no dudaron en sostener algunos preclaros hombres que por otros conceptos honran la cultura española. Era un modo fácil de explicar nuestra pobre contribución al progreso científico de Europa en los últimos tres siglos y, además, una manera cómoda de acallar las acusaciones de nuestra conciencia colectiva por la responsabilidad en que incurrimos al ser meros usuarios de las ventajas de la civilización. No faltaron contradictores a semejantes tesis y, aunque inicialmente la fortuna no les acompañó, ha llegado el momento en que nadie osa sostenerla.*

Y por otra parte ve la necesidad de que para la demostración definitiva de la capacidad del español para la ciencia deben superarse las barreras burocráticas que a esto opone la Administración a la organización de la investigación científica, como indica en otra parte del mismo discurso:

> *Sin embargo, conviene aportar argumentos concluyentes para probar la capacidad de nuestra raza para el trabajo de laboratorio y de la interpretación justa de los hechos observados, y en este sentido realiza Moles una obra altamente provechosa para el buen nombre español y, lo que es aún más importante, para el estímulo de nuestra juventud.*

¿Pero qué significa propiamente esto que llama Moles dificultades de la Administración? ¿Hemos de concretar la responsabilidad a los gestores de esa Administración, jefes de Negociado o ministros? Creo yo que son las primeras víctimas, porque es difícil no personificar en ellos la responsabilidad de un estado de cosas ciertamente lamentable.

Y cree que:

Sólo con un cambio de fondo que supone la renovación de toda la vida oficial se hallaría remedio a este mal innegable. Pero tal renovación no puede ser una simple revolución.

En otra parte de este mismo discurso, indica que se están alcanzando, con la nueva administración, las condiciones para *que el esfuerzo, el tesón y la actividad de los investigadores españoles tengan mas facilidades de las que tuvieron los científicos de finales del siglo pasado.*

Esta esperanza de Cabrera no se realizó, pues sus discípulos más brillantes como Duperier, Martínez Risco y su propio hijo Nicolas (1913–1989) conocieron el exilio, su discípulo Catalán y su hermano Juan Cabrera fueron destituidos de sus cátedras al terminar la guerra, su discípulo Santiago Piña murió en una cárcel franquista en el año 1940. El profesor Moles, después de un breve exilio en París, sufrió a su regreso el *exilio interior.*

Entre los discípulos de Cabrera que hubieron de exiliarse figuran:

Arturo Duperier (1896-1959), fue una de las autoridades mundiales en radiación cósmica, quien a partir de 1939 realizó sus actividades en el Imperial College de la Universidad de Londres. Aquí diseñó y construyó importantes aparatos para medir la radiación cósmica, aparatos que a su regreso a España, en 1951, le fueron donados por las autoridades inglesas para que continuase con sus investigaciones en Madrid; por causas aún no aclaradas, estos aparatos no lograron pasar la aduana española. Es el único físico no inglés (con Einstein) que ha sido invitado para realizar la sesión de apertura de la Physical Society de Londres. Murió en Madrid, en la mayor indiferencia, en el año 1959. En el aula 1110 de la Facultad de Ciencias de la Universidad Complutense hay una lápida que dice así: *Aula Duperier, la Facultad de Ciencias a su profesor Dr. D. Antonio Duperier*

Vallesa como homenaje en el X aniversario de su fallecimiento 15-XI-1969. Festividad de San Alberto Magno.

Manuel Martínez Risco (1888-1954), emigró a Francia en 1939 y trabajó como *maitre de recherches* en el laboratorio del profesor Perrín. Sus trabajos de óptica fueron publicados en *Le Journal de Physique et le Radium,* y alguno de ellos fue presentado en la Academia de Ciencias de París por el gran físico francés Luis de Broglie. Había sido catedrático de la Universidad de Madrid, diputado en Cortes durante la República y presidente del Comité de Coordinación de los Servicios de Óptica. Murió en el exilio en París en 1954.

Honorato de Castro Bonel (1885-1962), fue catedrático de Cosmología y Física del Globo en la Facultad de Ciencias de la Universidad de Madrid y posteriormente catedrático de Astronomía Esférica y Geodesia de la misma Universidad. Fue también astrónomo del observatorio de Madrid, director general de Estadística y diputado en Cortes durante la República. En el exilio fue profesor de Astronomía y Geodesia en la Universidad de Puerto Rico. En 1944 se incorpora al Ejército norteamericano en calidad de ingeniero. Desde 1945 hasta su muerte reside en México, donde fue investigador del Instituto de Investigaciones Científicas de la Universidad de Nuevo León, en Monterrey, y trabajó como geofísico en la compañía Petróleos Mexicanos.

Pedro Carrasco Garrorena (1883-1966), ocupó la cátedra de Física Matemática de la Facultad de Ciencias de la Universidad de Madrid, sustituyendo en ella a Echegaray. Fue decano de la Facultad de Ciencias de Madrid, director del Observatorio Astronómico de Madrid y académico de la Real Academia de Ciencias de la misma ciudad. Exiliado en México, fue profesor en la Universidad Nacional Autónoma, en el Instituto Politécnico y en la Escuela Normal Superior de dicha ciudad. Fue presidente del Patronato del Instituto Luis Vives, de México. Murió en México.

Julio Palacios Martínez (1891-1970), aunque no por republicano sino por monárquico, vivió el exilio en Portugal. Fue investigador del *Instituto Nacional de Física y Química* que dirigía Blas Cabrera en la *Junta para la Ampliación de Estudios.* Catedrático de Física Teórica y Experimental de la Facultad de Ciencias de la Universidad de Madrid y académico de la *Real*

194

Academia de Ciencias de Madrid. Después de la guerra (abril de 1939), por encargo del Ministro de Educación Nacional, Sainz Rodríguez, inició la recuperación de los institutos y laboratorios que habían pertenecido a la *Junta para la Ampliación de Estudios* para coordinarlos dentro del *Instituto de España*, creado durante la guerra. En este trabajo fue destituido (por monárquico y, tal vez, por su antigua vinculación con la *Junta*) en el mes de agosto de 1939, cuando el Ministro Sainz Rodríguez fue sustituido por Ibáñez Martín. Sainz y Palacios se vieron obligados a refugiarse en Portugal.

Entre otros físicos, dedicados principalmente a la docencia, que también conocieron el exilio podemos citar a Juan Oyarzábal (1913-1977), Rafael Candela Vila (1903-1976), Juan Valero Serrano, Casimiro Mahou, Eugenio Álvarez Díaz y Pablo Diz Flores.

Principales matemáticos exiliados.

Entre los matemáticos, aunque no se le puede considerar a Rey Pastor como exiliado de la guerra civil española, ya que desde varios años antes de 1939 ya alternaba la cátedra entre Madrid y Buenos Aires, le mencionaremos aquí porque, por un lado, jugó un papel muy importante de apoyo a varios de los matemáticos españoles exiliados, y, por otra parte, porque no volvió a España hasta una decena de años después de finalizada la guerra. El papel de Rey Pastor en la Matemática fue análogo al de Blas Cabrera en la Física, incorporó a España en las tendencias modernas de la Matemática, gracias a las pensiones que le otorgó la *Junta* para que estudiara en Berlín y Götingen. A su regreso dirigió en Madrid el *Laboratorio Matemático* dentro del grupo de laboratorios que propició la Junta que presidía Cajal.

Luis A. Santaló Sors (1911-2001), fue uno de los discípulos más brillantes del *Laboratorio Matemático*. Becado por la Junta para estudiar en Hamburgo con Blaske, fue uno de los colaboradores más aventajados del ilustre matemático alemán, dedicándose desde entonces a la geometría diferencial y desarrollando notablemente, con aportaciones originales, la geometría integral. En 1939 se ve obligado a emigrar a Francia, desde donde es llamado por Rey Pastor a la Argentina, en la que fija su residencia durante toda su vida. Fue investigador y vicedirector en el Instituto de Matemáticas de Rosario; becado por la Fundación Guggenheim en Chicago y Princeton y, desde 1948, profesor titular de la Facultad de Ciencias de la Universidad Nacional de Buenos Aires. Murió en Buenos Aires en 2001

Pedro Pi Calleja (1907-1986), fue otro eminente matemático exiliado que también fijó su residencia en Argentina gracias al apoyo y la amistad de Rey Pastor. Había sido becado por la Junta para la Ampliación de Estudios para trabajar en el Seminario Matemático de la Universidad de Berlín (1933-1935). A su regreso a Barcelona fue nombrado a propuesta de Terradas director del Centro de Estudios Matemáticos del Instituto de Estudios Catalanes. Exiliado en Argentina en 1939, fue profesor titular de diversas universidades de este país. En el año 1957 regresa a Barcelona, donde es encargado de curso en la Facultad de Ciencias de Barcelona y más tarde, tras un proceso de depuración (en el que Rey Pastor buscó apoyos en su favor), fue catedrático de las Universidades de Murcia y Zaragoza, y por último catedrático de la Escuela Técnica Superior de Arquitectura de Barcelona. Toda su valía intelectual y su impulso creador no han sabido ser utilizados a su regreso a la patria como ya había ocurrido anteriormente con el físico Duperier.

Manuel Balanzat de los Santos (1912-1994), es otro de los matemáticos que emigraron a Argentina en 1939. Estudio en Madrid y fue becado para estudiar en la Sorbona de París, con Fréchet y Denjoy. A su llegada a Argentina se incorporó al Seminario de Matemáticas de la Facultad de Ciencias que dirigía Rey Pastor. Posteriormente fue profesor de la Universidad de Cuyo (Argentina). Trabajó un par de años en París en el Centre National de la Recherche Scientifique. Volvió a Argentina como profesor del Instituto de Física de Bariloche; más tarde fue profesor en la Universidad Central de Venezuela y en la de Clermont Ferrand de Francia. Después fue profesor y director del Departamento de Matemáticas de la Universidad Nacional de Buenos Aires. Falleció en Buenos Aires en 1994.

Ernesto Corominas (1913-1992), llegó a Buenos Aires en 1940, incorporándose al Seminario de Matemáticas de la Facultad de Ciencias dirigido por Rey Pastor. Posteriormente fue profesor de la Universidad de Cuyo (Argentina) y del Instituto de Matemática de Rosario (Argentina). De 1947 a 1952 fue investigador en el C.N.R.S. de París y posteriormente becado por la Fundación Guggenheim en el *Institute of Advanced Studies* de Princeton. Regresó a España y tras pasar unos años en Barcelona como

196

profesor de colegios privados de enseñanza secundaria se incorporó a la Universidad Central de Venezuela. Posteriormente fue profesor de la Universidad de Lyon, ciudad en la que falleció en 1992.

Marcelo Santaló Sors, (1905-) hermano del ya citado Luis Santaló, emigró a México en 1939. Fue profesor del Instituto de Gerona, astrónomo del Observatorio de Madrid y profesor de Astronomía en la Universidad de Madrid. En México fue profesor del Instituto Luis Vives.

Francisco Vera (1888-1967). Exiliado en la República Dominicana, Colombia y Argentina. Autor prolifero, es bien conocido por sus libros de Historia de la Matemática y promotor de la *Asociación Nacional de Historiadores de la Ciencia Española* fundada en 1934. Fue director de los *Anales* de la Universidad de Madrid y jefe de claves del Ministerio de Estado. Murió en Buenos Aires en 1967.

6.4.3. Naturalistas.

También en las Ciencias Naturales la cultura española perdió con el exilio provocado por la guerra civil una pléyade de primeras figuras especialistas de cada una de sus ramas: entomología, botánica, zoología, geología y paleontología, biología marina, antropología. Desapareciendo con ellos algunos de los puntales promotores del desarrollo del estudio de las Ciencias Naturales en nuestro país.

Entomólogos

Ignacio Bolívar y Urrutia (1850-1944), fue figura egregia de las Ciencias Naturales en España. Emigró a México en 1939 cuando contaba cerca de noventa años, y habría de morir en esta ciudad cinco años más tarde, pero no sin dejar antes también en el continente americano las huellas de su presencia. Una muy importante fue la publicación de la revista *Ciencia* de gran prestigio científico escrita en lengua castellana, de la que fue su fundador y primer director. Bolívar fue una de las personalidades que, durante su larga vida, ejerció gran influencia en el desarrollo de la ciencia en España, sólo comparable con la figura de Cajal. Realizó su influencia a través de la dirección del *Museo de Ciencias Naturales* de Madrid (que convirtió en un verdadero centro de investigaciones), del *Instituto de Ciencias Físicas y Naturales*; mediante la creación de la *Sociedad Española de Historia Natural*; por medio de su cátedra en la Facultad de Ciencias de la Universidad de Madrid, de la que fue decano; como presidente de la *Junta para Ampliación de Estudios e Investigaciones Científicas*, cargo que ocupó tras la muerte de Cajal; y como presidente del *Consejo Nacional de Instrucción Pública*. Su actividad como naturalista le llevó a recorrer una amplia geografía, viajando por numerosos países del norte de África, de Oriente Medio, de África Central, de Asia y de América Latina. Sus trabajos fueron reconocidos mundialmente, y sus méritos le llevaron a ocupar puestos de honor en las Sociedades entomológicas de Bélgica, Francia, Inglaterra...; a ser miembro de las Sociedades de Zoología de Inglaterra y Francia, de la *Sociedad Mexicana de Historia Natural*; de las Academias de Medicina, Ciencias y de la Lengua de Madrid, etc. pero estos excepcionales méritos no le sirvieron para terminar los últimos años de su vida en la paz de su obra consolidada.

Entre sus discípulos también exiliados en México citaremos a su hijo, Cándido Bolívar Pieltain, y a Federico Bonet Marco.

Cándido Bolívar Pieltain (1897-1978), hijo del anterior, ocupó en Madrid la cátedra de *Entomología* dejada vacante por su padre a la jubilación de éste, y en México trabajó en el Laboratorio de Entomología del Instituto de Salubridad y Enfermedades Tropicales; desde la aparición de la revista *Ciencia* formó parte del comité de redacción, y a la muerte de su padre ocupó la dirección de dicha revista hasta la desaparición de la misma en los años 1970.

Federico Bonet Marco (1906-1980), fue catedrático y director del Instituto Nacional de Segunda Enseñanza Antonio de Nebrija, de Madrid; había colaborado con Ignacio Bolívar en la cátedra de *Entomología* de la Universidad de Madrid y en el *Museo de Ciencias Naturales* de Madrid; en México fue profesor y jefe de laboratorio de la Escuela Nacional de Ciencias Biológicas del Instituto Politécnico Nacional.

Botánicos

José Cuatrecasas Arrumi (1903-1996), fue catedrático de Botánica Descriptiva de la Facultad de Farmacia de la Universidad de Madrid y jefe de la Sección Tropical del *Jardín Botánico* de Madrid, y más tarde director del mismo; ya en esta época realiza exploraciones botánicas en Colombia. A causa de la derrota de la República en la guerra civil española, fija su residencia en Colombia, donde fue nombrado profesor del Instituto de Ciencias Naturales de la Universidad Nacional de Bogotá. En Cali (Colombia) es nombrado director de la Escuela de Agricultura Tropical del Valle y después director de la Comisión Botánica del Valle y profesor de la Facultad de Agronomía del Valle; en 1947 pasó a trabajar en el Museo de Historia Natural de Chicago, para más tarde ser investigador en el Departamento de Botánica de la Smithsonian Institution, en Washington. Fue miembro de numerosas academias y sociedades europeas y americanas. Muere en Washington en 1996.

Faustino Miranda (1905-1964), hizo su tesis doctoral sobre las algas de las costas del Cantábrico, fue becado por la *Junta para Ampliación de Estudios*, trabajó en el *Museo de Ciencias Naturales* de Madrid y en el Museo de Historia Natural de París; fue catedrático de Instituto en España. Emigró a México, donde fue investigador del Instituto de Biología de la Universidad Nacional Autónoma de México, profesor de la Escuela Normal Superior de la Facultad de Ciencias de la Universidad Nacional y de la Escuela Nacional de Ciencias Biológicas del Instituto Politécnico Nacional. Organizó el Jardín Botánico de Tuxtla Gutiérrez, en el Estado de Chiapas, en donde organizó y dirigió el Instituto Botánico del Estado de Chiapas. Más tarde fue nombrado en México jefe del Departamento de Botánica del Instituto de Biología de la Universidad y jefe del Jardín Botánico de la Universidad Nacional Autónoma de México. Murió en el exilio en México en 1964.

Enrique Rioja Lo Bianco (1895-1963), discípulo de Ignacio Bolívar, era hijo de José Rioja, que fue catedrático de Zoología de Invertebrados de la Facultad de Ciencias de la Universidad de Madrid. Enrique Rioja fue catedrático de Ciencias Naturales en el Instituto de San Isidro, de Madrid, y director del mismo. También fue consejero de Instrucción Pública, vocal del Patronato de Misiones Pedagógicas y miembro de la Junta Directiva de la Sociedad Española de Historia Natural. En México fue profesor en el Instituto de Biología de la Universidad Nacional Autónoma y perteneció al consejo de redacción de la revista *Ciencia* desde su creación. También cabe destacar sus bellas y atractivas colaboraciones de divulgación, con dibujos propios, en revistas generales como *Romance* y *Las Españas*. A su muerte, ocurrida en México en 1963, el *Boletín del Ateneo Español en México* publicó la siguiente nota:

> *Hemos perdido, mexicanos y españoles, un amigo y un biólogo eminente. Aun siendo grande su eminencia, no era más que el ornato que el estudio puso sobre su noble hombría. Discípulo de aquel sabio, que nos sigue acompañando con su ejemplo, don Ignacio Bolívar, la vida científica y la vida humana de Rioja discurrieron por los mismos cauces que señaló el maestro. Sentimos aflicción al vernos privados de su presencia viva, de su compañía inteligente que amortiguaba el rigor de los infortunios comunes, con su sonrisa alentadora y comprensiva. La Universidad de México pierde con Rioja a uno de sus valores más auténticos. Sus deudos, el vínculo entrañable, y sus discípulos, numerosos y fieles, un maestro que jamás podrán olvidar.*

Geólogos, Paleontólogos y Antropólogos

José Royo Gómez (1895-1961), fue director del Museo de Antropología, Etnografía y Prehistoria de Madrid. Dirigió las investigaciones paleontológicas del *Instituto Nacional de Ciencias* de Madrid. Inicia su exilio en Colombia en 1939, donde trabajó como geólogo del Ministerio de Minas y Petróleos, y donde fue presidente de la Sociedad de Ciencias Naturales de Bogotá; colaboró en el estudio de la realidad geológico-geográfica de Colombia y en la construcción del mapa geológico general de Colombia. En 1952 se traslada a Venezuela como profesor de Geología de la Universidad Central. Muere en Caracas el 30 de diciembre de 1961.

Pedro Bosch Gimpera (1891-1975), antropólogo. Fue catedrático de Prehistoria de la Universidad de Barcelona y rector de la misma Universidad durante la autonomía. Fue consejero de la Generalidad de Cataluña. En 1939 se exilió, recorriendo los países de Colombia México y Guatemala. Fue profesor de las Universidades de México y Guatemala. Regresó a España y murió en México en 1975.

Biología Marítima

Bibiano Fernández Osorio Tafall (1902-1990), fue catedrático de Ciencias Naturales del Instituto de Segunda Enseñanza Lope de Vega, de Madrid, diputado a Cortes durante la República, y comisario general de Defensa durante la guerra civil. Emigró primero a Estados Unidos y después pasó a México, donde fue profesor de la Escuela Nacional de Ciencias Biológicas del Instituto Politécnico Nacional. Secretario de la Sociedad Mexicana de Historia Natural y asesor técnico de la Dirección General de Pesca de la Secretaría de Marina. Murió en ciudad de México.

Fernando de Buen (1895-1962), fue jefe del Departamento de Biología del Instituto Español de Oceanografía y profesor de Biología de la Universidad de Madrid. Exiliado en México en 1939, fue profesor de la Universidad de Morelia, asesor técnico de la Estación Limnológica de Pázcuaro y asesor técnico de la Dirección General de Pesca e Industrias Conexas de México. Falleció en Viñas del Mar (Chile).

Rafael de Buen (1891-1966), fue catedrático de las Universidades de Sevilla y de Madrid. Pasó su exilio en diferentes países de Centroamérica, siendo sucesivamente subdirector del Instituto Nacional de Oriente de Nicaragua, catedrático de la Universidad Nacional de Costa Rica, asesor del Ministerio de Marina de México y jefe de investigaciones químico-biológicas de la Universidad de San Carlos, de Guatemala. Fue profesor de la Universidad de Morelia (Michoacán, México), ciudad en la que falleció.

6.4.4 Químicos y farmacéuticos.

También entre químicos y farmacéuticos fue considerable el número de los que se vieron obligados a emigrar al finalizar la guerra civil española.

Entre ellos varios profesores universitarios e investigadores que habían hecho crecer la Química en España durante el florecimiento de la ciencia española acaecido en el primer tercio del siglo XX. Citemos de este grupo a Enrique Moles Ormellá, José Giral, Antonio Medinaveitia, Pérez Vitoria, Francisco Giral y Juan Medinaveitia. Otros eran profesores de segunda enseñanza, como Adela Barnés García, Alfonso Boix Vallicrosa, Eugenio Muñoz Mena y Laureano Poza Juncal. Dedicados fundamentalmente a la *industria química* y *farmacéutica* tenemos a Leone Abramisan, Álvaro Albornoz, Julio Colón, Casimiro Mahou, César Pi Suñer, César Roquero Sanz, José Vázquez Sánchez y Juan Xirau Palau. Un caso importante por su dedicación a la didáctica de la Química y a la historia de esta ciencia es Modesto Bargalló.

Enrique Moles Ormellá (1883-1953), fue, tal vez, el más destacado de los químicos. Fue becado por la *Junta para la Ampliación de Estudios* en Munich, Leipzig, Zurich y Ginebra; se doctoró en Farmacia y en Química en Madrid y en Física en Ginebra, ciudad en la que fue *Privatzodent*. También fue catedrático de Química Inorgánica de la Universidad de Madrid y jefe de Sección del Instituto Nacional de Física y Química que dirigía Blas Cabrera, así como presidente de la Sociedad Española de Física y Química y académico de la de Ciencias de Madrid. En 1939 se exilió en París, trabajando en el Centre National de la Recherche Scientifique. Regresó a España en 1941 y estuvo preso durante más de un año, al término de cual salió de la cárcel, pero estuvo separado definitivamente de la cátedra. Trabajó hasta su fallecimiento en los laboratorios farmacéuticos Ibys.

José Giral Pereira (1880-1962), químico al que su brillo en la vida política desdibujara su personalidad científica. Fue catedrático de Química Orgánica de la Universidad de Salamanca y de Química Biológica de la Universidad de Madrid y jefe de la Sección de Química del Instituto Nacional de Oceanografía. Fue Rector de la Universidad de Madrid y académico de Medicina. Tuvo una vida política muy activa, siendo durante la República diputado a Cortes, ministro de Marina, presidente del Consejo de Ministros y ministro de Asuntos Exteriores. Se exilió en México en 1939, donde fue profesor de Química Biológica en el Instituto Politécnico Nacional, en la Universidad Nacional Autónoma y director del Laboratorio de Investigaciones Químicas. Desde la creación de la revista *Ciencia* fue miembro de su consejo de redacción. También en el exilio tuvo actividad política, siendo jefe del Gobierno republicano en el exilio sustituyendo a Negrín tras la dimisión de éste. Murió en el exilio en México.

Francisco Giral González (1911-2002), hijo del anterior, también doctor en Química, fue catedrático de Química Orgánica de la Universidad de Santiago de Compostela; durante la guerra fue director de las fábricas de pólvora de Medina de Segura, en Murcia, y de Concentaina, en Alicante. Exiliado en México en 1939, fue nombrado profesor de Química Orgánica de la Escuela Nacional de Ciencias Biológicas del Instituto Politécnico Nacional. Fue uno de los fundadores y de los principales promotores de la revista *Ciencia,* siendo redactor desde la creación de la misma. Fue miembro de la Casa de España en México y director del laboratorio de antipalúdicos sintéticos de la Campaña Nacional contra el Paludismo; también tuvo el cargo de secretario general de la Unión de Profesores Universitarios Españoles en el Extranjero.

Antonio Medinaveitia Tabuyo (1890-1974), cursó sus estudios primarios en la Institución Libre de Enseñanza, bachillerato en el Instituto Cardenal Cisneros de Madrid. Hizo estudios de ingeniería química en el Politécnico de Zurich donde cursó un doctorado con el premio Nobel de química Willstätter. Fue jefe de la Sección de Química Orgánica del Instituto Nacional de Física y Química que dirigía Blás Cabrera. También fue catedrático de Química Orgánica y decano de la Facultad de Ciencias de la Universidad de Madrid. Exiliado en México en 1939, fue fundador y director del Instituto de Química de la Universidad Nacional Autónoma. Murió en ciudad de México.

Augusto Pérez Vitoria (1908-1991), fue catedrático de Química Inorgánica en la Facultad de Ciencias de la Universidad de Murcia. Fue discípulo de Moles, con quien colaboró en el Instituto Nacional de Física y Química, y durante la guerra en la Dirección de Pólvoras y Explosivos. En 1939 emigró a Francia, donde colaboró con la UNESCO, desde su fundación, siendo el director de la revista científica *Impact.* En 1970 se trasladó a La Habana como jefe del proyecto CUB-5 para la reforma de la enseñanza en la Facultad de Ciencias de dicha ciudad. En 1976 regresó a España y se reintegró a la Universidad de Murcia.

Modesto Bargalló (1894-1981), realizó en España una gran labor en el desarrollo de la pedagogía y la didáctica de la Química; fue profesor de Ciencias Fisicoquímicas y Naturales en la Escuela Normal de Maestros de Guadalajara; cursó los estudios de Ciencias Naturales en la Universidad de Madrid, y trabajó en el Museo Nacional de Ciencias Naturales que dirigía Ignacio Bolívar. En 1939 se exilia en México, donde fue profesor de Química Inorgánica en el Instituto Politécnico Nacional. Fue muy importante su labor como historiador de la química, en particular de la minería y de la metalurgia del México prehispánico e hispánico. Murió en la ciudad de México.

6.5. Nota sobre el origen del texto de este capítulo.

El texto que compone este capítulo proviene, en parte, del apartado correspondiente a la Ciencia, de la obra colectiva, dirigida por José Luis Abellán, que lleva el título genérico de *El exilio español de 1939*, editado por Taurus, en 1978.

Mucho del material contenido se lo debemos a José Puche Álvarez, uno de los notables científicos emigrados a México, quien además con su juvenil entusiasmo también nos transmitió una dimensión importante del grupo humano que nos ocupa: su cálida vocación por la ciencia y porque ésta estuviese ligada al nombre de España. También el profesor Puche nos relacionó con varias personas, entre ellas el doctor Víctor A. Berch, bibliotecario de la *Brandeis University Library*, en la que poseen fondos de interés para la reciente historia española, y quien me envió fotocopia de varios documentos valiosos, en particular del *Boletín Informativo de la Unión de Profesores Universitarios Españoles en el Extranjero*; así como con el profesor Llorens, a quien agradecemos la generosa actitud de brindarnos una fotocopia de un trabajo suyo dedicado precisamente a los científicos españoles en el exilio, entonces todavía inédito, destinado a la *Enciclopedia U.T.H.E.A.* de México; y con el profesor Juan Marichal, quien nos dio valiosas informaciones sobre este tema entonces poco difundido. El profesor Luis A. Santaló nos facilitó datos sobre matemáticos en el exilio. En España me ayudaron Manuel Andújar, con sus orientaciones y estimulo, y Jesús Calvo, quien me facilitó el borrador de su tesis doctoral, sobre la medicina y la ciencia en el exilio. También recordamos con agradecimiento al profesor Giral por sus puntualizaciones y comentarios que me hizo oralmente en mi casa del barrio madrileño de *Las Letras*.

En aquella época de mediados de los 70, todavía no se había hecho un estudio especial sobre la ciencia en el exilio de 1939. Unos años después aparecieron algunos libros que se dedicaban o en los que se incluían estudios sobre este tema. Aparte del trabajo que Vicente Llorens escribió para la enciclopedia *U.T.H.E.A.*, están los capítulos escritos por José Cueli sobre el exilio español relativo a la *Ciencias médicas y biológicas* (pp. 495 a 530) y a las *Matemáticas, física y química* (pp. 531 a 544), incluidos en el libro colectivo *El exilio español en México (1939–1982)* publicado en 1982, y el muy completo libro, de cerca de 400 páginas, de Francisco Giral, titulado *Ciencia española en el exilio (1939–1989)*, publicado en Madrid por *Anthopos* en 1994.

El objetivo del presente capítulo no es otro que destacar la desastrosa importancia que significó este masivo exilio para el desarrollo de la ciencia en España y también para rendir un homenaje a los científicos españoles perseguidos por el franquismo que vivieron y muchos murieron alejados de su tierra.

Capítulo 7

¿Hacia dónde va la ciencia?

7.1. La ciencia nacional. 7.2. La ciencia estatalizada. 7.3. La responsabilidad social del científico. 7.4. Las ciencias del neoliberalismo global. 7.5. Las nuevas tendencias para el desarrollo científico libre.

7.1. La ciencia nacional.

Al tratar de historia de la ciencia se ha solido enmarcar su desarrollo dentro de los países de los que eran nativos y trabajaban los científicos que la cultivaban. También se consideraba la influencia de la ciencia de cada país en la de otros. De esta forma se le fue dando a la ciencia una personalidad nacional aunque sus resultados siempre han tenido un carácter universal. No cabe duda, en efecto, de que la estructura política, económica, social y cultural de cada país ha influido en el desarrollo de *su ciencia*, bien sea en el planteo de los problemas surgidos de necesidades técnicas, bien sea en la organización de los estudios científicos, o por la libertad de pensamiento que la cultura y la filosofía de cada país hayan permitido.

Para definir en que consiste la Ciencia Española existen varias dificultades. Hemos visto en los capítulos anteriores cuales fueron las vicisitudes y dificultades para que el pensamiento racional que representa la ciencia fuera incorporándose en la cultura española. No es fácil determinar cuáles han sido las causas precisas de estas dificultades, pero consideramos que una de ellas fue el temor al pensamiento científico que, tanto en el

206

ambiente político como religioso, se consideraba un factor peligroso para el mantenimiento de las estructuras de poder y, por tanto, de los privilegios acumulados durante siglos.

Hemos procurado mostrar como España, en sus momentos de actividad científica, ha seguido como modelo la organización en educación y en investigación científica que observaba en otros países que consideraban a la ciencia como un factor de liberación intelectual y de desarrollo en beneficio del bienestar general. También hemos visto, en particular, cómo el esfuerzo realizado en el primer tercio del siglo XX para organizar en España la investigación científica -que algunos consideraron causa de la guerra civil española- terminó de forma traumática, no tanto por evitar el propio desarrollo de la ciencia en sí, sino por las implicaciones ideológicas que el libre pensamiento oponía antagónicamente al sistema dogmático de la escolástica en la que se apoyaba toda la concepción política tradicional. Tras la guerra civil en España se optó por una organización de la investigación científica que siguiese a la Teología tradicional como base fundamental de las ideas y se borrase, como si esto fuera posible en el caso de la ciencia, toda influencia que proviniese de la Ilustración del siglo XVIII. Con esta vuelta a nuestro oscuro siglo XVII se pretendía reforzar el carácter nacional de la ciencia española. Algo hemos indicado de cuál fue el espíritu regresivo de la organización inicial del *Consejo Superior de Investigaciones Científicas*, organización que luego se ha ido acomodando en sus 70 años de existencia a mantener una endogamia profesional en detrimento de los resultados científicos (escasos, si se comparan con los obtenidos por la *Junta* en los 26 años que duró su actividad) adoptando formas mimetizas de otras instituciones de diversas naciones.

Aun hoy no hay un modelo claro para el desarrollo actual de la investigación científica en España, y lo peor es que tampoco hay a nivel internacional uno que valga como modelo nacional, pues desde el final de la segunda guerra mundial los cambios políticos, sociales, económicos... han ido desdibujando la forma que hasta la primera mitad del siglo XX fue adoptando la investigación científica en cada país. Si desde el siglo XIX la idea de progreso de la Humanidad y el ideal de librepensamiento inspiraban la actividad científica, desde mediados del XX han sido superpuestos y están siendo sustituidos por la idea del enriquecimiento de las corporaciones globales y por la sumisión del pensamiento a una nueva ortodoxia en la que la *ciencia* es el dogma y las grandes corporaciones sus iglesias. Este modelo, esencialmente global, no puede servir para inspirar la organización de la ciencia en los países, sin que implique supeditación a esas corporaciones.

También podemos preguntarnos si en un mundo globalizado, en el que la ciencia sea libre tiene sentido considerar como algo especial a las ciencias nacionales (y en particular a la Ciencia Española), o más bien se debe buscar un tipo de organización sin fronteras en el que se sustituyan las estructuras jerárquicas y la competencia, que lleva a la confrontación y a la eliminación del otro, por otro tipo de organización que se fundamente en la cooperación y en las estructuras en red.

En este capítulo aludiremos a cómo las ciencias nacionales dirigidas por los Estados han terminado desarrollando armamentos para definir las hegemonías de unas naciones sobre otras y cómo actualmente la ciencia global dirigida por las corporaciones internacionales han logrado una inmensa acumulación de riqueza estanca, que ya no se puede aplicar sin poner en peligro a la Naturaleza y que no puede circular, ya que utiliza como principal criterio de distribución el trabajo asalariado cuando este, en este sistema de producción, tiende a disminuir drásticamente.

Nos parece evidente que un modelo como el actual no puede durar, pues la investigación, la búsqueda de la verdad necesita de iniciativas múltiples y de libertad, y los problemas científicos no pueden decidirse en los consejos de administración, sino que deben ser detectados y canalizados por amplios grupos de científicos responsables, cada vez más numerosos, en contacto directo con la naturaleza y la sociedad. Veamos en este capítulo, a grandes rasgos, como ha ido evolucionando la actividad científica en el mundo durante el último siglo, y nos arriesgamos a proponer una hipótesis de cuál puede ser uno de los caminos que sustituya al actual sistema (que consideramos sin salida) de la investigación llamada científica de las corporaciones neoliberales.

7.2. La ciencia estatalizada.

Si la primera guerra mundial, fue la primera guerra tecnológica, (la aviación, los blindados, las armas químicas, etc.), la segunda guerra mundial, fue un ensayo de lo que podía hacer la ciencia y la tecnología como instrumento de destrucción masiva. Todas las esperanzas de progreso del siglo XIX, fundadas en el uso de la ciencia y la tecnología para el bienestar humano, se derrumbaron. Con el pretexto de la defensa nacional, los diversos Estados movilizaron todo el potencial científico y tecnológico de sus países para ponerlos al servicio de la guerra, cuya máxima realización se obtuvo en 1945 y en los Estados Unidos, gracias al *científico* Proyecto Manhattan dirigido por Oppenheimer, de construcción de la bomba A.

La eficacia del conocimiento científico quedó patente (¡patética constatación!) al observar la capacidad destructiva de sus aplicaciones bélicas, como se vio bien claro en el castigo infringido al Japón, por la bomba A en Hiroshima (*Little Boy*, 6-08-45) y en Nagasaki (*Fat Man*, 9-08-45). El conocimiento utilizado para la construcción de la bomba era un conocimiento científico al que se puede acceder con el estudio, como lo demostraron en cuanto se dedicaron a ello, la Unión Soviética (1949), el Reino Unido (1952), Francia (1960), China (1974), India (1974), ¿Israel, 1979?, Pakistán (1998), Corea del Norte (2006), y se continúa.

Como consecuencia de la Segunda Guerra Mundial, todas las naciones beligerantes, salvo Estados Unidos, habían sufrido grandes daños, y en todas ellas el esfuerzo bélico realizado había puesto a la investigación científica y tecnológica bajo la protección directa del Estado, con diversas políticas que variaban, en lo accesorio, de unos países a otros.

En la Unión Soviética, la estatalización y centralización de la ciencia, dirigida desde la Academia de Ciencias de Moscú, era un hecho desde sus orígenes en 1922. Después de la guerra creó el Instituto de Energía Atómica (1946) donde preparó la primera bomba atómica (1949) –poniéndose fin al monopolio atómico de los Estados Unidos– y en 1957 construyó el primer satélite artificial como potencial vector intercontinental del arma atómica.

En Inglaterra, la estatalización de la ciencia se hace poniendo la investigación fundamental bajo el Ministerio de Educación y Ciencia, la investigación industrial bajo el de Tecnología, y la investigación militar bajo el de Defensa. En Francia, el Ministerio de Industria e Investigación, se encarga de la investigación para el desarrollo económico, y el de Educación Nacional (con el CNRS) para las otras ciencias básicas, pero no abandona la investigación militar y en 1960 cuenta ya con la bomba nuclear. En Alemania, se encarga la *Max Planck Gesselschaft* (continuadora de la *Kaisser Gessellschaft*) de la investigación para el desarrollo, y por su peculiar situación política no atiende oficialmente a la investigación militar.

En Estados Unidos la situación era muy diferente. Al tener su infraestructura de capital intacta, el Estado pudo dedicar muchos recursos al avance científico y tecnológico, y contó, en gran medida, con la colaboración de científicos emigrados de Europa, como Einstein, Fermi, von Neumann, von Braun, y otros muchos... La estatalización, ya iniciada en la época de la Gran Depresión (1929), continuó en la Segunda Guerra Mundial (1939-1945). En la posguerra aumentó con una mayor presencia del gobierno federal en universidades, fundaciones y en la industria, y con la creación de varias instituciones estatales, especialmente dedicadas a la investigación científica y su aplicación a temas militares, sobre todo durante la larga *guerra fría* y las calientes asociadas de Corea y Vietnam.

Una institución científica muy significativa de este periodo fue la RAND Corporation, creada en 1948, (Santa Mónica, California), para servir a las fuerzas aéreas americanas (la USAF), usando el saber y método científicos en la exploración de las fronteras del conocimiento (con el lema *pensar sobre lo impensable*), y aplicar los resultados a la invención de nuevos artefactos (aviones supersónicos, misiles intercontinentales...), y a estudiar problemas relacionados con toma de decisiones (investigación operativa, estrategia, política internacional, comunicaciones, etc.), en un escenario mundial de guerra termo-nuclear. Aunque pueda sorprender ahora, también se inició aquí el desarrollo de Internet, esa infraestructura básica para el nuevo mundo alternativo que está emergiendo en la actualidad (como la imprenta trajo al mundo moderno). Internet tuvo su origen en la crisis producida por la instalación de misiles soviéticos en Cuba en 1962. Ante el temor de una inminente confrontación nuclear surgió la pregunta: ¿cómo podrían comunicarse entre si las autoridades de los Estados Unidos, y qué tipo de red de mando y control podría supervivir a un ataque nuclear? la RAND recibió el encargo del estudio, y fue Paul Baran, quien desarrolló un nuevo concepto de comunicación, descentralizado y virtualmente invulnerable, denominado *conmutación de paquetes*. La primera implementación de esta idea se probó, en 1969, en la red llamada ARPANET, con un nodo en la RAND y otros en diversas instituciones científicas. El número de nodos creció rápidamente y en 1983 la red se dividió en dos: una con fines militares llamada MILNET, y el resto se convirtió en INTERNET.

7.3. La responsabilidad social del científico.

El panorama que se ofrecía desde la Segunda Guerra Mundial, era el de una investigación científica fuertemente controlada por los Estados y orientada hacia un desenfrenado desarrollo económico defendido por la fuerza militar. Esta situación hizo que muchos científicos reflexionaran sobre la mala utilización de sus investigaciones... y se preguntaron sobre su propia responsabilidad para que todo esto fuese así. El sentimiento de responsabilidad social que antes se le suponía al sabio, se estaba perdiendo. Ya el químico Alfred Nobel, inventor de la dinamita, señaló esta pérdida de confianza al estatuir que su premio sirviera para galardonar *actividades científicas benefactoras, no de muerte, sino de vida*, como recordó Einstein en uno de sus discursos.

Pero sobre todo, después de la segunda guerra mundial se inició un verdadero movimiento de denuncia contra el mal uso de la ciencia. Así, Linus Pauling (Premio Nobel de Química en 1954), luchó contra las pruebas nucleares, y los peligros biológicos de las precipitaciones radiactivas, presentando un manifiesto a las Naciones Unidas en 1958, que firmaron más de 11.000 científicos. Bertrand Russell, Premio Nobel de la Paz de 1962, condenó las pruebas de la bomba H en el *Manifiesto Russell-Einstein*, firmado en 1954 por muchos premios Nobel; y también Russell, junto a J. P. Sartre, creó un Tribunal Internacional (*Tribunal Russell*) para juzgar los Crímenes de Guerra. Algo después, destaca la actitud de Noam Chomsky, movido contra la Guerra del Vietnam de 1958 a 1975, (no olvidemos que el monto total de material bélico empleado en Vietnam ha sobrepasado el total empleado contra Alemania e Italia en la II Guerra Mundial) que expresa en varios artículos recogidos en su libro *El Poder Americano y los Nuevos Mandarines*, aparecido en 1969.

Pero no fueron sólo los científicos ya consagrados, también muchos jóvenes de diversos países se incorporaron a una protesta, que no se limitó a las aplicaciones perversas de la ciencia, sino también al sesgo ideológico que estaba tomando la misma ciencia. Los antiguos dioses estaban en su ocaso.

Era, pues, necesario que apareciera un conjunto de ideas indiscutibles que acatar, para frenar el librepensamiento. Paradójicamente, la Ciencia ocuparía este lugar y su ortodoxia sería el nuevo mito del *cientismo*. Con esto se hacía, o al menos se intentaba, una de las mayores transgresiones del pensamiento: la ciencia, –que había surgido como expresión del libre discernimiento de cada uno para leer los mensajes de la Naturaleza y hacer desaparecer los dogmatismos–, se la quería mostrar ahora como un conjunto de ideas indiscutibles con las que restablecer un nuevo dogmatismo (*la ciencia lo ha dicho, hay que acatarlo*). Esta nueva religión necesitaba de sus sacerdotes y de sus templos organizados de forma jerárquica desde donde dirigir el desarrollo científico y asegurar la propiedad de sus resultados a los sumos sacerdotes, y a quienes estos servían.

En este escenario apareció el movimiento *anticientista*, con el objeto de mantener la forma libre de hacer investigación científica, que nunca se debió perder. Muchos fueron los grupos y personas que siguieron este movimiento, como, por citar sólo algunos de los iniciales, la Sociedad Británica para la Responsabilidad Social del Científico (UK); Sobrevivir (Francia), Grupo de Matemáticos en Acción (USA); Sociedad para la Responsabilidad Social de la Ciencia (USA), Ciencia para la Paz (U. K.), Asociación de trabajadores científicos (U. K.), Los Nuevos Alquimistas (USA), etc. El grupo francés *Survivre*, formado principalmente por brillantes matemáticos como Chevalley, Samuel y Grothendieck, editaba una revista con el nombre del grupo, en la que Samuel decía: *No pienso que atacando al Cientismo, los científicos traicionen su propia comunidad. Al contrario, los que pueden llevarla a su ruina son los que se adhieren a los mitos del Cientismo, porque estos mitos arriesgan a la humanidad a una gran catástrofe militar o ecológica..* Citamos como muy representativas las siguientes palabras de Grothendieck, medalla *Field* de matemáticas (equivalente al Nobel en su campo), quien después de considerar a la ciencia actual como una de las principales fuerzas negativas de la sociedad y de responsabilizar de esta situación a los científicos que forman las capas superiores de la tecnocracia indica que:

Estos aspectos negativos pueden ser expresados por los siguientes puntos:

1) Independientemente de las motivaciones individuales de los investigadores, la Ciencia pone en las manos de una minoría de "jefes" un poder inmenso y potencialmente destructivo, poniendo así en peligro nuestra propia supervivencia, por primera vez en la historia de la humanidad.

2) El conservadurismo de la casta científica y los mitos pretendidamente científicos del cientismo sirven para justificar las condiciones dominantes de la sociedad presente y la tendencia auto destructiva (bautizada de progreso) de la civilización industrial hacia un crecimiento ilimitado de la producción, del consumo, de la ciencia presente y de las técnicas que la acompañan. Crecimiento concebido como un fin en sí mismo, sin consideración de nuestras necesidades y de nuestros deseos ni de exigencia alguna de humanidad y de justicia.

3) El método de las ciencias, en su práctica actual, engendra relaciones alienantes entre los investigadores, los científicos, (competición, jerarquía, nepotismo...), y una fuerte tendencia hacia el elitismo y el esoterismo.

4) En la mayor parte de los casos, la motivación de la investigación científica no es ni la dicha de la humanidad, ni la necesidad de la creatividad del investigador, sino que reside en una fuerte obligación social, ya que la publicación de resultados revierte en la propia promoción, en la conservación del empleo, o en la búsqueda de otro mejor.

Pero este movimiento anticientista poco a poco dejó de ser visible. Sus partidarios dejaron de pertenecer a las grandes instituciones. Sus publicaciones ya no tenían cabida en un mundo académico cada vez más integrista y cientista. Aunque no han desaparecido algunos testimonios posteriores que suelen ser silenciados.

7.4. La ciencia del neoliberalismo global.

Pero, ¿qué pasaba mientras tanto en la ciencia oficial? Se continuaba el camino que hizo pasar de la ciencia libre de los pensadores del siglo XVII a la ciencia controlada por las monarquías de los siglos XVIII y XIX para asegurar el *progreso de sus naciones* y, después, por los Estados del siglo XX para alcanzar la supremacía bélica y económica, hasta llegar ahora a la ciencia controlada por las grandes corporaciones empresariales con el objetivo de incrementar sus beneficios, en la *creencia* que con ello se lograría el nacimiento de un nuevo Mundo Globalizado Feliz. Veamos algunos ejemplos de este último tramo del viaje recorrido por la ciencia.

Atenuada la Guerra Fría en los años 70, los Estados Unidos modificaron su orientación de la política científica. La *National Science Foundation* incrementó su apoyo a la investigación aplicada. El presidente Ford creó en 1974 la Oficina para la Política en Ciencia y Tecnología y un Consejo presidencial de ciencia y tecnología. Este enfoque cambió en la década de los 80, pues Reagan consideraba que la investigación básica correspondía al gobierno federal, por contribuir a la defensa nacional y al crecimiento económico, y la investigación aplicada, con la excepción de la dedicada a Defensa, debería ser financiada por el sector privado.

Con esta orientación se facilitaba a las Grandes Corporaciones la apropiación del conocimiento, en el sentido más estricto. Las grandes industrias tradicionales, como las eléctricas (la americana General Electric, la alemana AEG), del automóvil (General Motors, Ford, Vollkswagen), Químicas (Monsanto, Novartis, Du-Pont, y Aventis) y electrónicas (Comunicaciones ATT, informática IBM), dejaron de ser el grupo dominante y vanguardia de la industria moderna, para dar paso a otras Corporaciones, con mayor impacto social y para las que el conocimiento es su fundamental factor de producción. Son organizaciones que están altamente automatizadas, por lo que requieren poco personal, y además utilizan poca energía y emplean poca y barata materia prima. Se dedican a campos como farmacología, agroalimentación, biociencia, informática, diseño de grandes proyectos, etc.

Como el conocimiento es un elemento esencial de sus actividades, necesitan asegurar su propiedad, y presionan para crear leyes de propiedad intelectual que beneficie a este reducido número de Corporaciones. Por ejemplo, antes no podían patentarse los elementos de la naturaleza, sólo los procedimientos de extracción y los aparatos para su uso, pero desde 1987, violando sus propias normas, la Oficina de Patentes de Estados Unidos, estableció que se podían patentar los componentes de los seres vivos (genes, cromosomas, células, tejidos, etc.) por quien primero describiera sus funciones y aplicaciones. Además, los privilegios de los clásicos derechos de propiedad intelectual y de copyright se ampliaron considerablemente en los últimos años. Las grandes Corporaciones, en general, no venden el conocimiento que poseen, sólo ceden su uso; arriendan licencias por periodos cortos o venden productos de consumo en los que el conocimiento patentado es su principal componente. Esta es la nueva forma de producir en la Sociedad del Conocimiento. Pero considerar al conocimiento como mercancía genera la perniciosa característica de permitir su acaparamiento monopolístico.

Un ejemplo de este tipo de Corporaciones lo forman las industrias farmacéuticas, en las que el costo de la materia prima y de la energía utilizada es mucho menor, en el mercado actual, que el costo de las retribuciones de los gestores y científicos que participan en la producción del conocimiento utilizado. La investigación que realizan estas empresas está orientada más por el lucro y el mercado (demanda solvente) que por la necesidad de prevenir y curar las enfermedades de la humanidad. Estas empresas son las más rentables en la actualidad, después de las armamentísticas.

Nos dan otro ejemplo las industrias agroalimentarias, que producen semillas transgénicas y hacen un empleo masivo de fertilizantes, pesticidas y herbicidas, etc. Con estos métodos fue espectacular el incremento de la producción agrícola; en pruebas realizadas en México aumentó el rendimiento de la producción de trigo de 750 kg por hectárea en 1950, a 3.200 kg en 1970. Este resultado, probado también con el arroz y el maíz, hizo pensar que era posible la erradicación del hambre en los países del Tercer Mundo. A las esperanzas despertadas por este movimiento de modernización agrícola se le bautizó con el atractivo nombre de *Revolución Verde*. Pero no tardaron en aparecer sus aspectos negativos, consecuencia de la supervaloración del lucro y por no tener en consideración que la demanda de alimentos de estos países, era una demanda no solvente. Esta actividad fue muy criticada por su incidencia en el desequilibrio ecológico, el incremento de la pobreza local, la pérdida de los oficios tradicionales, e incluso por ocasionar problemas nutricionales, pero, sobre todo, por los riesgos derivados de que la alimentación mundial dependiese de un negocio mercantil concentrado en pocas manos.

Se podría continuar citando otros sectores en los que la creación o utilización del conocimiento sea su actividad principal, como ocurre con las industrias médicas, de telefonía, de información y entretenimiento...

215

pero sólo agregaremos otro, del que se habla menos, formado por las consultoras para grandes proyectos. Este sector se dedica a aplicar el conocimiento organizado al diseño de nuevos productos o de grandes sistemas; como pueden ser: un puerto de contenedores, nuevos modelos de automóviles o de robots, una refinería, un aeropuerto, una red de satélites, un teléfono celular, o una operación militar... Poseen la capacidad, o el monopolio, de los conocimientos y de las herramientas necesarios para realizar todas las tareas que abarcan el ciclo completo de un producto, desde la concepción (idea inicial, especificaciones, plan de innovación), el diseño (planes estratégicos, definición, desarrollo, análisis y validación), la planificación de la realización (planes de fabricación, construcción, venta y suministro) y de los servicios posteriores (uso, operación, mantenimiento, apoyo, retirada, reciclaje…). Sus procedimientos están también muy informatizados. Con este tipo de ingeniería total se consiguen productos automatizados en alto grado, de costos de producción reducidos y altamente competitivos. Pero todo ello a costa de un monopolio del conocimiento, contra el que es difícil competir, que fija sus objetivos por el lucro.

Pero, con esta forma de hacer ciencia no se ha llegado al final de la historia. Todavía queda la esperanza de romper la forma cerrada del modelo actual y lograr otra nueva, abierta y libre, de hacer ciencia. Veamos que la historia continúa.

7.5.- Nuevas perspectivas para el desarrollo científico libre.

Desde los años 70, como hemos visto, fue desapareciendo el movimiento anticientista iniciado en los 50, y haciéndose cada vez más visible la paulatina concentración del conocimiento aplicado en manos de un reducido número de corporaciones y empresas en las que se ha ido realizando, principalmente, la investigación aplicada. También estas corporaciones han ejercido una gran influencia, a través de subvenciones o de otros mecanismos financieros, en la orientación sobre los temas a estudiar por la investigación básica. En ambos casos, aplicada o básica, las formas de organizar la investigación científica se han mantenido con la misma estructura centralizada y jerárquica heredada de los años 50, aunque con más cantidad de nuevos y poderosos medios con los que subvencionan la investigación para asegurarse la apropiación de los resultados obtenidos.

216

Pero simultáneamente en las tres últimas décadas, al tiempo que se han venido denunciando los efectos negativos de esta forma de producción científica, ha ido surgiendo otra forma alternativa de investigar con nuevos métodos y medios mucho más eficaces gracias, en gran medida, al espectacular desarrollo de las tecnologías de la información. Estas han permitido la construcción de ágiles y económicas plataformas abiertas para la elaboración, almacenamiento y difusión del conocimiento. En efecto, se dispone ya, en la actualidad, de un sistema global capaz de almacenar todo el conocimiento producido por el hombre a lo largo de su historia y de ponerlo a disposición de cualquiera, en cualquier momento y en cualquier punto de la Tierra y, además, esto se hace casi sin costos si se comparan con los correspondientes de los métodos tradicionales. Se ha superado la mera representación escrita (manuscrita o impresa) con la aparición de un nuevo espacio de representación del conocimiento en formas multimedia de cualquier tipo y de los muy variados procedimientos automáticos para su elaboración. Estas facilidades están permitiendo a los investigadores pasar de la utilización de las bibliotecas y hemerotecas de papel (forma clásica de almacenar y distribuir información) a utilizar cada vez más las equivalentes digitales. También se está pasando de las formas clásicas de reunión y comunicación (como los Congresos, Simposios, Newsletters, correspondencia...) a otras formas más rápidas y dinámicas de intercambio de información, apoyadas en la red, que han incrementado de manera muy notable las posibilidades de realizar trabajos de forma muy ágil, libre y cooperativa.

Aunque en la actualidad se dispone, pues, de toda una enorme infraestructura compuesta por una gran plataforma informática, por una serie de grandes repositorios de información, por potentes observatorios en los que se producen una infinidad de datos, por laboratorios en los que se pueden experimentar las teorías, etc. sin embargo el acceso a estos recursos está limitado a un número relativamente muy reducido de investigadores encuadrados en instituciones clásicas. ¿Por qué esta limitación? Se quiere justificar, principalmente, esta dificultad de acceder libremente a los recursos de conocimiento existentes aduciendo razones económicas y de defensa de la propiedad intelectual. Convertir en escasos recursos abundantes es lo contrario a una consideración económica, que solo es comprensible dentro de una lógica neoliberal cuya finalidad es maximizar el lucro de quienes detentan la propiedad.

Pero, ¿es el modelo actual el único posible de organización y apoyo a la investigación científica?

Veamos que la situación está cambiando. En pocos años se pasó del concepto de gran ordenador centralizado al de ordenador personal distribuido y se popularizó su uso entre millones de usuarios. Al gran incremento del número de microordenadores, siguió la posibilidad de su interconexión para comunicarse, compartir información, y trabajar a distancia y en cooperación. Es decir, se ha ido formando una plataforma compuesta por una inmensa red, cada vez más tupida, de pequeños y grandes ordenadores y de múltiples aplicaciones que facilitan la tarea de creación de conocimiento. Esta plataforma se extiende por todo el mundo y facilita la difusión de la información fuera de las bibliotecas y de los centros de investigación tradicionales. No solo permite el acceso a información ya elaborada, sino también que a través de múltiples de sus nodos conectados con instrumentos de observación o de experimentación (debidamente automatizados) se puedan realizar muchas de las tareas que ahora se hacen en los centros de investigación convencionales.

La aparición de esta plataforma informática permite otra forma radicalmente diferente de realizar la investigación científica, utilizando recursos distribuidos, eliminando las barreras que impiden el acceso libre a esos medios y facilitando la libre cooperación entre los investigadores. Los costos de los nuevos medios son mucho más reducidos que los costos de los medios tradicionales y, además, pueden distribuirse entre un número muchísimo mayor de usuarios.

* * *

Pongamos un ejemplo de esta nueva forma de producir conocimiento que nos ayude a percibir cómo puede ser otra manera de realizar la investigación científica. Nos referimos a la forma global y cooperativa de producir y distribuir las aplicaciones informáticas utilizadas en el llamado *software libre,* y de cómo sus resultados puede permanecer de dominio libre.

El *software libre* surgió como contraposición al *software propietario.* Cuando se expandió la utilización de la informática gracias a la aparición

218

de los microordenadores (PC) fue necesario el empleo de un *software genérico*, es decir, un software cerrado dedicado a aplicaciones específicas (paquetes de programas), que fuera capaz de funcionar en un amplio número de ordenadores. Esta necesidad hizo surgir una industria para producir *software genérico*, debido a la incapacidad de los usuarios de PC de escribir sus propios programas (por ignorancia técnica o por costo excesivo).

Estos paquetes de programas que, en efecto, recogían conocimiento grabado sobre un soporte informático, se vendían en el mercado a precios asequibles considerándolos como mercancía ya que su aspecto físico le hacía parecer una *cosa* material, no distinguiendo claramente entre el soporte material y el contenido inmaterial. Pero dada la facilidad con que la informática es capaz de copiar los contenidos digitales, la nueva industria se protegió de lo que consideró *copia fraudulenta* endureciendo las leyes de propiedad intelectual y de copyright, para impedir legalmente lo que era difícil impedir en la práctica: la posibilidad de copiar, corregir, mejorar o adecuar a las necesidades del usuario los programas adquiridos para su uso. Además, como protección adicional (lo que es un ejemplo de oscurantismo), no se entregaban los programas fuente para que no se conociese cómo estaban hechos. Debido a su consideración como mercancía a este software se le llamó *software propietario*, y se asignaba su *propiedad* a la empresa que lo confeccionaba. Esta *propiedad*, en general, no se vende y solo se ceden copias con licencia de uso de su contenido, con la condición de no modificar los programas ni facilitar copias a terceros.

Para superar estas restricciones que dificultan la difusión de los programas, y además impiden corregirlos y mejorarlos, surgió una nueva fórmula de propiedad intelectual -usando las mismas leyes del copyright- mediante la cual los autores permiten la copia, corrección y mejora de sus programas, pero con la condición *recursiva* de que esas copias o el nuevo conocimiento generado a partir de ellas estén también sujetas a la nueva fórmula de permitir copiar y modificar la información recibida. Esta fórmula legal está recogida en la *General Public Licence* (GPL), coloquialmente conocida como *Copyleft* y el software creado y distribuido utilizando esta formula se llama *software libre*. Este tipo de software se desarrolló para hacer frente a los abusos y limitaciones del *software propietario*. Sin embargo, la aparente novedosa idea de *Copyleft* no hace más que restaurar y proteger legalmente lo que había sido el intercambio habitual de programas en los tiempos iniciales de la informática, y restituir el carácter de libertad que tradicionalmente tuvo la investigación científica y la creación de conocimiento, su intercambio y su difusión.

Con esta sencilla formula de *Copyleft* se consigue una difusión ilimitada de los programas sin que nadie tenga el monopolio de su propiedad y, también, se facilita la formación de innumerables grupos de trabajo en la red para escribir programas nuevos o modificar los antiguos, sobre los que tampoco recaiga una propiedad mercantil.

El software libre ha sido adoptado por numerosas instituciones públicas y privadas que colaboran en su mantenimiento y desarrollo, porque además de su calidad y eficiencia, valoran la razón estratégica de no depender de los planes o vicisitudes de las empresas comerciales que desarrollan y difunden *software* propietario y que, por diversas circunstancias, pueden cambiar sus intereses o pueden desaparecer.

* * *

Esta fecunda idea de software libre, realizado mediante cooperación global, se está generalizando a otros dominios de creatividad científica y artística. Por eso la idea del *Copyleft* o de copia permitida, que surgió vinculada al software, empieza a emplearse también para proteger la libertad de difusión y de modificación de una gran diversidad de obras de otros tipos, como las producidas por el arte y la ciencia, considerando que la creación y la cultura deben permanecer libres para crecer y desarrollarse adecuadamente.

Pero no es solo la manera de distribuir libremente la información la que nos sirve de nuevo modelo con relación a la producción científica. Es claro que la forma de producir software libre nos ofrece también un modelo para producir otros tipos de conocimiento. Es un modelo que consiste básicamente en facilitar la formación de equipos o grupos abiertos de trabajo, constituidos libremente, movidos por el deseo o la necesidad de realizar una aplicación informática para construir nuevos sistema automáticos. Estos equipos no tienen por qué compartir locales, ya que pueden estar localizados en distintas lugares, ni tienen porque estar organizados jerárquicamente ya que pueden ser organizaciones entre iguales que se unen para el intercambio y cooperación en sus tareas con un objetivo común.

Por analogía con el modelo de producción de software libre, se está configurando un nuevo modo de organizar la investigación científica. Analogía no completa, pues es solo un modelo parcial ya que en la investigación científica se necesitan más medios y recursos para realizar sus tareas (especialmente el uso de observatorios y de laboratorios) que los necesarios en la producción de *software*.

Sin embargo para definir esta analogía nos es útil observar cuales son las motivaciones de los que se dedican a la creación y mantenimiento del software libre y cuáles son las formas que van tomando las organizaciones que se dedican a realizarla.

En el caso del software libre la motivación no proviene de intereses lucrativos, sino del propio tema a desarrollar, o por la incidencia de sus resultados en beneficio del grupo o de la sociedad. Este tipo de motivación también es aplicable al caso de la investigación científica.

La organización para producir *software* libre consiste, básicamente, en la formación de grupos abiertos de cooperación para el desarrollo de una aplicación informática, distribuidos por diferentes geografías conectados por la red y respetando las normas elaboradas por ellos mismos para cada proyecto. La formación de estos grupos es dinámica, nacen para desarrollar de una aplicación elegida y definida por ellos, y crecen o decrecen libremente durante el periodo necesario para hacerla pública. Esta aplicación después se irá corrigiendo y modificando durante su uso, por ese o por otros grupos de trabajo.

Con estas observaciones vemos que un modelo análogo es aplicable a la investigación científica aunque en este caso su complejidad es mucho mayor debido, principalmente, a que se requieren recursos físicos, como observatorios y laboratorios, y sus resultados están orientados al conocimiento de la Naturaleza (ciencias básicas) y, en muchos casos, a la producción de bienes materiales y a otros aspectos del bienestar de la vida humana (ciencias aplicadas y tecnología).

Para atender esta mayor complejidad se cuenta ya de una inmensa red de recursos que permitirían realizar la investigación científica de una manera abierta y libre, en la que podrían implicarse, en relación con la actual manera de operar, un número considerablemente mayor de grupos de científicos. Además esos colectivos podrían hacer investigaciones comunes sobre temas elegidos por ellos mismos, o por grupos afines, movidos por la curiosidad de conocer y proteger la Naturaleza, o por las necesidades sociales por ellos detectadas.

Entre estos recursos podemos contar con grandes repositorios de información en los que recoger, por un lado, todo el conocimiento acumulado durante siglos y, por otro, almacenar el nuevo conocimiento creado. Todo ello con la posibilidad de organizar y acceder a ese conocimiento de forma sencilla y económica. También entre los recursos existen numerosos medios de intercomunicar a grupos de personas para realizar tareas en común así como numerosos observatorios y laboratorios que podrían formar parte de la red, si se elaboraran los protocolos correspondientes de acceso libre a su utilización o al uso de los innumerables datos generados en ellos. La red dispone ya de numerosísimas herramientas para facilitar la elaboración de conocimiento de forma cooperativa.

Sin embargo y pese a disponer ya de todas estas facilidades, la investigación científica se está haciendo todavía de manera compartimentada por países, en organizaciones jerárquicas, o realizada en grupos estancos, donde prima más la competición que la colaboración. Las actuales son formas de investigación socialmente caras y poco eficaces y en las que las líneas de investigación son determinadas por pequeños grupos que tienen más en cuenta el lucro privado que el interés general. Además la manera actual de investigar conduce a la formación de monopolios de poseedores herméticos del conocimiento científico, con las graves consecuencias que esto podría acarrear a la Humanidad.

Por eso cabe preguntar ¿Qué hace falta para que se logre implantar una nueva forma de organización de la investigación científica más amplia, estable, eficaz y abierta?

La principal razón para el retraso de la adopción de un nuevo modelo de investigación científica proviene de la actual estructura neoliberal de la sociedad, que todo lo considera mercado y mercancía. Cualquier actividad está orientada por la maximización del lucro privado. Pero ocurre que es difícil considerar al conocimiento como una mercancía, por ser su naturaleza muy diferente a la de las mercancías materiales, y porque su propiedad es de difícil asignación. En efecto, el uso de una copia por alguien no le impide a otro el usufructo de la misma información, ya que se pueden obtener fácilmente tantas copias de ella como se quiera. Además, el conocimiento almacenado no se destruye y es de fácil difusión (la dificultad está en su asimilación por las personas); un mismo conocimiento puede ser utilizado simultáneamente por una multitud indefinida de personas sin que dicho conocimiento se consuma o se desgaste. Por el contrario, las mercancías materiales son de difícil distribución y, a mayor o menor velocidad, siempre se consumen (aun sin contar con la aberrante fórmula de la obsolescencia planificada) y hay que reponerlas con mercancías iguales o análogas.

En definitiva, vemos que con los medios actuales, la investigación científica y la creación y obtención de cocimiento (por observación, reflexión y cálculo), es tarea que ahora podrían realizar colectivos muy amplios de personas que, gracias a esos mismos medios, se podrían instruir, formar, especializar, y prepararse para la investigación científica.

* * *

Dentro de la lógica neoliberal, la pregunta inmediata es ¿cómo se financiará el nuevo modelo de investigación científica?

La respuesta no es fácil dentro del propio sistema neoliberal, ya que solo acepta que esté regulada por el criterio que rige todo el sistema, es decir, la maximización del lucro crematístico. Las enormes contradicciones que plantea este criterio nos están conduciendo a resultados aberrantes que hoy ya son imposibles de ocultar.

Además, la repuesta que nos defina la forma de financiar o remunerar la investigación científica, estará dentro del nuevo marco de fórmulas que regulen las relaciones económicas en el sistema actualmente emergente. Todavía son difíciles de anticipar como serán estas relaciones económicas, que se irán implantando de acuerdo con la evolución social, y con los resultados de los estudios que sobre este tema realicen los nuevos equipos, abiertos y libres, de investigación.

* * *

Aunque en el siglo XXI han cambiado notablemente los medios, procedimientos e infraestructuras que facilitan la investigación científica y su difusión, sin embargo, la tendencia oficial de organización de la investigación científica sigue siendo el mantenimiento de *minorías sabias* (que recuerdan a los primitivos escribas egipcios) a las que se confía el crecimiento y conservación del conocimiento, en la línea del *interés oficial*, integradas en estructuras estrictamente jerárquicas. En esta situación los criterios de calidad se miden o bien por su valor en el mercado entre los que ejercen el privilegio de su propiedad o mediante extraños baremos impuestos y aceptados por las minorías científicas oficiales para mantener o mejorar su puesto de trabajo. Esta forma de organización se está mostrando altamente ineficaz si pensamos en que la ciencia debe ser un procedimiento para resolver los problemas teóricos y prácticos de toda la humanidad y observamos, sin embargo, que no se aplica para estos fines. Si pensamos en los laboratorios de las grandes corporaciones, vemos que su eficacia consiste en incrementar sus cuentas de resultados y no necesariamente en los beneficios del interés común. Si pensamos en las minorías algo más amplias de los científicos integrados en otras instituciones oficiales, vemos que su tarea consiste en escribir millones de páginas con información, la mayor de las veces escasamente relevante, en las que no siempre se tratan cuestiones que provengan de necesidades materiales o intelectuales de la sociedad.

Es de esperar que se superen las limitaciones de la actual forma de investigación científica, es decir, que no sea solo realizada por reducidos *cuerpos de profesionales* y financiada por los Estados o las grandes Corporaciones. Cuando esta superación se logre se producirá, sin duda, un notable incremento de la actividad dedicada a producir conocimiento científico libre, en temas no fijados por el lucro sino por el interés intrínseco de los mismos.

Consideramos que la Historia no es simplemente la narración de unos hechos ocurridos en el pasado y, por tanto, ya muertos, sino el conocimiento de fuerzas sociales vivas originadas en el pasado, que aun ejercen influencia en el presente y que se deben conocer para actuar adecuadamente en la configuración del futuro.

Epílogo

En medio de los cambios vertiginosos a los que nos estamos acostumbrando, lo que trae como consecuencia que muchas obras e ideas de ayer caigan en desuso o se pierdan, Ernesto García Camarero, que ha crecido y vivido siempre entre libros, nos brinda un tesoro histórico-científico de inmenso valor: este libro que tenemos ante nuestra vista.

Lo que primero me sorprende, como sucede con las obras de arte notables, es la estampa de la tapa. Se trata de una espectacular pintura de Francisco de Goya con la inscripción *El sueño de la razón produce monstruos.*

Considerado uno de los padres del arte moderno, Francisco de Goya (1748-1828) inició su carrera artística inmediatamente después del periodo que abarcó el barroco. Expresó sus creencias y sentimientos con toda franqueza en el lienzo, lo que lo convirtió en uno de los pioneros de las nuevas tendencias artísticas que llegaron a su esplendor en el siglo XIX. Los horrores de la guerra dejaron una profunda huella en Goya; hurgó en las llagas más purulentas de la sociedad de su época, a la que criticó sin tapujos.

Ernesto García Camarero ha elegido para la portada de su libro el grabado número 43 que formó parte de una colección de Goya denominada *Los caprichos*, iniciada en 1799, de aproximadamente ochenta unidades, de una innovadora originalidad temática. Así escribió Goya dos años antes (1797), pensando poner esa estampa al frente de la edición de su colección: *la fantasía es la madre de las artes y origen de las maravillas, pero*

227

abandonada por completo de la razón, produce monstruos. (...) Cuando los hombres no oyen el grito de la razón, todo se vuelve horribles visiones.

Con sus trabajos Goya difundió la ideología de la minoría intelectual de los *ilustrados*, que incluía una crítica feroz de la sociedad civil y religiosa de la época, en busca de las reformas esenciales que reclamaban los progresos del siglo, y en preparación para días de feliz renovación cuando madurasen las nuevas ideas y costumbres.

Ese emblemático grabado (el capricho nº 43) sirvió de bisagra entre una primera parte dedicada a la crítica de costumbres y de una segunda más inclinada a explorar la brujería y la noche. Desde su primer dibujo preparatorio de 1797, el propio autor se representó a sí mismo soñando, y ante una visión de pesadilla de animales parecidos a búhos o murciélagos. Goya, vencido por el sueño, aparece apoyado en el frontal de una mesa en medio de un mundo de monstruos volando en la obscuridad.

Creo oportuno citar algunos recuerdos de los pájaros que asedian a Goya en su dibujo. El emblema del Museo Técnico de Munich, Alemania, es un búho, y por debajo de su figura hay un engranaje. Búho designa también a varias aves rapaces nocturnas. En la mitología griega, se llamaba ascáfalo a ese pájaro. En la Grecia antigua, Ascálafo era el nombre de dos personajes diferentes. Del primero se decía que había sido sepultado bajo una enorme piedra que cubría los infiernos y que, al escapar, se había transformado en un búho de orejas cortas, un animal que desde entonces vigila en la oscuridad de los infiernos. En otra parte de la Ilíada, se cuenta que un segundo Ascálafo fue un participante de la expedición de los argonautas, comandando treinta naves en la guerra contra Troya.

Vale la pena recordar que en la antigua Roma, el augur era el sacerdote que practicaba oficialmente la adivinación mediante el análisis e interpretación del canto, el vuelo y el comportamiento alimentario de las aves; también se decía que cuando un búho sobrevolaba un ejército antes de una batalla, ello era señal de victoria. En Roma, se consultaba siempre al augur antes de iniciar una acción bélica.

En el noreste de mi país Argentina, el búho, también llamado caburé, es un ave pequeña de rapiña de color castaño con algunas manchas blancas.

Cuenta la leyenda que quien tiene un caburé, o al menos una pluma del ave, puede darse por satisfecho, ya que todo le saldrá bien. Lo cierto es que al búho uno lo encuentra a menudo cuando ingresa en un campo, ya sea de noche o de día. Es un vigía atento, un centinela ubicado sobre alambres o postes, siempre mirando, analizando e interpretando, sabio y silencioso, lo que sucede a su alrededor.

Pienso que al libro de García Camarero pueden aplicarse hoy los comentarios anteriores por todo su análisis e interpretación de lo sucedido con la evolución de la ciencia.

Ernesto sabe que todos los elementos o subsistemas de una cultura cambian de continuo, y que a toda cultura se accede con entrenamiento. La vinculación con los libros no es la misma para todos, y los valores que cada uno le asigna no son iguales. Él ha ejercitado con los libros todo un entrenamiento físico e intelectual.

Algunas personas se han quedado fuera del uso de los teléfonos celulares y de las tecnologías digitales del presente. Son analfabetas en ese campo. Cuando escribimos en una computadora que conserva el teclado de la máquina de escribir mecánica (llamado QUERTY) es porque los fabricantes han coincidido – afortunadamente - en que no se debe desperdiciar el conocimiento social acumulado. Una persona habituada a escribir no puede decir dónde se encuentran distribuidas las letras, pero cuando se sienta a escribir, los dedos las encuentran de inmediato.

En el caso de Ernesto García Camarero, su vida profesional e intelectual lo colocó en el punto de encuentro de las dos culturas y por ello tienen tanto valor sus enseñanzas.

Podría decirse que Ernesto ha escrito este libro desde siempre, ya que siempre se ha dedicado a la ciencia de su país, y por tanto a su historia. Pero su presentación en este libro es completamente nueva. Es cierto, que algún capítulo proviene de otros trabajos suyos anteriores, como es aclarado en el libro, pero todos tienen una factura nueva y, en particular, los capítulos cuatro y cinco, corresponden a investigaciones históricas de Ernesto más recientes, que aportan valiosas novedades para conocer en profundidad detalles de la historia de la ciencia española y de sus Instituciones. Se suma a todo esto el capítulo primero *Mito y razón* y el último *¿Hacia dónde va la ciencia?*, con ideas creativas e innovadoras.

Y lo pudo hacer fácilmente de manera digital. Él justamente ha sido un impulsor durante toda su vida del uso adecuado de las técnicas de la informática en distintos campos, subrayando las ventajas para el escritor de poder publicar sin necesidad de imprimir, de poder revisar sus obras y corregir cuantas veces lo crea necesario. En las sucesivas metamorfosis de un libro, su autor puede convertirse en revisionista de su propia obra, es decir, que las obras deben estar siempre abiertas a posibles revisiones y adiciones.

Existen opiniones encontradas acerca de la influencia de la ciencia y las nuevas tecnologías en la sociedad y en la cultura en general. Algunos piensan que la tecnología moderna es una especie de agente automático que actúa *per se* sobre la gente gracias a una naturaleza propia, y que no queda más alternativa que adaptarse a ella; otros la adoptan de buen grado, de manera indiscriminada, sin analizar si ella es necesaria o si produce un cambio positivo. En ambos casos se olvida que lo importante no es lo que las máquinas hacen por nosotros, sino lo que nosotros hacemos con ellas.

Estas posiciones no son nuevas; por el contrario, siempre que una nueva ciencia o tecnología emerge y se introduce en la vida diaria, transformándose en un bien de uso común, se plantean discusiones similares. Las opiniones de dos escritores del siglo XIX constituyen un buen ejemplo. En 1851, cuando hacía poco se había popularizado el telégrafo, Nathaniel Hawthorne se refería a él con términos entusiastas: *Por medio de la electricidad, el mundo de la materia se ha convertido en un gran nervio, vibrando a lo largo de miles de millas en un instante efímero de tiempo. El globo terráqueo es ahora un enorme cerebro, imbuido de inteligencia.*

En cambio, Henry David Thoreau, en su libro de 1854, *Walden o la vida en los bosques*, escribía: *Nos damos mucha prisa para construir un telégrafo entre Maine y Texas, pero Maine y Texas, tal vez, no tienen nada importante que comunicarse. Pareciera que lo importante fuera hablar con rapidez y no hablar sensatamente. Estamos anhelando tender un cable debajo del Atlántico para acercar en unas semanas el Viejo Mundo al Nuevo; pero quizás una de las primeras noticias que lleguen al amplio y agitado oído americano será que la princesa Adelaida tiene tos convulsa.*

La fe ciega en los avances de la ciencia que, según los optimistas del siglo diecinueve, garantizaban el movimiento ascendente de las superestructuras del espíritu, se reveló lamentablemente utópica. La sociedad no es un cuerpo macizo en constante mejoría, en proceso de perfeccionamiento sin fin. Esta confianza en la razón se originaba en un pensamiento reductor y determinista que escindía al hombre y también al cosmos en vez de comprender la interrelación de todo con todo, como intuyó genialmente Pascal.

Una de las máximas preferidas por aquellos optimistas, y que todavía tiene predicamento, reza: *el tiempo es oro.* Se cree que ahorrar tiempo es bueno; que la lentitud es negativa y la velocidad un valor supremo. Nadie ignora que los servicios de información de todo tipo se extienden a escala planetaria y las industrias de las telecomunicaciones han devenido las *vedettes* de la economía mundial, como sucedía con el protagonismo de los ferrocarriles hace 150 años. Gregorio Weinberg, un historiador argentino, ha señalada al respecto: *La locomotora simbolizó de algún modo la furia, el ímpetu modernizante de los nuevos sectores dirigentes. El ferrocarril fue una realidad y también un mito; el progreso, sinónimo de locomotora o ferrocarril, dejó atrás las mulas y las carretas, y nuestros países comenzaron a experimentar, como se decía entonces, el vértigo de la velocidad.* Los conceptos de Weinberg pueden desplazarse al presente trocando *locomotora* por *computadora* y *trenes* por *telecomunicaciones.*

La tecnología pareciera adquirir a veces una dinámica propia. Es común creer que los caminos que siguen la ciencia y la tecnología están por encima de las personas, sus deseos o sus expectativas. La historia nos demuestra, sin embargo, que el desarrollo de las innovaciones está mucho más estrechamente relacionado con cuestiones políticas, sociales y económicas que con argumentos meramente técnicos. Toda innovación recorre en general senderos sinuosos que resultan primordialmente del uso particular que la gente hace de ella. La tecnología no se aplica en un vacío social, independientemente de los valores y propósitos que conforman a la sociedad del momento, sino que está íntimamente marcada por las decisiones humanas. Es un lugar común decir que las revoluciones devoran a sus líderes porque, una vez puestas en marcha, resulta imposible controlar las fuerzas desatadas y se corre el riesgo de que se vuelvan en contra de quienes las liberaron.

El mundo actual está clamando por nuevas miradas que arrojen luz sobre el curso, confuso y enredado, de las cosas. El ejercicio entretejido con lo humano en su totalidad, tanto de la ciencia como de la ingeniería, necesita también esa elucidación por la mirada que, para mejorar sus posibilidades de tener éxito, es deseable que provenga de un espectador incluido activamente en el espectáculo, como ha sido y es Ernesto García Camarero. Con su libro nos hace pensar sobre el futuro de la investigación científica y tecnológica, que es, sin duda, uno de los principales resultados de la Historia sobre el tema, y una de las consecuencias importantes de su estudio. En el último párrafo de su libro, nos da una poderosa idea de la Historia: *Consideramos que la Historia no es simplemente la narración de unos hechos ocurridos en el pasado y, por tanto, ya muertos, sino el conocimiento de fuerzas sociales vivas originadas en el pasado, que aun ejercen influencia en el presente y que se deben conocer para actuar adecuadamente en la configuración del futuro.*

Tanto la ciencia como la ingeniería están en plena transformación y dependen, como nunca antes, de actividades diversas, tornándose un imperativo su inserción reflexiva en el contexto cultural. En esta línea, este texto es una preciada invitación a continuar esta apasionante travesía.

Ing. Horacio C. Reggini
Miembro de número de la Academia Nacional
de Ciencias Exactas, Físicas y Naturales,
de la Academia Nacional de Educación
y de la Academia Argentina de Letras.
Miembro titular de la Academia Argentina de Artes
y Ciencias de la Comunicación
Miembro correspondiente de la Academia
de Ingeniería de la Provincia de Buenos Aires.

Sobre el autor

Ernesto García Camarero es matemático, informático e historiador de la ciencia. Estudió en las Universidades de Madrid y Roma. Dirigió tareas de análisis y programación en el Instituto de Calculo de la Universidad de Buenos Aires y colaboró en el diseño de la computadora CEUNS en la Universidad Nacional del Sur, Bahia Blanca, Argentina.

Fue director del Centro de Cálculo de la Universidad Complutense (década de los setenta), donde organizó seminarios de investigación en temas de informática teórica y de aplicaciones avanzadas. Elaboró el plan de estudios de la especialidad de Ciencias de la Computación, de la Facultad de Matemáticas de la Universidad Complutense, y fue profesor de Teoría de Autómatas y Lenguajes Formales en dicha Facultad.

También ha destacado en el campo de la automatización y digitalización de bibliotecas. Desarrolló el primer sistema español de automatización de bibliotecas (utilizado por la Biblioteca Nacional de España con el nombre de SABINA).

Su curiosidad innata, su capacidad de análisis y síntesis y su amplia cultura las ha dedicado desde su juventud a la investigación de la historia de la ciencia española.

Es autor de varios libros, y de numerosos artículos en revistas especializadas y de colaboraciones en congresos profesionales.